Fort Saganne

De Djelfa à Tombouctou, au Hoggar, puis au Tassili des Ajjers, le lieutenant Charles Saganne connaît, à la tête de ses guerriers Chaamba, des aventures qui paraissent aujourd'hui inimaginables. Il connaîtra aussi cette poignée d'officiers qui, isolés par le désert, loin des ordres et de tout contrôle, avaient licence de se comporter en maîtres absolus : grandeur et bassesse d'une conquête. Il sera fasciné, comme le sont encore de nos jours les voyageurs, par les Touareg, dont il apprendra la langue et sur lesquels il écrira un livre. Enfin, envoyé en mission à Paris, il sera mêlé aux intrigues du « parti colonial », et il découvrira, à travers une passion pour Louise Tissot, féministe et romancière célèbre, l'envers mondain de la politique.

A la veille de la guerre de 1914, ses exploits, et en particulier son combat contre le chef Sultan Ahmoud, lui vaudront d'être chanté par les poètes touareg et d'être célébré en héros par les journaux parisiens.

Au-delà de cette légende qui naît autour de lui sans qu'il y prête attention, qui est-il, ce petit-fils de paysan ariégeois ? Est-il, comme le lui dira le Père de Foucauld, « un chercheur d'absolu » ? Est-il ambitieux, avide de revanche sociale ? Pourquoi lui, qui s'écriera en apprenant que la guerre est déclarée en Europe : « C'est la plus grande imbécillité de l'histoire ! », est-il, depuis l'enfance, tenaillé par le besoin de risquer sa peau ?

Bref, comment est-ce fait, de l'intérieur, un héros d'autrefois ?

Né en Afrique du Nord en 1939, Louis Gardel est le petit-fils d'un officier saharien dont le personnage de Charles Saganne s'inspire largement. Fort Saganne *est son troisième roman.*

Du même auteur

AUX MÊMES ÉDITIONS

L'Été fracassé
1973

Couteau de chaleur
1976

Louis Gardel

Fort
Saganne

roman

Éditions du Seuil

TEXTE INTÉGRAL

EN COUVERTURE : Gérard Depardieu dans *Fort Saganne*
photo Ph. Ledru. Sygma.

ISBN 2-02-005887-1.
(ISBN 1ʳᵉ parution : 2-02-005781-6 éd. reliée ;
2-02-005530-9 éd. brochée.)

*Pour Aurélien
et pour Fabrice*

Pour écrire ce roman, j'ai consulté une grande quantité d'ouvrages et de documents ayant trait, en particulier, à la pénétration française au Sahara avant 1914. Parmi ces livres et documents, figurent notamment les écrits laissés par le capitaine Gabriel Gardel, mon grand-père, et surtout le récit qu'il a rédigé du combat d'Esseyène, ainsi que des lettres du commandant Édouard Charlet, officier saharien de 1900 à 1913. De nombreux extraits de cette correspondance ont été insérés dans les lettres attribuées au héros de ce roman, et qui se trouvent au chapitre 6.

Plusieurs épisodes du livre sont largement inspirés d'événements réels. Pourtant, on ne saurait assimiler les personnages que j'ai imaginés à des officiers ou des personnes publiques impliqués dans ces événements.

L.G.

Charles Saganne est beau. Au premier regard il touche. Naturellement, beaucoup d'hommes, et beaucoup de femmes aussi, s'arment contre cette séduction ; au second regard il est accepté tout entier, ou obscurément craint et parfois haï. Lui connaît son pouvoir, mais vaguement. D'ordinaire il l'oublie. Une ou deux fois par mois, pendant quelques secondes, il se sent irrésistible. C'est alors qu'il l'est le moins : dans la pose son visage se bute, il a l'air impitoyable.

L'attrait qu'il exerce est dans sa démarche, son port de tête, dans le jeu de ses épaules, de ses hanches, de ses genoux. L'épaisseur des vêtements n'y fait pas obstacle. Aperçu de dos, au fond de quelque caserne, le torse mal pris dans une vareuse d'exercice, les jambes alourdies par le pantalon de laine, il inspire le même élan que lorsque son regard rencontre le vôtre. Ses yeux sont clairs, verts ou bleus, selon la lumière. Jusqu'à l'adolescence, ses cheveux sont restés trop blonds, ses traits trop fins. Il aurait pu en souffrir. Ça n'a pas été le cas. Il ne se soucie pas de son apparence. A Saint-Hippolyte-du-Fort, chez les enfants de troupe, puis dans les zouaves, au soleil d'Alger, il a gagné un visage, un cou et des mains auxquels conviennent les gros savonnages. Quant à faire l'élégant, comme il n'en a jamais eu les moyens, il n'en a pas pris le goût. Depuis l'âge de seize ans il se satisfait des uniformes que l'armée fournit. Son unique folie, il l'a faite à Saint-Maixent, il y a deux ans, après avoir entendu la voix du colonel commandant l'Ecole faire retentir son nom aux échos de la cour, devant les nouveaux officiers rangés au garde-à-vous : il était major de sa promotion. Sitôt la cérémonie terminée il a couru chez le bon bottier et a commandé des bottes à ses mesures. Grand seigneur par timidité, il ne s'est enquis du prix que lorsqu'il était trop tard pour se dédire : cinquante francs. Il était furieux. Ces ruineuses merveilles sont galbées si près du mollet qu'il faut l'aide de deux hommes pour les tirer. Il les fait durer :

Charles Saganne est beau. Au premier regard il touche. Naturellement, beaucoup d'hommes, et beaucoup de femmes aussi, s'arment contre cette séduction ; au second regard il est accepté tout entier, ou obscurément craint et parfois haï. Lui connaît son pouvoir, mais vaguement. D'ordinaire il l'oublie. Une ou deux fois par mois, pendant quelques secondes, il se sent irrésistible. C'est alors qu'il l'est le moins : dans la pose son visage se bute, il a l'air impitoyable.

L'attrait qu'il exerce est dans sa démarche, son port de tête, dans le jeu de ses épaules, de ses hanches, de ses genoux. L'épaisseur des vêtements n'y fait pas obstacle. Aperçu de dos, au fond de quelque caserne, le torse mal pris dans une vareuse d'exercice, les jambes alourdies par le pantalon de laine, il inspire le même élan que lorsque son regard rencontre le vôtre. Ses yeux sont clairs, verts ou bleus, selon la lumière. Jusqu'à l'adolescence, ses cheveux sont restés trop blonds, ses traits trop fins. Il aurait pu en souffrir. Ça n'a pas été le cas. Il ne se soucie pas de son apparence. A Saint-Hippolyte-du-Fort, chez les enfants de troupe, puis dans les zouaves, au soleil d'Alger, il a gagné un visage, un cou et des mains auxquels conviennent les gros savonnages. Quant à faire l'élégant, comme il n'en a jamais eu les moyens, il n'en a pas pris le goût. Depuis l'âge de seize ans il se satisfait des uniformes que l'armée fournit. Son unique folie, il l'a faite à Saint-Maixent, il y a deux ans, après avoir entendu la voix du colonel commandant l'Ecole faire retentir son nom aux échos de la cour, devant les nouveaux officiers rangés au garde-à-vous : il était major de sa promotion. Sitôt la cérémonie terminée il a couru chez le bon bottier et a commandé des bottes à ses mesures. Grand seigneur par timidité, il ne s'est enquis du prix que lorsqu'il était trop tard pour se dédire : cinquante francs. Il était furieux. Ces ruineuses merveilles sont galbées si près du mollet qu'il faut l'aide de deux hommes pour les tirer. Il les fait durer :

depuis qu'il les possède, il ne les a pas mises dix fois. Mais il ne s'en sépare pas. Pour l'heure, alors qu'en quittant Grenoble il a fait expédier toutes ses affaires à Marseille dans une cantine, les bottes et leurs embauchoirs de bois pèsent au fond du sac qu'il a balancé sur son épaule.

Le train l'a laissé à Foix après dix-huit heures de trajet et trois changements. Au buffet de la gare il a mangé, à même la table de bois, une cuisse de canard et une assiette de haricots. Puis il a traversé la ville et s'est engagé sur la route de Daillou. Depuis deux heures il marche. Il marche à foulées comptées, attentif à ressaisir le vif de sensations très familières.

Il n'est pas né à Daillou. Dans la ferme de son grand-père il n'a jamais passé que le temps des vacances, lorsqu'il était enfant. Adulte, il n'y est revenu, à de longues années de distance, que pour quelques jours, entre deux trains, comme aujourd'hui.

Et pourtant, son pays c'est ici, c'est l'Ariège : ces vallées où, suivant leurs troupeaux, se sont succédé ses ancêtres, ces montagnes que son père a été le premier à quitter.

Sur les pentes, l'herbe est couchée, longue et jaunie. Son uniforme de chasseur alpin fait une tache bleu-noir sur ces fonds pâles.

Dans la cour de la ferme Timbart, le char à bancs dresse toujours son unique brancard. Encore deux virages et Charles apercevra le clocher à peigne de l'église. Il accélère le pas : il veut, avant de rejoindre son père, passer devant la maison Fourroux.

Il n'est jamais entré dans la maison Fourroux. Il en connaît seulement ce qu'on voit du parc par une brèche du mur et la façade : crépi hors d'âge, marges de pierre autour des fenêtres, marquise en queue de paon au-dessus du perron. Il y a aussi ce que sa mère racontait lorsqu'elle revenait d'une visite à Mme Fourroux : les boiseries, la rampe en chêne de l'escalier, le tournebroche à mécanique dans la cheminée : « Une cheminée de château ; on y mettrait un bœuf », disait-elle en retirant son chapeau. Elle le faisait glisser par-devant, pour ne pas déranger son chignon. Après quoi elle portait ses mains à son ventre, de chaque côté, pour le soutenir : elle était enceinte de l'enfant dont la naissance allait la tuer. Charles avait douze ans.

Il n'est jamais entré dans la maison Fourroux, et pourtant c'est lui qui a décidé qu'elle deviendrait la maison des Saganne. Dans cette décision ses rêves d'orphelin ont tenu peu de place, du moins peu de place consciente. Pour se convaincre que l'acquisition de la maison Fourroux était une chose nécessaire, il s'en est tenu à des raisons conséquentes : fournir un lieu d'ancrage décent aux siens, dispersés depuis la mort de la mère, et surtout forcer son panier percé de père à placer ses économies. Le vieux Saganne ne s'y est pas trompé. Il a compris tout de suite combien cet achat le ligoterait : il s'est débattu, il a protesté. Quand, cédant enfin à l'insistance de son aîné, il a signé le contrat par lequel il s'engageait à verser deux mille francs par an pendant dix ans aux héritiers Fourroux, Charles était debout à côté de lui, face au notaire, prêt à parer une ultime dérobade.

Naturellement, le père Saganne n'a pas pu faire face. Par deux fois c'est Charles, alerté par le notaire, qui a dû compléter l'annuité : en janvier 1910, six cents francs, et cette année mille francs, deux mois de sa solde de lieutenant, qu'il a empruntés à un de ses camarades de Grenoble.

Charles ne regrette rien et il ne s'offusque pas d'être aujourd'hui, une fois encore, obligé de venir ramener son père à la raison. Car, s'il est à Daillou, c'est pour remettre les affaires Saganne en ordre. Dans l'ordre que lui, Charles, a voulu.

Il s'est donné cinq jours pour le faire. Dans cinq jours, le bateau où sa place est louée l'emmènera à Alger. Dans dix jours il sera à Djelfa, aux portes du désert où il a choisi de servir désormais.

Mais, au dernier tournant qui précède le village, emporté par l'habitude et par une sorte de jubilation physique à retrouver sous ses yeux, sous ses pieds, le terrain qu'il pourrait décrire centimètre par centimètre, il abandonne la route, bifurque, dévale le sentier qui tombe droit derrière la ferme de son grand-père. Tant pis pour la maison Fourroux : il ira la voir plus tard. A mi-pente il découvre le toit, puis le mur dont chaque pierre a été remontée à bras d'homme du fond de la vallée. Sous l'auvent s'empilent les bûches noircies par la neige.

A vingt mètres de la maison, les éclats de la voix paternelle l'arrêtent net, un pied sur la pierre polie où il s'asseyait, enfant, pour manger sa barre de chocolat :

— Oui ! Vive la patrie, et vive l'armée ! Je le dis, et je le dirai toujours ! Mais prétendre que je ne suis pas républicain, non ! Ça, Séglias, c'est mentir ! Républicain et laïc... Et ça ne date pas d'hier...

La voix de rocaille se tait. Saganne s'avance. Son père est debout, appuyé des deux mains à sa hache, le pied sur une souche, torse nu.

L'instituteur de Daillou, Léon Séglias, posté par-dessous, regarde comme au spectacle l'hercule quinquagénaire.

Quand il voit son fils, le père Saganne a une contraction de tout le visage. C'est le seul signe, aussitôt repris, de son émotion. Ils s'étreignent avec des bourrades et ces rires de retrouvailles dont on ne sait pas soi-même si on les retient ou si on les force.

« Tu reconnais mon aîné, Léon ? dit le père en se dégageant. Eh bien, tel que tu le vois, il part pour le Sahara. Les Alpes ne lui suffisaient plus. Bon chien chasse de race. Il nous faut de l'espace, à nous ! Oui de l'espace !

Il reprend sa hache et, tourné vers Charles :

« Va donc m'ôter cet uniforme ! Je me bats contre cette souche depuis deux jours. Mais maintenant, à nous deux, nous allons l'avoir ; et avant le dîner, encore !

A l'intérieur de la ferme, tout est en place, dans l'ombre et l'odeur de moisi. Saganne sort du bahut une vieille culotte. Il va atteler sa force à celle de son père. Il est heureux. Cependant, pas un instant il n'oublie qu'il est là pour faire plier le bonhomme.

Deux heures de suite, côte à côte, ils tapent, ahanent, suent, jurent. Ils ne s'interrompent pas pour dire au revoir à l'instituteur que cette orgie d'efforts, cet acharnement à faire céder la matière laissent froid. Avant la nuit, la souche est retournée, pieuvre aux tentacules déchiquetés.

« Maintenant, on la brûle, dit le père sans reprendre haleine.

La transpiration qui roule sur son torse, entre les poils, imbibe son pantalon en triangle, sous le nombril.

« Va chercher des bûches par-derrière !

Le lieutenant obéit. Combien de fois a-t-il entendu son grand-père lui ordonner, avec le même coup de menton : « Va chercher des bûches par-derrière ! »

Quand le feu est mis sous la souche, ils s'allongent. Au repos, leurs corps prennent les mêmes plis. Le père Saganne regarde monter les étincelles avec cet air d'absence qui intriguait son fils lorsqu'il était enfant. Depuis que Charles s'est surpris, plusieurs fois, dans la même attitude, il sait à quoi pense son père dans ces cas-là : à rien. Il aime son père.

Cinq années durant, il l'a détesté. Il se souvient comme d'hier du jour où, affublé d'un ridicule paletot à carreaux, celui-ci est venu le chercher en pleine classe au collège de Béziers. Le directeur suivait, effaré. Interpellé devant tous ses camarades : « Charles, fais tes malles, on part. Je vais te mettre dans un endroit où l'on forme des hommes », Charles s'est levé, calme apparemment, glacé de honte.

Plus tard, tous deux assis au fond d'un café triste, son père lui a expliqué qu'il ne pouvait plus payer ses études. Il l'avait inscrit à l'école des enfants de troupe de Saint-Hippolyte-du-Fort. Son père était encore adjudant à cette époque : Saint-Hippolyte ne lui coûtait rien. Le futur lieutenant — il avait seize ans — a vu dans la glace, au-dessus de la banquette, son visage prendre la couleur de la craie : son père le trahissait.

Lui, qui travaillait avec acharnement pour entrer à Saint-Cyr, n'a plus ouvert un livre, a multiplié les mauvais coups et les fugues. A Saint-Hippolyte, il a vécu deux ans en révolte contre le bagne où le maintenait la volonté de celui qu'il appelait « l'individu ». Pendant deux ans il a refusé de lui écrire, refusé de le voir, refusé de sortir. Quand on le faisait demander au parloir, il se sauvait, sans chercher à savoir qui était là. Chaque fois, il écopait de huit jours de cachot. Le cachot, c'était ce qu'il préférait. Allongé sur le bois poli de la cou-chette en pente, complètement immobile, il s'entraînait à ne plus sentir le froid, à ne plus entendre les bruits, à suspendre toute pensée qui le reliait à la réalité. A la fin, il avait l'impression d'être en pierre. On ne pouvait plus rien contre lui, sauf l'abattre à coups de masse. Il était devenu presque muet et faisait peur à ses camarades bien qu'il se battît rarement. Quand il s'y mettait, c'était sans quar-tier, avec la volonté de détruire l'adversaire. Il retournait au cachot.

Il a signé son engagement de cinq ans dans les zouaves le lende-main de son dix-huitième anniversaire. Il l'a fait avec l'âcre plaisir que donne un acte qui, en vous perdant, vous venge : un suicide.

C'est seulement à Birkadem, près d'Alger, au cours de sa troi-sième année de volontariat, quand il a vu poindre l'espoir d'entrer à Saint-Maixent, que s'est produite une faille dans sa haine. Il s'est mis à songer à son père non plus comme à l'homme qui, par un mélange d'inconséquence et d'inflexibilité, avait brisé sa vie, mais comme à celui qui avait quitté son village ariégeois, baluchon sur l'épaule et sabots aux pieds, pour s'engager lui aussi.

Quand il a appris qu'il était admis à Saint-Maixent, il lui a écrit le soir même. Trois lignes seulement : « *Mon cher père, je suis heureux de t'apprendre que, dans deux ans, je serai officier...* » La réponse qu'il a reçue commençait par : « *Je pleure de fierté...* » Le papier était en effet taché de larmes.

A leur premier revoir, à Marseille, au débarqué du bateau qui ramenait Charles d'Algérie, le père Saganne a eu la délicatesse ou l'habileté de ne pas chercher à se justifier. Pour marquer son émotion, il a commandé deux bouteilles de champagne ; pour dissimuler sa gêne, il les a bues. Après quoi son fils a dû le remonter dans sa chambre d'hôtel et se coucher près de lui pour éviter qu'il ne se livre à des facéties.

La nuit est tombée. Sur le ciel noir, les contreforts des Pyrénées, d'un noir plus intense, prennent masse et hauteur. Saganne regarde son père que les flammes éclairent : le corps puissant, et comme conscient de sa puissance, le visage impassible.

Le moment de lui parler, de le braver, est venu. Pour retremper son assurance, Charles touche dans la poche de sa vareuse la lettre qu'il a reçue de Madagascar il y a un mois. Sur du papier quadrillé, de son écriture d'écolier à gros doigts, le père a écrit : « *Je te fais part ma décision de quitter définitivement la colonie. Cinq ans de Madagascar dans cet hôpital où je récolte toutes les tracasseries et aucun avancement, c'est trop pour un homme comme moi. Je vais rentrer au pays pour y entreprendre la culture des fruits tropicaux. Le réchauffement des sols par l'électricité permet d'obtenir en toutes saisons des ananas, des mangues et des goyaves de belle taille et de première fraîcheur, puisque non gâtés par le voyage. Ce procédé moderne m'a été expliqué par M. Lescalopier, agronome de réputation, avec qui je fais ma partie au cercle de Nossi-Bé. Je consacrerai à cette entreprise tous mes capitaux ; la somme est maigre, mais il faudra bien qu'elle suffise. Je renonce à l'achat de la maison de Daillou. Je verrai à arranger l'affaire avec le notaire dès mon retour. Je sais que tu tenais fort à cette acquisition. Mais songe que, grâce à l'agriculture électrique, je ferai fortune et que je pourrai ainsi établir ta sœur et vous fournir du bien, à ton frère et à toi. Pour moi, l'argent ne m'intéresse pas.* »

Suivait, sans transition, une page d'exhortation à se conduire en officier et en homme d'honneur.

Ce qui permet à Saganne de lancer sa première attaque, ce n'est pas le souvenir de ces phrases, c'est l'idée soudaine, saugrenue, que son père a les mêmes mœurs amoureuses que lui ; les mêmes gestes avec les femmes, les mêmes postures sur elles, et, au-delà de ces visions, que leurs désirs, à l'un et à l'autre, obéissent aux mêmes lois, naissent, se développent, s'installent en eux selon les mêmes processus incommunicables. Pensée cocasse qui d'abord le fait sourire, puis le scandalise, enfin lui procure un sentiment de profonde tranquillité.

— Papa, j'ai réfléchi à ton idée d'agriculture électrique. Elle ne me paraît pas raisonnable. Tu vas dépenser tout ton argent, t'endetter pour une affaire dont les résultats sont incertains. Franchement je n'y crois pas. Il vaudrait mieux que tu y renonces et que tu continues à payer la maison de la place. Tu es engagé, d'ailleurs.

Il cesse de parler et se tend pour affronter la tempête. Mais le vieux lion, au lieu d'éclater, articule en hésitant :

— Je voulais faire fortune, tu comprends... Pas pour moi, pour vous, pour toi, pour Lucien, pour Alice. Mais si tu n'y crois pas, si toi, mon aîné, tu n'y crois pas...

Que son père renonce sans combattre, se soumette comme un gamin trop docile, stupéfie Saganne. C'est peu dire qu'il ne triomphe pas : il a honte, pour lui et pour son père. Il se lève, fait quelques pas au hasard.

Derrière lui, la voix trébuchante reprend :

« Charlie, je ne peux plus payer la maison, plus du tout, plus un sou. L'année dernière, j'ai emprunté une grosse somme sur mon traitement : c'était pour financer des recherches minières au nord de Madagascar. L'expédition n'a pas pu partir : tu sais comment ça se passe... Le projet n'est pas abandonné, loin de là. Mais enfin, pour l'instant, chaque mois je dois rembourser, tu comprends. C'est lourd, chaque mois. Avec mes frais, mes obligations : j'ai un rang à tenir, n'est-ce pas ? Il y a aussi la pension d'Alice... (la pension d'Alice, depuis un an c'est Charles qui la paie). Tu comprends ? Alors, la maison Fourroux... Et puis, je crois que je vais rester dans l'administration. Je suis bien, là-bas, très considéré. Un poste de responsabilité... Tu me comprends, Charles ?

Saganne se retourne brutalement. Il comprend, il comprend très bien, et tout, d'un coup : ce projet d'agriculture électrique élaboré pour masquer l'autre folie, cette expédition minière que le père n'a pas osé avouer ; et là, tout de suite, ce renoncement trop facile d'homme qui se sait coupable. Pauvre vieux fou ! Il remonte à deux mains le pantalon autour de sa taille :

— La maison, c'est moi qui vais l'acheter, dit-il.

— Avec quoi, Charles ?

— J'emprunterai de l'argent au grand-père Iverneau.

Ne rien devoir à ses beaux-parents que, toute sa vie, il a fait profession de mépriser pour leur étroitesse d'esprit et leur soumission aux prêtres est un article de base du code personnel du père Saganne. Emporté par de vieux réflexes, il aboie :

— Je t'interdis d'emprunter quoi que ce soit à ce commerçant !

Le regard que lui jette son fils l'arrête net. Il se met debout lentement, époussette le fond de sa culotte et, la tête détournée :

« C'est ton affaire, après tout. Moi...

Un geste dans le vague termine cette misère.

— La maison sera à ton nom, dit Charles. Seul le notaire saura que ce n'est pas toi qui l'as payée.

Le père Saganne lâche deux rires maigres :

— Ça, c'est délicat !

Saganne répond, très raide :

— Je fais ce que je peux, papa. Du mieux que je peux.

Il se sent cerné, corseté par des formes atténuées mais étouffantes de honte, de colère et de tristesse. Il aspire et expire l'air à fond, puis coupe une scène dont il n'a rien à attendre sinon d'autres causes de honte, de colère et d'accablement.

« J'ai faim, dit-il. Habillons-nous. Je t'invite à l'auberge.

Le lendemain, il prend le train pour Béziers. Ses grands-parents maternels habitent toujours le pavillon de briques au fond de la cour pavée. C'est là que Charles a passé son enfance, avec sa mère, tandis que son père allait de garnison en garnison. Les hangars où, autrefois, pendaient les peaux dont le grand-père Iverneau faisait le négoce exhalent encore l'odeur de la matière vivante qui se corrompt. Ils renvoient en écho le bruit des pas sur les pavés. La dernière fois que Saganne a vu ses grands-parents, c'était deux ans auparavant : il sortait de Saint-Maixent et, ses galons neufs sur les épaules et ses superbes bottes aux pieds, il allait rejoindre, à Grenoble, le bataillon de chasseurs alpins où il avait choisi d'être affecté.

Il est assombri de les trouver à ce point diminués. Sa grand-mère, effarée par cette visite inattendue, trotte d'un placard à l'autre en marmonnant : « Ah ! Dieu bon, vous m'envoyez l'Ange, et je n'ai rien à lui offrir ! » Saganne a beau protester qu'il n'a ni faim ni soif, elle n'écoute pas et continue son manège. Après avoir retrouvé, sous le coup de la surprise, le surnom d'Ange qu'elle donnait à Charles enfant, elle l'appelle Jules, qui est le prénom d'un de ses frères, tué au siège de Sedan.

D'abord, le grand-père est plus impressionnant, avec son cou d'oiseau dont un col haut, cassé aux coins, étrangle les rides, sa jaquette tachée de jaune d'œuf, ses mains, déformées par les rhumatismes, posées sur ses genoux comme deux araignées, ses joues de carton. Renversé dans son fauteuil, il semble ne pas reconnaître son petit-fils. Saganne s'aperçoit vite qu'il est devenu presque complètement sourd. C'est la surdité qui, en l'isolant, lui donne cette apparence de mannequin de cire. Mais il a toute sa tête. Il interroge le lieutenant sur Grenoble, sur les raisons qui l'ont poussé à demander sa mutation au Sahara ; il lui demande quand on se décidera enfin à marcher contre Berlin, ce qu'il pense de la capacité militaire de l'allié russe et des arrière-pensées anglaises. Il écoute et fait mine de comprendre les réponses que Saganne crie dans son oreille. Quand Charles annonce l'objet de sa visite et lâche le chiffre de douze mille francs, il tourne la tête et ses yeux s'animent. Il tend vers le jeune homme un index diaphane, à l'ongle jauni :

— C'est pour toi ou pour ton père?

— Pour moi, dit Saganne en se désignant de la main.

Sans quitter son petit-fils des yeux, son bras tremblant toujours à demi déplié vers lui, le vieillard branle du chef dans sa cravate, ponctuant ses réflexions intérieures de « ah ! » impénétrables.

— C'est pour toi? répète-t-il.

— Oui.

— Ah !...

Saganne se penche vers l'oreille qui est, curieusement, la seule partie du vieux corps à ne pas porter les stigmates de l'âge :

— Si tu ne peux pas, n'en parlons plus, grand-père...

La grand-mère arrive. Elle a déniché une bouteille et un verre à pied :

— C'est du vin doux. Mais, s'il est passé, ne bois pas, Jules, ça te ferait du mal.

Son mari, agacé par l'interruption, reprend son attitude figée. Il se remet à vivre sitôt que sa femme s'est éloignée, emportant l'apéritif au goût de poussière. Posant sa main sur la jambe du lieutenant, pour .lui indiquer d'avoir à rapprocher sa chaise, il demande :

— C'est pour quoi, l'argent ?

— Je te l'ai dit. Pour acheter la maison de Daillou. Tu sais, la maison de la place où habitait Mme Fourroux, qui connaissait Maman. Vous l'avez connue aussi, Mme Fourroux ! Son mari était de Béziers.

Le vieillard lance une nouvelle série de « ah ! » méditatifs. Saganne est sur le point d'abandonner la partie quand son grand-père, serrant les doigts sur sa cuisse, chuchote :

— Ce sera une chose entre toi et moi... Tu ne diras rien, ni à ta grand-mère, ni à ton père, ni à ton frère. Maintenant, aide-moi à me lever et, pendant que je vais te chercher ça, distrais ma commère. Elle a encore de bons yeux.

Il disparaît vers son bureau et, dix minutes après, revient à pas précautionneux. Dès que sa femme a le dos tourné, il glisse dans la poche du lieutenant, avec une extraordinaire dextérité, un rouleau de pièces d'or ensachées dans un fourreau de jute.

Trois jours plus tard, le père Saganne accompagne Charles au train qui doit, de Foix, le conduire à Marseille. Depuis qu'il a déposé les douze mille francs du grand-père Iverneau entre les mains du notaire, Charles insiste pour que son père, qui a encore deux mois de congé avant de rejoindre son poste à l'hôpital de Nossi-Bé, s'installe dans la maison de la place. Le bonhomme refuse obstinément. Et comme, sur le quai de la gare, le lieutenant revient à la charge, il s'empourpre d'une brusque colère :

— Tu m'embêtes, Charles ! Je ne suis pas gâteux. Je fais ce que je veux. Est-ce que je t'ai dit un mot, moi, pour t'empêcher de partir au Sahara où tu vas ensabler ta carrière ? Parce que je me suis renseigné, tu sais : il va falloir que tu l'attendes longtemps, ton troisième galon, là-bas, au milieu de cailloux qui n'intéressent personne ! Ah oui ! tu fais une sacrée connerie, permets à ton père de te le dire, à la fin des fins !

Quand le train arrive, ils s'étreignent, au milieu des paysannes à paniers et des messieurs endimanchés qui jouent du chapeau melon. Ils savent qu'ils se quittent pour trois ans. Ils savent aussi qu'il y a quelque risque pour qu'ils ne se revoient jamais.

Par la fenêtre, Saganne crie :

— Quand je reviendrai, nous passerons trois mois dans la maison. Tous les quatre, avec Lucien et Alice. Lucien sera sorti de Saint-Cyr ; on trouvera un beau parti pour Alice...

Le père marche le long du wagon, sans regarder son fils qui le surplombe. Sa grosse main glisse sur la paroi de bois verni qui prend de la vitesse.

CHAPITRE II

Le peloton a quitté Djelfa par la porte du Sud au lever du jour. Bridés par les mors aux longues branches, les pur-sang se bousculent latéralement, vibrent en hennissements brefs. Les hommes semblent dormir encore. Dormir ébranlés par le martèlement des sabots, empaquetés, leurs têtes ensevelies sous les cônes des capuchons.

Le soleil passe la montagne : son feu blanchit le ciel. Le haut plateau prend la couleur d'une peau de lion. On marche à l'est, Saganne en tête. C'est sur lui d'abord, sur son visage, que la lumière monte.

Il se retourne, crie pour réveiller son monde, en même temps, poing dressé, pompe le vide afin de commander le trot. Son étalon démarre des reins. Une compagnie de perdreaux file au ras de l'alfa, obus ovales, ailés ; glissements de plumes, frôlement d'enfance : le guet des passages quand il avait sept ou huit ans, près de son grand-père, que l'immobilité le torturait ; puis, dans le silence, les palombes.

Bou Amara a dressé son camp sur l'éminence qui commande la route du douar Teurfa. La chaleur des brasiers gondole l'air : les tentes, soutenues par des perches, semblent des pagodes affaissées flottant dans l'azur. Saganne oblique droit dessus, à travers la plaine de cailloux.

Un quart d'heure plus tard, il met pied à terre devant le caïd. Bou Amara pose son chasse-mouches, se lève, accueillant des deux bras. Il a de grandes manières moelleuses : chef de guerre repenti qui garde du ressort. La gaze à beurre dont il est enturbanné et vêtu fait tout son personnage. Il porte, par-dessus l'épaule, le burnous rouge que lui a remis le gouverneur général en le nommant caïd. Pour honorer ses hôtes, il s'est aspergé d'essence de jasmin : dans l'accolade, Saganne suffoque. Derrière lui, le capitaine Flammarin est resté accroupi sur le tapis de la tente, l'œil plongé au fond de son verre d'absinthe. Le haut de son front est ceinturé, au passage

21

du képi, d'une raie blême où la sueur perle. Il accroche le bras de Saganne :

— Je vais m'en aller. J'étais venu pour toi, pour ta fantasia. Mais je ne pourrais pas les supporter... Leurs gueules. J'en ai la chiasse d'avance. Va chercher ma jument. Tu me raconteras...

Saganne hisse son chef à cheval. Chargée du poids familier, la jument s'engage sur la pente du sentier. Flammarin s'est tassé dans la selle. Il dormira. Il dort déjà, peut-être. Bou Amara regarde le dos de son ami qui s'éloigne. Sur le plateau de cuivre, la bouteille d'absinthe est vide aux trois quarts.

— Tu bois un coup de verte, mon lieutenant? Non, pour toi, c'est encore le thé. Ça fait combien de temps que tu es là? Six mois? Ça passe, le temps...

Les invités arrivèrent à dix heures : Mme de Sainte-Ilette, flanquée de ses deux filles, précédait le convoi dans son boguey d'acajou ; le demi-sang normand steppait haut dans la pierraille. Le colonel Bisson caracolait à la portière. Les femmes de moindre condition suivaient en chars à bancs, blanches, beiges et grises sous les ombrelles. Les messieurs fermaient la marche, devisant de canotier à canotier.

Bou Amara dosa ses accueils au rang de chacun. A distance, les femmes et les enfants de la tribu contemplaient ces mondanités et humaient l'odeur des moutons embrochés que les hommes tournaient au-dessus des lits de braise.

Quand tous les Européens furent assis sur les tapis, le caïd fit jaillir de son burnous un clairon, l'emboucha et, le coude levé, souffla la diane. Il s'entraînait depuis deux mois. A ce signal Saganne qui s'était dissimulé derrière le camp, à la tête de son escouade, brandit son sabre. Attaqués des deux éperons, les chevaux fusèrent. En face, le groupe du maréchal des logis Boubakeur avait jailli aussi. Les spahis hurlaient en déchargeant leurs mousquetons. Les burnous, les queues et les crinières démêlées au peigne de fer flottaient à l'horizontale. Dans le soleil, les harnachements de parade — cuir, clous, glands —, usés et salis, prenaient l'éclat du théâtre ou du rêve. Sous les encolures et les croupes, les jambes des pur-sang, multipliées, levaient des tourbillons de poussière. En biais sous les œillères passait le blanc de regards fous.

Le choc eut lieu juste devant les invités, comme prévu. Superbe mêlée, terrible, plus impressionnante qu'une vraie. Chaque estocade, chaque empoignade, chaque chute avait été soigneusement mise au point et vingt fois répétée.

A la fin, les vainqueurs poursuivirent les fuyards. On vit Saganne, plein galop à la pointe de ses diables, se dresser debout sur sa selle, une seconde, deux secondes, sauter à terre et aussitôt réenfourcher son étalon au vol.

Rien n'avait été annoncé ; la surprise avait été complète. Les femmes firent « oh ! » en cachant leurs yeux dans leurs gants de fil. Les messieurs applaudirent, sauf le colonel, auquel Saganne n'avait pas demandé son autorisation pour la fantasia.

Quand Saganne remonta au camp, la joue éraflée, les cheveux en bataille, on le fêta en héros de kermesse. Il s'était donné du mouvement et de la belle humeur : il tint le rôle. Puis il s'agaça. Il crevait de faim et avait envie de pisser : il s'éclipsa.

A midi, les gaillards de Bou Amara apportèrent les méchouis sur leurs perches. La graisse gouttait des ventres recousus et faisait, dans la poussière, des éclaboussures en étoile. On se bouscula, les couteaux en avant. Le caïd tranchait les fins morceaux pour les offrir aux dames. Elles les prenaient dans les doigts, cassées en avant pour ne pas tacher leurs robes, happaient à petites dents, lâchaient, entre la morsure et la déglutition, des bouts de rires qui disaient : « C'est brûlant, c'est bon, c'est excitant, mais on n'est pas des sauvages. » Saganne avait désarticulé un gigot. Il le tenait aux deux bouts et le dévorait comme un harmonica.

— Vous allez manger tout ça ? demanda la bonne Mme Boquillon, la femme du receveur des postes.

— Ma foi, je crois que oui, répondit-il, riant par-dessus la viande.

— Quel appétit vous avez, monsieur Saganne ! s'exclama Mme Boquillon attendrie et effarée. Un appétit...

— De portefaix, lui souffla par-derrière Mme de Sainte-Ilette qui passait, l'oreille aux aguets et l'œil ailleurs.

Elle poursuivit son parcours, sa robe soulevée d'une main, l'autre bras ouvrant un passage parmi les dos des mangeurs debout. Elle tomba sur son mari. L'inspecteur général des Eaux et Forêts distribuait la sauce du couscous. La louche de zinc prolongeait la manche noire à soutache d'or.

— Pas de sauce au piment dans votre semoule, Emile, dit Mme de Sainte-Ilette. Pour que je passe ensuite la nuit à vous chauffer des tisanes, merci bien !

Sans se frapper, l'inspecteur général répliqua :

— Quand vous déciderez-vous, ma chère amie, à dire « couscous » comme tout le monde ?

Mouchée, Mᵐᵉ de Sainte-Ilette déploya son éventail pour y cacher son nez, qu'elle avait pointu : paratonnerre à outrages. On sourit alentour, sans fiel et sans façon. L'atmosphère n'était pas à la délicatesse.

Madeleine de Sainte-Ilette s'est exclue des réjouissances, et a décidé qu'elle ne mangerait rien. Assise sur la souche d'un figuier, elle s'efforce d'afficher un dédain noir. Toutes ces marionnettes qui s'empiffrent et se congratulent avec leurs bouches dégouttantes de graisse, elle les exècre. Et Charles Saganne, qui tend son gigot à Mᵐᵉ Boquillon puis y mord à son tour et rit encore, de le voir aveugle à cette ignominie, elle l'exècre avec les autres. Quand il a sauté de cheval, tout à l'heure, leurs regards se sont croisés. Il lui a souri comme il sait sourire. Elle a cru qu'il allait la rejoindre... Quand elle est revenue de son éblouissement, il vidait un verre de vin, la tête renversée. Il s'est torché la bouche avec l'avant-bras et a offert à Ourida, qui passe les boissons, le sourire même qui venait de la faire défaillir. Elle le hait. Elle le méprise. Elle hait ses dents, les poils qui passent l'encolure de sa chemise, son odeur d'homme. Il n'a pas de religion, pas d'éducation. Sa mère a raison : c'est un paysan qui restera toujours encrassé dans sa fange.

Madeleine transpire. Son visage doit être marbré, luisant, horrible à voir. Elle le sait. Contre sa robe partout plaquée, elle sent l'ampleur de ses seins, la lourdeur étalée de ses hanches. Elle se dégoûte. Elle voudrait être prise de langueur, attaquée de phtisie : elle maigrirait, pâlirait. Elle aurait dû refuser de venir, prétendre qu'elle était malade. Refuser la nourriture. Rester couchée dans la pénombre de sa chambre. Zorah lui monterait de la verveine. Sa mère lui parlerait doucement. Son père viendrait lui faire la lecture. Jeanne, sa sœur, dirait des chapelets pour elle, agenouillée sur la descente de lit. Et Charles viendrait la voir, tous les soirs après son service. Il lui prendrait la main sur le drap. Elle serait blanche sur l'oreiller, les cheveux défaits, les yeux agrandis et si calmes.

Dans l'assiette de zinc posée sur ses genoux, le jus commence à se figer. Pour donner le change à sa mère, qui braque sur elle un regard aigu, elle remue ça avec sa fourchette. Depuis une heure, elle lutte contre les larmes. Maintenant, elle doit aussi résister à la nausée.

Au printemps dernier, Madeleine avait quinze ans. Sa mère l'a conduite à l'atelier des demoiselles Keller, la meilleure maison d'Alger, sise rue Bab-Azoun dans un petit hôtel mauresque. Elle devait assister avec ses parents à une réception au Palais d'Eté. Pendant que la couturière, la bouche hérissée d'épingles, se promenait à quatre pattes autour de ses genoux, Madeleine a découvert dans la psyché à trois pans une créature délicieuse sous ses deux profils et, de face, sublime. D'abord, elle est restée stupéfaite. D'elle-même, jusqu'à cet instant, elle avait en tête l'image d'une écolière en tresses, indiscernable de ses pareilles, chevrette dans le troupeau. Qu'elle fût, par la grâce d'une robe et de ses cheveux dénattés et remontés en chignon, la jeune fille que révélait le miroir, elle n'en croyait pas ses yeux. Brève stupeur. Il lui avait suffi de quelques secondes, occupées à enchaîner d'imperceptibles mouvements de paupières, inclinaisons du cou et moue des lèvres, pour recueillir, dans les trois glaces, des preuves immédiates et multipliées que c'était elle qui existait là, et pour rejoindre son nouveau personnage.

Le souvenir le plus sensible de cette révolution délicieuse, c'est celui du poids que faisait sur ses reins le nœud bouffant de la ceinture. La nuit, quand la certitude d'être devenue irrémédiablement laide la torture, elle cambre la taille à petits coups : ça la berce ; elle s'endort avec l'illusion que la sylphide de la rue Bab-Azoun renaîtra.

Ce matin, elle s'est réveillée résolue à mettre la robe miraculeuse. Sa mère lui a remontré prudemment qu'elle serait ridicule en crêpe gorge-de-pigeon au milieu des Arabes, et que, du reste, la robe n'était plus à sa taille. Elle a crié, pleuré, trépigné. Depuis six mois — c'est-à-dire depuis l'arrivée de Saganne à Djelfa —, tout lui est occasion de « piquer des crises d'hystérie », selon l'expression de son père qui ajoute, quand elle est sortie : « N'oublions pas qu'hystérie vient du grec *hustera*, l'utérus. Ça lui passera. » Sa mère, qui n'a pas besoin de grec pour comprendre, a cédé : l'irritabilité de sa cadette la fatigue plus encore qu'elle ne l'exaspère. Madeleine s'est enfermée à clé dans sa chambre et a sorti la robe du papier de soie. Avant même de la passer, elle a su qu'elle serait hideuse. Quand elle a tiré la porte de l'armoire à glace et qu'elle s'est vue, c'était pis. Elle a arraché la robe. Elle s'est jetée à plat ventre sur son lit, a sangloté dans ses cheveux. A bout de larmes, elle s'est promenée pieds nus sur le carreau, les bras serrés autour d'elle. Enfin, elle a ramassé la robe et l'a réenfilée : de toute façon, quoi qu'elle mette, elle est monstrueuse. En un an, elle a grossi de cinq kilos.

Saganne s'efforce de ne pas ramener toutes les vingt-cinq secondes son regard aux reins de Mlle de Sainte-Ilette. Au-dessus, qui tire l'œil aussi mais qui le fixe moins, il y a, sur le fond de guerriers arabes au repos, de plaine stérile, le profil d'ange qui rêve, le modelé des joues, roses sous la capeline. Il note de l'humidité en suspens au-dessus de la lèvre. Que Madeleine pleure, il n'y songe pas. Il considère Mlle de Sainte-Ilette, la cadette, comme le spécimen le mieux achevé qu'il ait rencontré de cette espèce de jeunes filles que leur carnation, leur organisation nerveuse, la balance d'une fantaisie naturelle et d'une éducation rigide mettent au-dessus des coquetteries ordinaires : sauf feintes et caprices, pour s'amuser ou manœuvrer le vulgaire. Donc, elle transpire. Il se l'approprie tout entière transpirante : saignée du bras, envers des genoux, et les cavités où la féminité se distille. Ce travail d'imagination va tout seul tandis qu'il rit, parle et mange.

Après le méchoui, le couscous, les multiples verres de thé à la menthe que le caïd sert lui-même, on somnole à l'ombre. Plus loin, les indigènes nettoient ce qu'il reste de viande sur les carcasses des moutons : ils vont jusqu'à l'os, avec les ongles, silencieux.

M. de Sainte-Ilette, le gilet déboutonné, repose entre ses deux filles, Jeanne en robe puce, chapeautée et regantée, Madeleine tête nue, la capeline en travers des genoux, languide par désespoir mais les yeux assombris, brillants sous l'arc des sourcils. Mme de Sainte-Ilette, qui redoute la vermine des tapis, se promène au bras du colonel Bisson. Elle s'arrête tous les trois pas pour souligner, par des tapotements d'éventail contre la poitrine à brandebourgs, les points forts d'un réquisitoire contre Saganne :

— Vous a-t-il seulement demandé votre autorisation pour cette cavalcade de cirque ? Non ? J'en étais sûre ! Et on fait de ça des officiers !

Un peu en retrait, les musiciens attendent, assis sur leurs talons, derbouka et flûtes pendant au bout des bras. Sur un signe de Bou Amara ils commencent à jouer leur musique, insoucieux d'être écoutés ou pas. Les hommes, les femmes et les enfants de la tribu abandonnent les squelettes de moutons et viennent se masser vis-à-vis des Français. Dans l'espace resté libre entre les deux races, une vieille se lance d'abord, aussitôt déchaînée, échevelée, écrasant les cailloux avec ses pieds cornés, déchirant l'air par des cris de cacatoès ; trois petites filles l'imitent, dignes et concentrées. Puis Ourida se lève. Elle est venue derrière Flammarin, trottinant à la queue de la jument le long des huit kilomètres de piste. Quand son maître est parti, elle s'est cachée pour qu'il l'oublie. Elle détache la pièce de tissu rouge qui lui couvre la tête, la noue autour de ses reins pardessus sa robe berbère. Elle traverse l'esplanade, se plante devant Saganne. Les épaules fixes, le regard indéchiffrable, elle commence à onduler. C'est monotone, à peine lascif, d'une inconvenance absolue. Les plantes et les animaux ont cette impudeur inlassable. D'abord, Saganne sourit à travers la fumée de son cigare. Au bout de deux minutes, son rictus se fane. Par décence, il doit changer la position de ses jambes. Mais son gros cigare à tête incandescente pointe. La tension monte.

Madeleine, dans son effort pour fuir l'insoutenable spectacle, se retrouve un instant à quatre pattes. Elle croit qu'elle va vomir, réussit à se redresser. L'éventail de Mme de Sainte-Ilette est en bois de violette : les doigts blanchissent sur le manche. D'un regard terrible, elle tente de clouer sa fille sur place. Madeleine semble ne rien voir. Son chapeau à rubans bat doucement contre sa jupe. Elle contemple les invités, assis ou allongés, la plaine en contrebas. Elle sourit imperceptiblement à son père qui, la bouche entrouverte, la regarde par-dessous, comme subjugué. Enfin elle se détourne et, nonchalamment, s'éloigne.

Les chevaux des spahis dorment debout, sous les arbres. L'étalon de Saganne est attaché à part : on craint ses humeurs. Il frappe ses flancs avec sa queue, le sol du sabot : pur-sang près du sang qui ne se résigne ni à la torpeur, ni aux mouches. Comme Madeleine approche, il se fixe vers elle, campé comme une gravure. Elle caresse les naseaux soyeux, gratte l'os des joues, le front rêche sous la frange de crins. Elle a l'habitude des chevaux : son père en a toujours eu. Sans être cavalière, elle est capable de suivre une promenade, calée en amazone sur une bête tranquille.

Tous les regards ont suivi Mlle de Sainte-Ilette. Les musiciens ont cessé de jouer. Brusquement silencieuse, la vieille danseuse reste bras au corps, dépoitraillée, le goitre battant. Les petites filles s'arrêtent à leur tour. Seul le ventre d'Ourida continue à bouger.

27

C'est Ourida qui gagne : les musiciens se remettent à jouer, la vieille à glapir, les petites danseuses à piétiner. Les regards quittent Madeleine. Elle le sent plus qu'elle ne le voit. Vivement, la main en pince, elle déboucle le mousqueton qui retient le cheval. Avec une agilité comme on n'en a qu'en rêve, elle lève haut le pied, bloque sa bottine dans l'étrier, agrippe le pommeau, enjambe la selle. Elle s'enfonce à califourchon. Le crêpe de sa robe reflue, découvrant jusqu'aux cuisses ses bas blancs. Surpris, le cheval part devant lui au trot, bifurque, puis, soudain alerté par l'odeur d'une jument, pile net. L'encolure en col de cygne, il promène alentour son œil et ses naseaux, repère la femelle alléchante et, après un hennissement étranglé, prend le galop. Galop retenu d'animal manégé, mais qui suffit à mettre Madeleine en détresse : raidie par la peur, elle oscille à contretemps des foulées.

M. de Sainte-Ilette crie :

— Lâche les rênes ! Laisse-le faire !

Saganne bondit.

L'étalon s'est rangé contre la jument. Les oreilles rabattues, il la sollicite du poitrail, presse ses flancs, mordille son cou en grognant. Pantin de ces saccades, Madeleine se retient de hurler : c'est tout ce qu'elle peut faire. Saganne approche, la main ouverte pour saisir la rêne ; le cheval se dérobe. Il fait une deuxième tentative, referme à nouveau les doigts sur le vide. Piqué sur ses quatre pieds, encensant violemment de la tête, l'étalon vibre ; son fourreau déployé bat son ventre. Tandis que Saganne revient vers lui pour la troisième fois, parlant pour le calmer, il se soulève des deux épaules et jette les sabots sur la croupe convoitée. Madeleine bascule à la renverse. Saganne la rattrape par le milieu du corps, au hasard, au vol, vacille sous le choc et finit assis, la jeune fille couchée en travers de ses genoux, jupe relevée, derrière tendu pour la fessée qu'elle mérite. Ils mettent un moment à se dépêtrer de cette intéressante position. Devant eux l'étalon mène son office à grand élan des reins. Le cercle de spahis rigole et bat des mains.

— Vous n'avez pas mal ? demande Saganne. Rien de cassé ? Marchez, pour voir !

Il la prend par le coude. Elle se met à son pas. Ce qui la traverse — traînées de peur, relents amortis de jalousie, bouffées de confusion, brûlures à l'intérieur des cuisses —, c'est du bonheur. Elle le savoure, les yeux baissés.

Cependant, Mme de Sainte-Ilette cingle vers eux, traînant dans son sillage sac, ombrelle, éventail, et son chapeau, où se balancent des marguerites et des cerises.

— Vous, lâchez ma fille ! crie-t-elle à Saganne. Et, tournée vers Madeleine :

« Quant à toi, quant à toi...

La gifle claque, et Madeleine peut enfin fondre en larmes. Tout nourrit ce flot intarissable : la brusquerie de sa mère qui l'entraîne, la caresse des doigts de Charles qui abandonne son bras, la constatation que la robe miraculeuse est déchirée, la honte d'être giflée en public, la certitude d'être la personne intéressante.

Mme de Sainte-Ilette harponne au passage son aînée qui est restée assise, ébahie, et embarque ses deux filles dans le boguey.

Le demi-sang pommelé prend le trot. Madeleine s'est retournée pour contempler le plus longtemps possible son lieutenant. Elle est charmante à voir, oscillante sur la banquette, adoucie par la détresse.

Saganne est tiré de sa rêverie par le colonel qui arrête brusquement son cheval devant lui, éclipsant l'image de Madeleine.

— Monsieur Saganne, vous avez commis une faute en ne sollicitant pas ma permission pour la fantasia à laquelle vous vous êtes livré. D'ailleurs, votre comportement depuis votre arrivée a soulevé des critiques fondées. En conséquence, je vous conseille de choisir la première occasion de quitter Djelfa. C'était votre souhait, n'est-ce pas, de rejoindre le Grand Sud aussitôt que possible ? Dans l'immédiat, je vous dispense d'assurer l'instruction des spahis.

Saganne claque les talons, et met toute la charge de sa colère dans un impeccable garde-à-vous.

En 1911, Djelfa, centre administratif situé à la frontière de l'Algérie et des territoires sahariens, singeait, sur le haut plateau nu, un chef-lieu de canton métropolitain. Le décor était planté le long d'une rue unique : la mairie et l'église, l'école, une succursale de la Banque d'Algérie, le bureau de la Compagnie franco-algérienne de l'alfa, et trois cafés : bref, la civilisation. On avait construit des trottoirs, et on y avait planté des ficus : ils prenaient la poussière l'été, et la neige l'hiver. Fonctionnaires, militaires et commerçants avaient fait venir femmes et enfants. Aux thés, aux dîners priés, les jeunes filles touchaient le piano et chantaient. En fin de journée, quand il ne faisait ni trop chaud ni trop froid, le court de tennis du Cercle des officiers servait de but de promenade. Le ravitaillement arrivait par les chariots de roulage, chaque mardi. Le chef roulier, un Mahonais gueulard, mais serviable envers les dames, menait du même fouet ses douze mules et ses deux loustics de commis. Le mercredi, c'était jour de marché : « Les moutons et les burnous rappliquent », disait la femme Sintès, marchande de légumes ambulante qui, chaque matin, entre sept et neuf, poussant son chariot et armée de sa sonnette, colportait les commérages de maison en maison. Sur le fondouk, les ânes débâtés brayaient en cercle. Les têtes tranchées des béliers s'alignaient sur le muret de l'abattoir, la langue passée entre les dents, leurs yeux glauques ouverts sur les lents va-et-vient, les marchandages entre accroupis, les soudaines altercations. Mais le grand événement, c'était l'arrivée de la diligence de Boghari, le vendredi vers midi. Par elle, on était relié au monde : Médéa, à partir de Médéa le chemin de fer jusqu'à Alger, puis le paquebot, Marseille, la France. On entendait de loin le roulant fracas des roues bardées de fer sur les pierres de la route. Lorsque le cocher sonnait la trompe au passage de la porte de Boghari, on courait aux fenêtres. A peine avait-il posé le pied par terre que le voyageur était pris dans un feu croisé de regards. Quand on avait appris par des bavardages qui avaient fait le tour de la ville et des douars que le nouveau venu était un lieutenant célibataire, l'excitation était considérable dans les maisons européennes où demeuraient des jeunes filles. Un gamin arabe courait décrire le futur client aux quatre almées du bordel, cloîtrées au bout d'une ruelle latérale.

Saganne avait débarqué le 3 avril 1911. Le ciel était sombre, le vent froid. Son uniforme — le grand béret, la cape — fit sensation : on n'avait jamais vu de chasseur alpin à Djelfa. Lui maudissait la guigne qui l'avait fait tomber dans ce trou. Quand sa demande d'affectation au Sahara avait été acceptée, il avait, pour éviter le stage préalable, fait valoir ses cinq ans d'Algérie dans les zouaves, sa parfaite connaissance de l'arabe. En vain. Il avait écopé d'un an de purgatoire au Bureau arabe de Djelfa ; c'était la règle.

Sous les harnais, les quatre chevaux de la diligence, exténués par l'étape, s'étaient immobilisés : encolures, oreilles, croupes tombantes. En face se tenait un cercle d'indigènes accroupis, grandes figures d'un blanc sale, sans voix, sans geste, avec des yeux clignotant à peine sous l'éclat du jour.

En entrant dans la citadelle, Saganne lut, gravé dans la pierre au-dessus de la porte fortifiée : « *Bâtie en cinquante jours sous le gouvernement de M. le général Randon par la colonne expéditionnaire du général Yusuf.* » C'est dans cette colonne qu'il aurait voulu servir. Après une journée, une nuit, et encore une demi-journée de voiture, il avait les reins raides et la faim l'enrageait.

Le colonel Bisson, commandant de place, fit au nouveau lieutenant un accueil aussi médiocre que l'était sa personne. Tapi au fond d'un bureau encombré d'un fouillis oriental, il ressemblait à ces matous coupés qui trônent dans les pâtisseries : ça dort tout le temps, mais d'un œil seulement ; ça hait tout ce qui dérange ses habitudes et ça ne manque pas un coup sournois. En l'occurrence, il demanda à Saganne s'il voulait bien se charger de l'instruction d'une compagnie de spahis, sans l'avertir que les spahis ne dépendaient pas du Bureau arabe, ni de son chef, le capitaine Flammarin, sous les ordres duquel Saganne serait directement placé. A Djelfa, comme partout ailleurs en Algérie, les conflits étaient permanents entre la hiérarchie militaire traditionnelle et les services du Bureau arabe.

Saganne flaira le piège mais ne s'en soucia pas. Il accepta aussitôt. Bisson le raccompagna jusqu'à sa porte, rendu aimable par le succès de sa petite manœuvre.

— Voyez l'adjudant Farracci pour votre installation, lieutenant. Je crois qu'il y a une chambre libre au Cercle des officiers. Vous y serez bien, et à moindres frais qu'à l'hôtel ou que chez un particulier.

Courette est de ces êtres qui vous jettent d'emblée leur cordialité en gage. Quand Saganne pousse la porte de la chambre, il joue du violoncelle. Il se lève aussitôt, la main tendue avec l'archet, le visage riant :

— Vous êtes Saganne ? Je suis Louis Courette, toubib, et ariégeois comme vous.

Longiligne près de son instrument tout en rondeurs, avec sa djellaba trop courte qui découvre des tibias à peau blanche et poils noirs, on dirait un pénitent saisi par la jovialité.

Saganne est agacé : l'adjudant ne l'a pas prévenu que la chambre était occupée.

— Comment savez-vous que je suis ariégeois ?

— Ici, tout se sait, mon cher : votre dossier vous a précédé. Vous avez déjà vos partisans et vos adversaires. Comme il y avait une photographie dans votre dossier, toutes les femmes sont pour vous. C'est l'essentiel, n'est-ce pas?

La chambre sent le cuir et l'homme. Des pustules d'humidité boursouflent la peinture, chocolat jusqu'à un mètre du sol, puis vert d'eau. Au-dessus de la toilette, qui porte un broc et une cuvette émaillés, un occupant de passage a accroché une gravure d'après Fragonard : le salpêtre mange les reins grivois.

Courette va appuyer son violoncelle près d'une carabine Winchester posée contre le mur, crosse au sol. Il se recule un peu, comme pour juger de l'effet des deux objets rapprochés :

« Je suis aussi mauvais tireur que mauvais violoncelliste. En médecine, ce n'est guère plus brillant et, moi, je ne plais pas aux femmes.

Sur son visage un peu asiatique, la mélancolie ne tient pas longtemps. Il reprend, avec la gentillesse joyeuse qui est décidément sa marque :

« Rassurez-vous pour la chambre. Mon violoncelle et moi nous ne vous encombrerons pas longtemps : je pars demain pour In-Salah et, dans deux mois, je nomadiserai parmi nos sujets touareg. Nous nous retrouverons là-bas, n'est-ce pas? Car je suppose que vous n'avez pas l'intention de moisir à Djelfa?

Sans transition il ajoute, accentuant son accent ariégeois :

« Puisque nous sommes pays, tutoyons-nous !

Saganne tend sa main.

« Veux-tu prendre une douche? propose Courette. Ma seule contribution à l'œuvre civilisatrice de la France depuis que je suis en Algérie a été de construire une douche. Je remplirai les arrosoirs pendant que tu te savonneras. Viens donc, car, entre nous soit dit, tu pues !

Lavé et vêtu de propre, Saganne défait sa cantine. Courette l'aide sans cesser de bavarder. Des anecdotes sur Djelfa, il glisse très vite, sur le même ton de blague, à des bribes de confession. Il explique sa vocation saharienne par le désir d'échapper à la lecture quotidienne de la Bible :

« Tu comprends, ma mère est protestante. Circonstances aggravantes, elle est veuve, et je suis son fils unique. J'avais le choix entre étouffer sous elle ou partir le plus loin possible. Et toi, pourquoi es-tu là?

Qu'aurait-il pu répondre, Saganne? Que la vie de garnison qu'il a menée à Grenoble le faisait crever d'ennui? Que la surveillance des corvées, l'immatriculation des couvertures, les rivalités naines

entre officiers l'étouffaient ? Qu'il a choisi le métier des armes pour
se battre, pas pour sécher vivant au milieu des chiens de quartier ?
Que, depuis l'adolescence, il a soumis son corps et son esprit à un
entraînement sévère en prévision du jour où il aurait à affronter les
tâches les plus rudes ? Qu'il aspire de toutes les forces qu'il s'est
forgées à faire œuvre utile en se dépassant lui-même ? Qu'à Grenoble les mots « service de la patrie » avaient fini par perdre tout
sens ; que le dégoût, ce *taedium* éternel, l'ennui enfin, le minaient
comme une maladie glissée partout, empoisonnant toute joie, entra-
vant toute étude, désespérante ? Qu'il avait atteint un point de
morosité tel que, si sa demande de servir au Sahara n'avait pas été
acceptée, il aurait, contre toute raison, démissionné, pour aller
tenter son destin en aventurier solitaire, vers l'Afrique, vers l'Asie,
n'importe où hors de cette France frileuse ?

Il a répondu :

— Ça n'a guère d'intérêt. L'important, c'est que je sois là.

— Pas bavard, hein ! dit Courette. Il n'aime pas se déboutonner,
le nouveau ; il entretient le mystère. D'ailleurs, tu es mystérieux.
Au premier regard on se dit : c'est un tendre ; aussitôt après on
pense : non, un dur. Ensuite, on flotte. Enfin, on ne flotte pas
complètement...

Saganne s'est redressé, une pile de chemises sur le bras. Courette
se recule et le dévisage. Plusieurs fois, il est sur le point de parler.
Finalement, il dit :

« J'ai trouvé : tu es immortel. Pas solide, pas même invulnérable :
immortel.

Brusquement, il saisit sa djellaba, se lance dans une sorte de
gigue :

« Eh bien ! moi, clame-t-il, je suis ici pour devenir le seul homme
au monde qui joue du violoncelle sur le dos d'un chameau. Je suis
ici pour attraper la vérole sur le ventre des négresses et soigner la
vérole de leurs nobles maîtres. Je suis ici pour ne plus être ailleurs.
Viens boire une absinthe, l'Ariégeois !

Saganne n'est plus sûr d'éprouver de la sympathie pour ce garçon
à la gaieté forcée et comme fêlée :

— Je dois aller me présenter au capitaine Flammarin, dit-il.

Courette se calme ; la malice revient. Saganne l'aime à nouveau.

— Tu trouveras Flammarin au café. Il y fait sa partie tous les
soirs avec son complice le caïd Bou Amara auquel il a appris à
manier la queue... Ce qui est beaucoup moins dangereux que de

manier le mousqueton comme ce brave homme l'a fait, paraît-il, contre nos soldats, dans son jeune temps.

Le capitaine Flammarin a la tête ronde, le corps trapu, le poil roux : un Celte. De grandes moustaches tombantes font contraste avec son crâne rasé au couteau. Un teint violacé, un nez en peau d'orange indiquent l'ivrogne. Mais il n'émane pas de sa personne l'impression de flottement que donnent les alcooliques. Sa tenue allie de façon baroque vêtements civils et militaires, européens et indigènes : chèche mal noué qui laisse voir le crâne ; veste d'uniforme bleu ciel, enfilée à même la peau, saroual arabe serré aux chevilles et retenu à la taille par une ceinture de cuir rouge d'où pendent des amulettes. Au moment où il allait quitter le café, il a sorti d'impeccables gants jaunes.

C'est à cet instant que Courette l'a hélé pour lui présenter Saganne. Il a réempoché ses gants et, grommelant une phrase, s'est assis entre eux. Il a préparé et bu, sans un mot, l'absinthe que le garçon a aussitôt apportée. Saganne s'est demandé s'il avait seulement entendu son nom. Mais, sitôt la dernière goutte bue, Flammarin a glissé son bras sous le sien :

— Venez, Saganne. Vous dînez chez moi.

La fille ne doit pas avoir plus de quatorze ans. Elle ne porte pas de voile mais, dès qu'elle a les mains libres, elle tire un pan de sa robe sur son visage. Saganne s'efforce de ne pas la regarder pour ne pas la gêner. Elle a des yeux agrandis au khôl et un regard de gazelle apprivoisée : soumission prête à tourner en panique.

Flammarin ne l'a pas présentée à son hôte. Lorsqu'elle leur a ouvert la porte, il lui a ordonné, en arabe, avec une certaine douceur, de servir à manger dès que le repas serait prêt.

La maison ne comporte qu'une pièce, coupée par des couvertures qui tombent du plafond. Le carrelage disparaît sous les tapis et les coussins. Des lampes de l'armée, posées sur des coffres, diffusent une lumière jaune, tremblante.

« Vous avez vu le colonel, dit Flammarin. Il vous a demandé d'assurer l'instruction des spahis trois fois par semaine. Avez-vous accepté?

— Oui monsieur, répond Saganne.

Le capitaine rote, puis laisse tomber, sur le ton d'évidence qui est le sien :

— Bisson est un con. Mais vous avez eu raison d'accepter. Les spahis vous plairont.

Il tend le bras par-dessus la table et pose sa main sur celle du lieutenant :

« Vous êtes auprès de moi pour vous instruire, en principe. Vous resterez dix ou douze mois. Et puis, comme vous l'avez demandé, vous partirez vers le sud... Vous y croyez, n'est-ce pas ? Le désert, l'espace, la souffrance et la gloire...

Il ôte sa main — rupture d'un contact —, change de registre :

« Je n'ai rien à vous dire, Saganne. Je ne pourrais rien vous apprendre. Si vous avez des couilles et si vous arrivez à comprendre les indigènes, ça ira. Si vous n'avez pas de couilles et si vous n'arrivez pas à les comprendre, retournez dans les Alpes.

Pendant qu'il parlait, Ourida, accroupie près de lui, a roulé une cigarette. Elle la lui tend. Il la prend, l'allume au-dessus du verre de la lampe. Puis, dans un geste qui est de possession et de remerciement, il lève à nouveau la main avec laquelle il a touché Saganne et la pose sur la tête de sa petite compagne.

« Ces gens sont différents de nous, Saganne. Même ceux qui nous aiment nous détestent. Nous resterons toujours pour eux des incirconcis. Nous ne les changerons pas.

Flammarin, que Saganne suivait comme son ombre, passait ses journées à arbitrer les litiges que venaient lui soumettre les indigènes : obscures histoires de successions, de dots non payées, d'enlèvements de femmes, de vengeances, de différends de toutes sortes où s'entremêlaient rivalités personnelles, familiales, tribales, remontant parfois à plusieurs générations. Il recevait les plaignants chez lui plutôt qu'à son bureau, mais aussi bien dans la rue, et le plus souvent dans les douars où il se rendait sur sa jument qui trottait l'amble. Pourvu que sa gourde de cognac ne fût pas vide, il présidait les *chicayas* avec une patience inlassable. Assis en cercle avec ses ouailles, il interrogeait peu, écoutait beaucoup, ne se souciait pas de relever les contradictions des plaideurs, ou même leurs plus évidents mensonges. Il semblait tout connaître de chacun : son caractère, sa situation de famille, sa fortune, ce qui le faisait solidaire ou adversaire *a priori* et en toutes circonstances de tel autre. Il rendait son verdict brièvement (« Un tel donnera telle somme à un tel. » « Un tel rendra les moutons à son beau-père », etc.), sans sermon ni avertissement pour l'avenir. Parfois, il ne tranchait pas, comme si l'affaire qu'on venait d'exposer longuement n'eût pas besoin de conclusion explicite. Saganne le vit une seule fois se mettre, pour une raison qui échappa au jeune homme, dans une violente colère : il bourra de coups de poing un homme dont les mâchoires claquaient de peur. Quand il quittait un douar, il était rare qu'une femme, debout devant la porte entrebâillée de son gourbi, ne lui tendît pas un cadeau : poule attachée par les pattes, légumes dans un chiffon (il rapportait toujours le chiffon, sachant combien était précieux pour ces pauvres gens le moindre bout de tissu). Il avait dit à Saganne :

« Les cadeaux en nature, il faut toujours les prendre. Mais si vous acceptez un sou, même par inadvertance, vous être flambé. Faites attention : ils sont très habiles à nous faire '' manger '', comme ils disent.

Equitable, il ne laissait jamais paraître la moindre gentillesse. Il était impitoyable pour la date de paiement des impôts. Saganne fut choqué de le voir, un jour, alors qu'ils venaient d'arriver dans un village, saisir une petite fille par le cou, faire sortir à coups de pied dans la porte les habitants d'un gourbi où il s'enferma avec sa proie. Il ressortit un moment plus tard, s'assit par terre et ouvrit la séance sans que rien dans son comportement trahît la moindre gêne. Saganne, qui ne voulait pas faire un éclat devant les indigènes, avait réenfourché son cheval pour retourner à Djelfa. Le soir, au café, Flammarin lui dit :

« Les services que je demande à ces gamines ne les déflorent pas. Leurs pères et leurs futurs maris le savent, sinon je serais déjà mort. Détendez-vous, Saganne, ou faites-vous curé. Au paradis d'Allah, où vont les vrais croyants, les houris ont beau cul et bonne bouche.

Trois fois par semaine, Saganne faisait l'instruction à cheval d'une trentaine de recrues. C'étaient des garçons plus près de trente ans que de vingt, volontaires pour toucher une solde, être nourris, logés, vêtus, avoir un fusil entre les mains et un cheval entre les jambes ; bref, pour servir la France. Leur bonne humeur était permanente. Il y avait bien quelques rixes, la nuit, dans les baraquements, mais Saganne ne se serait aperçu de rien si, un matin, s'étonnant de l'absence d'un de ses soldats, il ne l'avait découvert, couché sur son lit Picot, avec un couteau planté droit dans la cuisse. Il retira le couteau de la plaie, puis consigna tout son monde et commença les interrogatoires.

Les deux premiers hommes ne savaient, bien entendu, rien, n'avaient rien vu. Saganne pensa qu'il aurait mieux fait d'écouter le maréchal des logis Boubakeur, qui lui avait conseillé : « Mon lieutenant, tu t'occupes pas de ça. » Mais le troisième interrogé avoua tout uniment sa culpabilité, et expliqua que la victime était son frère, comme si cela justifiait son geste et lui enlevait toute gravité.

— Pourquoi l'as-tu blessé ?

— Il voulait repartir chez nous. Moi je lui disais qu'il perdrait la solde, qu'on le rattraperait et qu'on le mettrait en prison. Il ne voulait pas m'écouter, alors je lui ai fait un trou pour lui donner le temps de réfléchir.

Le champ d'exercices était situé à deux kilomètres de la ville, au sud. L'intérêt des manœuvres au pas et au trot échappait aux spahis. Ils s'y pliaient avec une bonne volonté lasse, échangeant des blagues pendant que le lieutenant, debout sur ses étriers, s'époumonait en hurlements. Tout changeait après la pause. Ils sautaient à cheval avec des éclats de rire, s'interpellant, se lançant des défis, excitant les bêtes. C'est qu'on allait charger, par lignes de dix, franc galop, en dégainant les mousquetons. Cet exercice-là leur paraissait plein de sens. Surtout, ils savaient qu'après les charges, le lieutenant accorderait une demi-heure de liberté pendant laquelle ils pourraient rivaliser en acrobaties, toutes accomplies à pleine vitesse, avec des arrêts brutaux, des volte-face, des redémarrages en furie : ramasser un chèche jeté à terre ; enfourcher la croupe du cheval voisin sans lâcher la bride du sien ; s'affronter à mains nues deux à deux pour se désarçonner ; se laisser glisser le long de la croupe, courir accroché à la queue, puis se remettre en selle en usant de l'élan du galop.

Pour des raisons qu'il ne s'était jamais soucié d'analyser, Saganne était poussé à toujours payer de sa personne ou, plus précisément, à toujours payer de son corps, à exposer ses os, ses muscles, sa peau. Il ne pouvait voir un homme accomplir un exploit physique sans être aussitôt tenaillé du désir d'en faire autant.

Ses spahis étaient tous des cavaliers rompus depuis l'enfance à une équitation qui, pour n'être pas académique, n'en était pas moins savante. Lui n'avait comme bagage qu'une trentaine d'heures de « tape-cul » endurées, deux ans auparavant, dans le manège de Saint-Maixent. A la première séance sur le champ de manœuvres, il avait observé avec attention les acrobaties qu'accomplissaient les meilleurs parmi les cavaliers. Dès la fois suivante, sans se soucier ni des chutes, ni des moqueries, il n'avait eu de cesse de faire comme eux. Quand tous ces exercices lui furent devenus familiers, il en inventa de nouveaux. Il ne prévenait pas, ne faisait rien pour attirer l'attention sur lui : il lançait son cheval et on le voyait accroupi sur sa selle, puis dressé, debout, une seconde, deux secondes.

Le dernier des exercices consistait à passer sous le ventre du cheval, à la manière des cavaliers mongols. Personne n'y était encore parvenu et tous, lieutenant en tête, s'y essayaient quand, un matin, vers dix heures, le maréchal des logis Boubakeur, à qui un sens très élevé de sa dignité ne permettait pas les excentricités, arriva au galop près de son chef qui, basculé tête en bas, cherchait à résoudre le difficile problème de sa jambe gauche, et cria :

— Arrête, mon lieutenant, arrête !

Saganne se remit en selle. Sur la route, la colonie européenne de Djelfa, les femmes et les jeunes filles dans des voitures, sous des ombrelles, les hommes à cheval, le regardait. Saganne salua. Il ne savait s'il devait être confus ou flatté de servir d'attraction. Bien que son ami Courette ait établi à son intention, avant de partir pour In-Salah, le *Who's who* de cette petite société, il se sentait étranger à ces gens.

Son premier dîner eut lieu chez M. Boquillon, le receveur des postes. C'était un quadragénaire placide qui attendait sa mutation en cultivant deux passions : l'opérette (il collectionnait disques et partitions) et l'acclimatation des arbres fruitiers ; il distribuait les plants de sa pépinière aux cultivateurs indigènes en les accablant de tant de recommandations que cet homme généreux, qui n'avait en tête que le bien de ces gens, était fui comme un ennuyeux maniaque. Pour Mme Boquillon, la « mutation » était une obsession. Elle ne supportait pas de vivre séparée de son petit André, que la nécessité des études retenait pensionnaire à Alger. Son fils était l'unique sujet d'intérêt de cette femme. Le nouveau lieutenant eut toute sa sympathie dès qu'elle eut appris qu'il avait une jeune sœur pensionnaire à Versailles.

— Mais comment vos parents peuvent-ils vivre sans cette enfant ? demanda-t-elle.

— Ma mère est morte, et mon père est en poste à Madagascar.

— Pardonnez-moi, dit Mme Boquillon. J'ignorais que madame votre mère fût décédée.

— Et peut-on savoir ce que fait monsieur votre père à Madagascar? demanda la grande femme sèche qui était assise à la droite du maître de maison.

Avant que l'âge et les déceptions d'orgueil ne l'aient décharnée, Mme de Sainte-Ilette, qui venait d'interpeller Saganne, avait été belle, dans le genre superbe. Fille unique d'un professeur de mathématiques au lycée de Montpellier, principal agent électoral du radicalisme dans l'Hérault, elle passait, lorsque son futur époux l'avait rencontrée, pour la déesse du département. Le jeune inspecteur des Eaux et Forêts avait été ébloui par sa beauté froide et par les ressources d'un esprit plein de force, et qui savait être charmant. Trop bien né pour se soucier de mésalliance, et d'ailleurs bohème et non conformiste, il avait, pour l'épouser, gaiement bravé les cris d'indignation de tous les Sainte-Ilette, réfugiés depuis 1873 dans le château de famille, près de Louviers.

La fonction et le nom de son mari, mais surtout sa qualité de cousine, par les femmes, du président de la République — dans l'intimité, son époux plaisantait de ce cousinage comme d'une bagatelle particulièrement grotesque — faisaient de Mme de Sainte-Ilette la grande dame de Djelfa.

Courette avait dit à Saganne : « Méfie-toi d'elle ; c'est une méchante qui s'ennuie. Surtout, fais en sorte que ni Jeanne ni Madeleine ne tombe amoureuse de toi. Mme de Sainte-Ilette a des ambitions pour ses filles. Si tu y fais obstacle — crac —, elle te brisera. On raconte qu'elle a fait envoyer au Maroc un brave lieutenant dans ton genre, c'est-à-dire joli garçon, sans titre ni fortune. »

— Mon père s'occupe d'un hôpital à Nossi-Bé, madame, répondit Saganne.

— Il est donc médecin? reprit, bonasse, Mme de Sainte-Ilette, qui savait parfaitement, comme tout Djelfa, que le père du lieutenant était un ancien sous-officier.

— Non, il est administrateur.

— Ah ! Mais c'est très bien, dit Mme de Sainte-Ilette d'un air distrait.

Elle réaiguisa son regard et sa voix, abandonnant à son sort de handicapé social ce fils de petit fonctionnaire, pour se retourner vers Bisson :

« Colonel, quand vous déciderez-vous à ouvrir le Cercle des officiers aux dames? Ça devient intenable, savez-vous, de n'avoir pas un endroit convenable où nous retrouver !

Jeanne de Sainte-Ilette avait dix-huit ans, le physique anguleux de sa mère, mais affadi, et, sur le visage, l'air doucement niais d'une candidate à la sainteté.

Madeleine, sa cadette, était assise en face du lieutenant, et le dévisageait sans précaution. Ses joues, ses bras au-dessous des manches ballon, la brusquerie garçonne des gestes, tout en elle était d'une petite fille, sauf les yeux, qui étaient d'une femme. Et d'une femme qui possède la maîtrise de ses goûts et de ses dégoûts : les iris verts triaient inflexiblement l'intéressant du négligeable.

Lorsque, dissimulée derrière le volet de la cuisine, dans la complicité de sa bonne Zorah, dont la chair molle sentait l'anis, Madeleine avait vu Saganne descendre de la diligence, elle avait été frappée par l'évidence : ce jeune homme était différent de tous ceux qu'elle avait approchés. Pas plus beau, ni plus séduisant : d'une autre espèce. Depuis ce jour, elle n'avait cessé de le croiser sous les ficus, de l'apercevoir, de loin, dévaler les marches du Cercle des officiers ou chevauchant près de Flammarin, de guetter ses apparitions au marché, de s'indigner et de s'amuser à la fois de ses effronteries d'innocent quand, par exemple, après s'être chargé du couffin d'Ourida, il s'offrait galamment à porter aussi le panier de Mme Boquillon, forçant la pauvre femme à cheminer à côté de la petite traînée depuis le fondouk jusqu'à la porte de sa maison. Mais c'était la première fois qu'elle se trouvait si proche de lui : en prenant la salière, elle pouvait toucher sa manche. Depuis qu'il était entré chez Mme Boquillon, buvant d'abord un verre de grenache avec les messieurs dans la véranda encombrée de plantes grasses, puis assis à table en face d'elle, elle ne le quittait pas des yeux. Elle appréciait, avec une acuité de sensibilité qu'elle ne s'était jamais connue, chaque nuance de sa voix et de son rire, chacune de ses expressions. Elle adorait qu'il se pliât aux usages communs avec une bonne grâce presque timide, ne laissant deviner qu'à elle seule la puissance foudroyante de ses charmes.

La perfidie de Mme de Sainte-Ilette n'avait pas blessé Saganne. Il était habitué aux coups de patte touchant sa mauvaise naissance. Il y réagissait, son corps réagissait, par un surcroît de présence et d'éclat. Penchée brusquement vers lui, Madeleine demanda tout à trac :

— Lieutenant, pouvez-vous jouer au tennis avec moi ? Depuis que M. Courette est parti, je n'ai plus de partenaire.

— Avec grand plaisir, mademoiselle, répondit-il.

— Je vous préviens : je suis très forte.

— J'essaierai d'être à la hauteur.

Madeleine, éperdue de l'audace qu'elle avait montrée en adressant la parole au jeune homme, se délivra par un rire. La conversation s'en trouva interrompue. Tous les visages se tournèrent vers eux. Ils étaient beaux de la même façon : on les appara. Dès cet instant, Mme de Sainte-Ilette eut, pour l'avenir de sa fille, des craintes aussi vives que si elle avait tenu la preuve que ce fils d'adjudant préparait un enlèvement.

Le dîner alla au ralenti jusqu'à son terme : un clafoutis aux dattes, spécialité malheureuse de Mme Boquillon. Puis on gagna le salon en contournant les guéridons mauresques et les poufs de cuir. Posé sur le piano, le gramophone semblait une excroissance florale échappée de la serre de M. Boquillon. Le colonel, M. de Sainte-Ilette, M. Chamot, le vétérinaire bien nommé, et le jeune Gabriel Barroux, représentant local de la Compagnie franco-algérienne de l'alfa, sortirent pour fumer un cigare. C'était leur habitude que de faire, chaque soir, cent pas sur le haut plateau. Tandis qu'ils promenaient leurs uniformes et leurs redingotes dans ce décor subdésertique, les gamins arabes, couchés contre le talus de la route, s'absorbaient dans la contemplation des femelles de ces messieurs qui, derrière les vitrages, ondulaient de la croupe et offraient leurs seins exhaussés par l'appareillage de baleines.

Madeleine était restée en arrière. Sitôt qu'elle se vit seule dans la salle à manger, elle courut à la place de Saganne. Elle s'empara de la serviette où il avait posé ses lèvres, y enfouit son visage puis, sans préméditation, la glissa sous sa robe : s'approprier le tissu qui conservait l'odeur de son héros était une farce qui, d'un coup, l'enivrait. A cet instant, Mme Boquillon entra pour prendre le plateau des tisanes. Elle surprit le geste de Madeleine, et l'attribua à quelque ennui de lingerie. On en serait resté à un échange de sourires si Madeleine, se croyant découverte, n'avait balbutié précipitamment :

— Ne dites rien à Maman. Je vous promets que je vous la rapporterai !

— Quoi donc ? demanda Mme Boquillon.

A ce moment, la serviette tomba, et Madeleine se précipita pour la cacher derrière son dos. « Bon, pensa Mme Boquillon, la petite Sainte-Ilette est kleptomane. » La nouvelle lui donna chaud : tout ce qui pouvait atteindre la superbe de Mme de Sainte-Ilette était notable. Elle se vit déjà confiant la chose à Mme Chamot, sa bonne amie. A moins qu'elle ne s'offrît le plaisir de s'en ouvrir à la mère. Il fallait réfléchir.

Dès le lendemain du dîner Boquillon, Saganne prit l'habitude de se présenter chaque soir, après son service, chez les Sainte-Ilette pour emmener ces demoiselles au tennis. M. de Sainte-Ilette le recevait le mieux du monde. Homme faible qui, à quarante-huit ans, voyait son existence manquée, l'inspecteur général considérait avec une faveur presque paternelle ce jeune homme plein d'ardeur. Il rêvait qu'il aurait pu lui ressembler. Pour faire enrager sa femme, il ne cachait pas ses sentiments.

A peine Madeleine et Charles avaient-ils échangé les premières balles, tandis que Jeanne, assise sur le banc, égrenait en secret le chapelet caché dans son mouchoir, que Gabriel Barroux les rejoignait, suant de hâte. Mme de Sainte-Ilette lui avait fait porter un message par son cuisinier. Barroux, jeune homme à front bas, sans imagination ni ambition, bon garçon d'ailleurs, jouissait comme d'une chose naturelle de la protection d'une famille puissante : son père possédait à Sète la première maison de négoce du vin ; son oncle, sénateur, était un membre influent du Cercle des Amitiés coloniales. Il avait compris, dès son arrivée à Djelfa, ce que lui voulait la maman de ces deux grandes filles. Mais, depuis dix mois, il balançait toujours s'il devait réserver ses hommages à Jeanne, qui était l'aînée, mais qui lui semblait destinée au couvent, ou à la jeune Madeleine. Il s'asseyait sur le banc. Comme Jeanne ne répondait à sa conversation que par des sourires béats, il finissait par prendre sa raquette et s'installait sur le court. Il jouait très fort et très mal. Quand il avait envoyé trois fois de suite la balle par-dessus le grillage, Madeleine lui disait :

— Monsieur Gabriel, vous gâchez tout. Sortez, et je vous promets de jouer un peu avec vous tout à l'heure.

Pour parler, elle dressait la tête, cambrait la taille. Sa cuisse saillait sous le tussor blanc. De l'autre côté du filet, Saganne faisait provision d'images charmantes. Il voyait bien qu'il inspirait de la sympathie à Madeleine et, dans cette mesure, de l'antipathie à Mme de Sainte-Ilette. Il avait rangé cela dans le rayon des babioles auxquelles il convient de ne pas s'attarder. Il n'avait d'ailleurs aucun effort à faire pour se cantonner auprès de la jeune fille dans le personnage de cousin amusant. Quitte parfois à rêver d'elle, la nuit, comme il rêvait d'Ourida.

Saganne était ennemi du relâchement. Les opinions et les conduites n'étaient de rien si elles résultaient des emballements ou des dégoûts obscurs. Il aspirait à se faire le maître de valeurs toujours plus fermes dont il ne dévierait plus. Ainsi, après réflexion, il avait conclu qu'il n'avait pas la foi et avait résolu de se tenir à l'égard de l'Eglise dans l'indifférence. En fait, son athéisme reflétait le modèle paternel. Augustin Saganne s'était longtemps acquitté avec régularité de ses devoirs religieux. Mais, quand sa femme et l'enfant qu'elle venait de mettre au monde moururent à quelques heures d'intervalle, le prêtre refusa d'enterrer le nouveau-né auprès de sa mère : dans l'affolement, on n'avait ni baptisé, ni même ondoyé le petit être. Au grand effarement de ses beaux-parents, le père entra dans une colère jupitérienne : il jeta le prêtre dehors, jura qu'il ne mettrait plus jamais le pied dans une église et que plus jamais un curé n'entrerait sous son toit. Il avait tenu parole et, faute de pouvoir débaptiser ses trois enfants, les avait menacés de ses foudres s'ils s'avisaient d'approcher un autel.

A Djelfa, le lieutenant était le seul Européen, avec Flammarin, à s'abstenir de paraître à la messe. M. de Sainte-Ilette avait essayé de lui faire comprendre qu'une heure de présence sur un banc chaque semaine faciliterait grandement ce qu'il avait désigné sous le terme vague de « votre avenir ». Saganne avait jugé le conseil indiscret et repoussé la perche : il était hors de question qu'il transige avec ses convictions.

Il fut donc surpris de recevoir, un soir après le dîner, dans sa chambre du Cercle des officiers, la visite de M. Liénard, le prêtre. Comment aurait-il pu deviner que Mme Boquillon, après quinze jours de délicieuses hésitations, s'était décidée, la veille, à confier à Mme de Sainte-Ilette que Madeleine s'était amusée à subtiliser une de ses serviettes de table ? Saganne connaissait le père Liénard pour l'avoir rencontré dans des réceptions. Le gaillard s'empiffrait et buvait avec une hâte qui devenait indécente quand approchait minuit, heure à partir de laquelle son ministère exigeait qu'il ne prît plus rien, du moins en public. Ses manières étaient excellentes, un peu raides, en harmonie avec sa grande taille et la maigreur vigoureuse de ses membres. Il pouvait être fin causeur mais, le plus souvent, se taisait ostensiblement, sa grande bouche figée dans un rictus quand il ne mangeait ou ne buvait pas.

Courette avait appris à Saganne qu'il avait été longtemps précepteur dans une des meilleures familles de Prusse. Sa présence à Djelfa sanctionnait une conduite sur laquelle on n'avait pas de détails, et qu'on imaginait d'autant plus scandaleuse. Femmes et jeunes filles faisaient en sorte de ne jamais rester en tête à tête avec lui, sauf au confessionnal. Mais enfin, c'était le prêtre.

Il jaugea d'un coup d'œil la pièce sans apprêt que Saganne avait lui-même repeinte à la chaux : le lit étroit, une table et une chaise, des livres sur une étagère, la cantine de fer.

— Monsieur Saganne, dit-il en posant sur le lieutenant son regard noir où perçait un rien d'amusement, je vous connais à peine, et je vous demande de croire que je n'ai à votre encontre aucune animosité. On m'a chargé d'une démarche auprès de vous, et je suis là pour m'en acquitter sans détour, comme il convient. Il s'agit de Mlle de Sainte-Ilette. Pour des raisons évidentes, il est exclu que ses parents autorisent jamais mademoiselle Madeleine à épouser le fils d'un adjudant en retraite, dont la conduite est notoirement celle d'un original, pour ne pas dire plus, et qui est, en outre, sans religion. On s'est renseigné sur monsieur votre père, comme vous le voyez. Votre assiduité auprès de mademoiselle Madeleine ne peut avoir qu'un résultat : la compromettre. On vous demande donc de cesser de la voir, sauf bien entendu dans les occasions où cela sera sans conséquence. Je dois en outre vous avertir qu'au cas où vous ne suivriez pas ce conseil, on pourrait facilement obtenir que vous retourniez dans les Alpes, ou ailleurs.

Saganne, un instant désarçonné par l'attaque inattendue, sans que rien n'en parût pourtant, répliqua avec feu :

— Monsieur Liénard, je n'admets pas que l'on parle de mon père comme vous venez de le faire. Si vous n'étiez pas prêtre, vous auriez déjà reçu mon poing sur la figure.

— Ça n'est pas une réponse, dit le prêtre en reniflant de mépris.

Saganne leva le menton, cambra le buste. Il ne savait pas ce qu'il allait dire. La posture de son corps lui dicta une réponse cinglante dont il fut très content, après coup :

— C'est celle dont vous devrez vous contenter... Monsieur Liénard, je vous prie de sortir.

Une fois seul il ouvrit la fenêtre, respira largement l'air de la nuit, et se jura qu'il épouserait Madeleine de Sainte-Ilette. Deux minutes plus tard, il riait de son romantisme et voyait toute l'affaire sous l'angle du ridicule.

Le lendemain, Flammarin, qui savait toujours tout, lui demanda, alors qu'ils trottaient côte à côte vers le douar de Boucheffra :

— Qu'est-ce qu'il vous a dit, le curé, hier soir ?

— Il m'a dit que Mme de Sainte-Ilette me ferait muter si je continuais à jouer au tennis avec sa fille.

Flammarin ne répondit rien sur le moment. Au retour, alors qu'ils entraient dans la cour du Bureau arabe, toujours emplie d'indigènes accroupis contre les murs, il dit à Saganne :

— Puisque vous la faites baver de désir, cette petite, vous n'avez qu'à l'enfermer avec vous une nuit. A l'aube, le père Sainte-Ilette vous suppliera, derrière la porte, de devenir son gendre.

— Qui vous a dit qu'elle était amoureuse de moi ? demanda Saganne.

— Mes gars, répondit Flammarin.

« Mes gars », dans le vocabulaire du capitaine, signifiait les indigènes.

— Et comment le savent-ils ? demanda Saganne en souriant.

— Ils ont des yeux. Et puis, vous savez, pour l'amour, ils fonctionnent comme nous. Les hommes ont des couilles comme nous, et les femmes des cons comme mademoiselle Madeleine, sauf qu'ils sont rasés.

— C'est agréable ! dit Saganne.

-- Quoi ? Les cons rasés ?

— Non, dit Saganne. Je commence à être lassé de ne pouvoir faire un geste qu'il ne soit observé et commenté.

— Il faudra vous habituer, dit Flammarin en mettant lourdement pied à terre. Au Sahara, on observera non seulement vos gestes, mais aussi les traces de vos pas. Ici, c'est le pays du « chouf », du guetteur. Pour se distraire de la misère, il n'y a que deux activités : se battre et l'amour. Alors, tous ceux qu'on rencontre, il faut bien les observer pour savoir s'ils vont sortir d'abord leur poignard ou leur sexe.

Une demi-heure plus tard, Saganne, sa raquette à la main, sonnait au portail des Sainte-Ilette. A travers le jardin, tenu par Mme de Sainte-Ilette dans un ordre géométrique, il cria à Zorah, qui ouvrait la porte du perron :

— Dis à mademoiselle Madeleine que je l'attends au tennis.

Il alla s'asseoir sur le banc, derrière le grillage. Bientôt Madeleine le rejoignit. Avec le ton légèrement haletant qu'elle prenait toujours pour s'adresser à lui, elle dit :

— Maman ne voulait pas que je joue aujourd'hui. Heureusement que Papa était là.

Elle ajouta, ce qui était aussi tout à fait dans ses manières :

« Vous devriez changer de chaussures. Les vôtres sont toutes trouées.

Saganne portait, par économie, de vieilles sandales qu'avait abandonnées Courette.

— Jouons, dit-il. Je n'ai pas beaucoup de temps ce soir.

Ces Sainte-Ilette commençaient à l'agacer, y compris le père, avec ses façons protectrices, et même cette petite fille insolente et insaisissable.

Les mois passèrent. Insensiblement, Saganne espaça ses apparitions au tennis et aux réceptions. Ce n'était pas par crainte des menaces de Mme de Sainte-Ilette, dont il ne se souvenait que pour en rire. Simplement, il avait fait le tour des plaisirs de Djelfa et préférait passer ses heures de liberté à lire et à travailler, ou à discuter avec Flammarin. Il se montrait d'autant plus gai quand il paraissait dans une soirée : pour amuser les dames, il croquait des verres de cristal, faisait des démonstrations de danse russe, entraînait la grosse Mme Chamot dans des polkas terriblement piquées. Sur le moment, on ne résistait pas à son entrain. Le lendemain, on faisait des réflexions : cette alternance d'éloignement et d'insouciance luronne faisait dire : « Pour qui se prend ce jeune homme ? Et pour qui nous prend-il ? » Son amitié pour Flammarin, qui n'était pas reçu dans cette petite société, le fiel répandu par Mme de Sainte-Ilette et par le père Liénard n'arrangeaient pas ses affaires.

Lui faisait semblant de ne rien voir et, de fait, mesurait mal l'irritation qu'il provoquait. M. de Sainte-Ilette, pour sauver sa paix domestique, avait cessé de le soutenir, et s'était lassé de guider sa conduite par des conseils que, manifestement, il n'écoutait pas. Quant à Madeleine, elle souffrait de ne pas le voir, et souffrait plus encore quand elle le voyait : elle ne supportait pas la grosse gaieté qu'il affichait en public. Au début, Saganne la plaisanta sur ses silences et ses mines farouches. Il s'aperçut qu'il la blessait et prit le parti de ne plus s'occuper d'elle.

Cependant, pour l'essentiel, rien n'était changé dans la vie de Saganne : ce qui l'intéressait, c'était son service. Les humeurs des Européens de Djelfa n'étaient rien par comparaison. Il y avait là deux ordres, l'un important, l'autre à peu près insignifiant. Il n'imaginait pas qu'ils puissent interférer.

Tout fut différent après la fête du caïd Bou Amara. Jusque-là, avec la bénédiction de Flammarin, Saganne avait fini par consacrer la moitié de ses journées à l'instruction des spahis. Aucune tâche, depuis qu'il était dans l'armée, ne l'avait, comme celle-ci, passionné. A la tête de ses trente gaillards, il apprenait à devenir un chef : rien de plus précieux à ses yeux.

Brusquement privé des spahis par l'ukase du colonel Bisson après la fantasia, il remâcha son indignation pendant huit jours, puis tomba dans l'ennui. Un ennui accablant. Tantôt il restait couché des journées entières, sans se laver ni se raser, s'abîmant dans l'inaction jusqu'à la nausée. Tantôt, réveillé en sursaut par le sentiment de son inutilité, il sellait son cheval au milieu de la nuit et partait au galop pour des courses sans but qui ne le calmaient pas. Au retour, il aurait étripé le premier venu.

Cette crise permit à Mme de Sainte-Ilette de susurrer à toutes les oreilles que le lieutenant Saganne, sans être à proprement parler fou, était sujet à de brutales altérations d'humeur qui pouvaient être dangereuses, qu'elle avait eu des échos d'une certaine histoire à Grenoble qui avait été à deux doigts de tourner mal, et que l'hérédité alcoolique était une chose décidément affreuse.

A Paris, dans la matinée du 22 septembre 1911, c'est-à-dire exactement dix-sept jours après la fête du caïd, le colonel Dubreuilh, commandant du Territoire des Oasis, qui achevait son congé en France en courant les ministères et les bureaux, reçut à son hôtel, par porteur, une convocation du chef de la maison militaire du président de la République.

Le général Piantain avait fait sa carrière dans les antichambres de la République. Dubreuilh, monarchiste et homme de terrain, le méprisait et le haïssait comme savent haïr les militaires. A l'Elysée, Piantain siégeait dans un bureau étriqué aux meubles lourdement dorés : un magot au fond de l'antre d'un brocanteur.

— Mon cher Dubreuilh, dit-il de sa voix pâteuse, vous trouverez à Djelfa un lieutenant nommé — coup d'œil au papier posé devant lui — Saganne. Ce garçon sort du rang. Son père est un petit fonctionnaire colonial qui joue et qui boit. Sans position ni fortune, donc, et qui affiche en outre un anticléricalisme provocant. Je serais malvenu de dénoncer ces tares (là, Piantain sourit onctueusement : il était notoirement franc-maçon), si ce jeune homme n'avait tenté de compromettre une jeune fille de seize ans. Par malheur pour lui, cette jeune fille est la petite-cousine du président.

Le général s'interrompit pour se dégager le nez, une narine après l'autre. Il reprit d'une voix plus traînante encore, chaque mot sortant de ses lèvres comme chargé de salive :

— Le président m'a chargé de vous demander d'agir personnellement pour qu'il n'y ait plus à l'avenir aucun contact entre ce — nouveau coup d'œil au papier — Saganne, et sa jeune parente.

Dubreuilh ne s'était pas assis, par hygiène, comme si le lieu eût été malpropre. Il regardait par la fenêtre et battait sa botte avec son stick.

— C'est tout ce que vous avez à me dire ?

Il avait l'insolence nette des hommes sûrs de leur valeur vingt-quatre heures sur vingt-quatre.

— Oui, mon cher Dubreuilh, répondit Piantain. Un petit service dont on vous saura gré...

Il eut à nouveau un sourire de feinte connivence :

« Le Sahara est grand ; ça devrait être facile...

Le colonel se retira. Il méditait la phrase qu'il colporterait sur Piantain : « Cet homme est un égout qui charrie toutes les saletés et absorbe tous les outrages. » Cependant, la répulsion que lui inspirait le général n'allait pas jusqu'à lui faire négliger l'avis qu'il avait reçu. L'ambition de Dubreuilh était de devenir le plus jeune général de France : il avait encore deux ans pour y parvenir.

A Djelfa, Saganne n'était plus convié nulle part. Madeleine ne paraissait plus au tennis. Dans la rue, on le saluait sans s'attarder. Un soir, dînant seul au mess, il but délibérément trop puis sortit avec l'intention d'aller au bordel. En route, il se dit que cette façon de liquider sa morosité était beaucoup trop simple pour n'être pas indigne. Il alla frapper à la porte de Flammarin. Ourida ouvrit. Elle aussi ne lui souriait plus : elle ne lui pardonnait pas de ne s'être pas laissé tenter. En voyant ses pieds nus, ses chevilles fortes, sa croupe, ferme sous le voile, il regretta le bordel. Il y avait aussi l'odeur : vanille et beurre rance. Parfum d'esclave. Et les doigts teints au henné.

Flammarin, couché sur des coussins, fumait du kif. Saganne refusa d'abord d'en user puis, réflexion faite, en demanda : il était las de jouer les premiers communiants qui se croient forts d'aller de renoncement en renoncement. Il s'enfonça dans un état de lucidité léthargique assez plaisant, malgré les maux de tête. Les paroles que Flammarin lui adressait s'inscrivaient en lui avec acuité, comme si elles lui révélaient pour la première fois une réalité au-delà des apparences. Et en même temps, curieusement, ces paroles restaient sans portée : rhétorique qui n'avait pas plus de prise sur lui, pas plus de capacité de modifier ses croyances et son comportement que n'en ont, sur la mort, les oraisons funèbres.

— Sais-tu ce que nous sommes, toi et moi, Saganne ? Des chiens qu'on a lancés sur l'Afrique, pour la conquérir et en tirer profit. Tu crois servir la civilisation ? Tu sers des intérêts, point à la ligne. Ils t'ont laissé devenir officier parce qu'ils avaient besoin de toi. Mais tu n'es pas des leurs. Tant que tu restes à ta place, ça va. Mais malheur à toi si tu essaies d'échapper à la laisse ou de quitter la niche. Ils sont terribles, alors. Et sais-tu pourquoi ? Parce que tu leur fais peur. Quelqu'un qui n'a aucun bien à défendre, rien ne le retient... Tu n'as qu'un moyen de te faire accepter par eux : verser ton sang, mourir. Mort, tu ne leur feras plus peur. Ils feront de toi un héros.

Flammarin se renversa un peu plus dans les coussins et, pendant plusieurs minutes, resta silencieux, respirant bruyamment, comme un agonisant. Puis il se tourna pour cracher dans un bol de cuivre, et reprit :

« Mais tu les emmerdes, n'est-ce pas ? Ils accumulent, et toi tu sais que le seul moyen de trouver le bonheur, c'est de tout risquer, sans calcul et sans prudence.

Il s'interrompit à nouveau, s'accrocha à la manche du lieutenant pour se redresser et, de sa voix familière :

« Donne-moi de l'absinthe, mon bon, et, si Ourida te tente, vas-y ; tu lui feras plaisir. Sacré Saganne ! Quand je te vois, j'ai presque envie de vivre.

La voiture du colonel Dubreuilh entra au grand trot dans la cour du bordj, un dimanche vers neuf heures du matin. D'Alger, le chef du Territoire des Oasis avait fait savoir au colonel Bisson, par télégraphe, qu'il ne s'arrêterait à Djelfa que vingt-quatre heures : il voulait rejoindre au plus tôt son commandement.

Ce message était parvenu le samedi en fin d'après-midi. Le soir, dans le salon des Sainte-Ilette, autour d'un plateau de tisane, une conférence réunissait Mme de Sainte-Ilette, le colonel Bisson et le père Liénard.

Quelques jours auparavant une lettre, signée par le secrétaire particulier du président de la République, avait informé la mère de Madeleine de l'entretien qui avait eu lieu à l'Elysée entre le général Piantain et Dubreuilh. Le laconisme de cette missive, dictée en fait par Piantain, avait quelque peu mortifié Mme de Sainte-Ilette. Cependant, infatuée de son cousinage et fière de sa manœuvre, elle affirma hautement à Bisson et au prêtre qu'après la leçon qu'on lui avait faite Dubreuilh ne pourrait manquer de muter Saganne. « Il est clair, répétait-elle, que, dans une telle circonstance, les vœux d'un président de la République sont des ordres qu'un homme sensé ne se soucie pas de braver. Si le colonel Dubreuilh vient à Djelfa demain, c'est pour régler notre affaire. »

Bisson, tout en la félicitant de son esprit de décision, nuança ses chatteries de quelque scepticisme. Il doutait que les avertissements de Piantain aient été suffisants pour convaincre Dubreuilh. Il connaissait le colonel, ses opinions politiques, son esprit frondeur. « Ma chère amie, conclut-il, avec un tel personnage on doit tout craindre, y compris des réactions d'humeur bien éloignées de celles qu'on espère. »

Le père Liénard approuva en levant les deux mains de chaque côté de son visage osseux, dans un geste de confesseur qui n'a plus d'illusion sur les perversités humaines. Puis, comme il n'aimait pas perdre son temps, il prit la parole, exposa et fit approuver le plan qu'il fallait mettre en œuvre le lendemain pour persuader Dubreuilh de les débarrasser de Saganne.

Bisson devait attaquer le premier. C'est ce qu'il fit dès que Dubreuilh eut pénétré dans son bureau et qu'ils eurent échangé quelques propos sur les questions de service. Propos fort courts : Bisson veillait jalousement à ne jamais divulguer à ses collègues et rivaux les informations qu'il détenait. Quant à Dubreuilh, il se moquait comme d'une guigne des avis de ce rond-de-cuir. Pourtant, quand Bisson prononça le nom de Saganne, il prêta l'oreille.

Il avait été convenu chez Mme de Sainte-Ilette que le rôle de Bisson consisterait à ruiner l'image de Saganne en tant qu'officier. Il s'y employa à sa manière : petites infamies distillées avec des sourires indulgents. Des anecdotes et des traits qu'il débita, en savonnant l'une contre l'autre ses mains moites, il résultait que le lieutenant était, tout à la fois, sans autorité sur la troupe et sans respect pour ses chefs, paresseux, négligent et enclin, par foucades, à des initiatives dangereuses, irresponsable et têtu, bref, que c'était un aventurier, pas un soldat.

Quand le portrait fut complet, Dubreuilh se leva et demanda à son vis-à-vis, sur un ton amène, presque timide, s'il lui serait possible de prendre une douche. Il voulait se décrasser avant d'aller entendre la messe. Sa physionomie ne montrait rien d'autre que la confusion souriante de l'homme qui craint de déranger. Décontenancé, mais toujours patelin, Bisson conduisit son hôte à son appartement.

Une heure et demie plus tard, à la sortie de la messe, Dubreuilh bavardait sur le parvis de l'église avec les membres de la colonie française, rassemblés autour de sa haute silhouette. Le père Liénard, qui s'était débarrassé en hâte de ses vêtements sacerdotaux, vint se placer à son côté. Il s'était lui-même chargé, la veille, d'attaquer Saganne sur le chapitre de la morale, de la religion et des mœurs. Il n'y alla pas par quatre chemins :

— L'exemple que nous donnons, mon colonel, ici même, sur ces marches, d'une communauté unie et fortifiée par la foi et les valeurs spirituelles de la civilisation chrétienne, ne sera d'aucun effet sur les populations musulmanes aussi longtemps que des individus se tiendront à l'écart du troupeau et afficheront avec cynisme leur immoralité. Quand ces brebis égarées, et endurcies dans l'égarement, sont des officiers, comme c'est malheureusement le cas de notre paroisse, cela navre doublement le cœur. J'abomine l'hypocrisie, et les vices cachés sont, je le sais bien, souvent plus redoutables que ceux qu'on avoue. Mais quand la décence la plus élémentaire est bafouée, quand l'inconduite s'affiche et devient provocation, comment ne pas réagir ? Le pasteur que je suis a le devoir de signaler à la vigilance du pasteur que vous êtes aussi, mon colonel, la conduite désolante du capitaine Flammarin, et surtout du lieutenant Saganne. L'ivrognerie, le jeu où ils entraînent des notabilités indigènes, la vie commune avec une fille publique, dont ces messieurs se partagent les faveurs et dont le lieutenant Saganne n'hésite pas à imposer la compagnie à certaines de nos paroissiennes, comme peut en témoigner Mme Boquillon...

Depuis le début de la diatribe, Dubreuilh n'avait cessé de promener un regard amusé sur les visages de tous ceux qui, réunis en demi-cercle, écoutaient avec gêne et parfois effarement les paroles de leur curé. Quand le prêtre désigna du bras Mme Boquillon, dont il venait de prononcer le nom, le colonel fit deux pas en avant et tendit sa main à l'épouse du receveur des postes, exactement comme si le discours du père Liénard n'avait eu pour fin que de lui présenter cette personne rougissante.

— Je suis heureux de faire votre connaissance, chère madame, dit-il en s'inclinant.

Derrière lui, le père Liénard était resté coi, ses deux longs bras pendant contre la soutane. Dubreuilh se retourna :

« Au revoir, mon père. Continuez à veiller sur votre troupeau et à faire entendre la parole de Jésus-Christ sur cette terre qui en a tant besoin.

Puis il fendit la foule et descendit la rue à grandes enjambées, sans attendre le colonel Bisson qui se hâtait dans son sillage.

Le troisième acte se joua le soir, à la réception donnée en l'honneur de Dubreuilh au Cercle des officiers. Saganne, qui n'avait pas eu d'écho de la scène publique devant l'église — il avait passé la journée au douar Teurfa avec Flammarin —, était présent. Selon le plan élaboré par Liénard, il n'aurait pas dû être convié. Mais, après le déjeuner, Dubreuilh avait glissé à Bisson :

« Dites donc, mon cher, veillez à ce que ce Saganne, dont on me rebat les oreilles, soit là ce soir. Je veux le voir, moi, votre ostrogoth !

Bisson n'avait pu faire autrement que de déposer un mot dans la chambre du lieutenant.

Quand Saganne entra dans la salle, la fête était commencée depuis déjà longtemps. Il était rentré tard de sa tournée et, malgré sa hâte de connaître Dubreuilh, sous les ordres duquel il servirait dès que son stage serait terminé, il avait passé une heure à se faire propre, puis à brosser et repasser son uniforme de sortie, plié depuis des mois au fond de sa cantine. Il salua tous ceux qui se trouvaient sur son passage, sans remarquer la brièveté crispée des sourires qui l'accueillaient, et alla se faire servir une coupe de champagne.

Lorsqu'il se retourna, verre en main, les groupes s'étaient reconstitués. Il n'avait plus en face de lui que des dos. Le seul regard qu'il rencontra, et encore était-il de biais, fut celui de Mme Boquillon. Il s'avança de ce côté. Dès qu'il fut à portée, la brave dame posa la main sur sa manche et, le tirant vers elle, murmura :

— Ah ! monsieur Saganne, si vous saviez !

Elle avait la voix mourante et l'œil vif des commères qui savourent un beau malheur.

— J'espère que vous n'avez pas eu de mauvaises nouvelles de votre fils ? demanda-t-il à tout hasard.

— Oh, pas du tout. Il ne s'agit pas de moi. Il s'agit de...

A cet instant le père Liénard surgit entre eux et coupa la parole à Mme Boquillon par un tonitruant :

— Comment allez-vous, lieutenant ?

Il avait la bouche pleine et postillonna un nuage de miettes humides.

— Très bien, dit Saganne.

Puis il tourna les talons.

A l'autre bout de la salle Mme de Sainte-Ilette avait réussi à coincer Dubreuilh dos au mur, sous les drapeaux qui pendaient, réunis en faisceaux. Elle avait été témoin de la rebuffade qu'avait essuyée le prêtre sur le parvis de l'église et avait jugé prudent d'amener son affaire de loin. Impatienté par ce long bavardage, le colonel jetait de plus en plus souvent ses regards par-dessus l'épaule de son interlocutrice, à la recherche d'un prétexte pour fuir. Elle s'en aperçut et décida de jouer le tout pour le tout. Passant brusquement du ton mondain à une sorte de larmoiement retenu, elle gémit en se rapprochant de Dubreuilh et en avançant les deux mains comme si elle allait se raccrocher à sa veste :

— Ah, colonel, pardonnez, je vous en supplie, cette émotion que je ne peux plus contenir. Mais notre nom, nos espérances, notre salut sont entre vos mains...

Dubreuilh recula sa tête de rapace :

— Notre salut est entre les mains de Dieu, madame !

— Colonel, vous ne me comprenez pas. Cela est si difficile à dire...

Dubreuilh l'interrompit à nouveau :

— Si fait, madame, je comprends. On m'a déjà fait, par trois fois, votre commission.

Il s'était dégagé. Il pencha le buste dans une courbette exagérée de marionnette, claqua les talons et prit le large. Il marcha vivement vers Bisson :

— Où est-il, votre Saganne?

Le commandant de place esquissa un mouvement vers le coin où Charles se tenait près de Madeleine. La jeune fille était assise, la mine boudeuse : ça mettait sa bouche en valeur, et la lueur verte de ses yeux s'en trouvait comme concentrée. Lui était debout, avec cet air de gaieté niais du joli cœur qui ne parvient pas à dérider sa conquête.

. « Et la jeune fille est bien sûr Mlle de Sainte-Ilette? demanda Dubreuilh.

Bisson approuva.

« Beaux spécimens tous les deux, reprit Dubreuilh. Il y a plaisir à admirer des modèles aussi réussis de notre pauvre espèce humaine ! On ne sait qui est le plus parfait, du mâle ou de la femelle !

Glissant à Bisson une œillade, il ajouta :

« S'ils font des petits, dites à la mère de m'en garder un.

Sitôt libre, Bisson se faufila jusqu'à Mme de Sainte-Ilette :

— Je vous avais prévenue, ma chère amie. Cet homme est démoniaque.

Et il répéta la boutade de Dubreuilh. Mme de Sainte-Ilette se laissa tomber sur la chaise qui se trouvait, par bonheur, derrière elle.

La demi-heure suivante fut pénible pour tout le monde. Sauf pour Dubreuilh. Il rayonnait. Il avait demandé à l'officier du corps des interprètes qui l'accompagnait d'aller lui chercher Saganne. Il s'était planté avec lui au milieu de la salle et s'était montré ostensiblement aimable, posant la main sur son épaule et souriant à pleines dents. Saganne en était un peu surpris : les banalités que lui disait Dubreuilh, mais qu'il était le seul à entendre, tout le monde s'étant reculé pour les mieux voir, ne justifiaient pas de telles démonstrations.

Cependant, la réception touchait à sa fin. Dubreuilh revint vers Bisson :

— Mais, mon cher, il est bien, votre gaillard ; très bien, même. Si vous n'en voulez plus, je le prends, moi. Je le prends tout de suite, dès demain. Allez donc annoncer la bonne nouvelle à vos amis. Je vois là-bas Mme de Sainte-Ilette bien pâle au bras de son abbé. J'espère que vous ne l'avez pas alarmée en lui répétant ma mauvaise plaisanterie de tout à l'heure !

Puis il marcha jusqu'à Saganne qui avait rejoint Madeleine.

Il s'inclina d'abord devant la jeune fille :

« Mademoiselle, je vous fais mon compliment : vous êtes ravissante.

Et, vers Saganne :

« Lieutenant Saganne, on m'a tant parlé de vous depuis que je suis arrivé à Djelfa, que ça m'a donné une idée. Que diriez-vous de partir avec moi pour le Sud dès demain ?

Saganne était trop surpris et trop ravi pour poser la moindre question. Il répondit seulement, d'une voix aussi claire que possible :

— Je suis à vos ordres, mon colonel.

Cette nuit-là, tout le monde se coucha heureux. Sauf Madeleine. Elle s'était mise à pleurer en disant sa prière, à genoux au pied de son lit, le visage dans ses mains. Elle continua sous le drap. Elle ne pouvait plus s'arrêter.

CHAPITRE III

Ouargla est prise sous la canicule comme sous une invisible lave. Il est une heure de l'après-midi. Une rumeur de cris qui, depuis un moment, fait un fond au silence, s'approche : les beuglements deviennent distincts. Une troupe de chameaux dévale la ruelle encaissée, face à la fenêtre de Saganne. Au moment de déboucher sur la place, la bête de tête, effrayée par l'espace qui s'ouvre, fait volte-face : aussitôt, reflux dans toute la ligne. Les animaux se pressent, s'entassent dans un barrage confus de jambes et de cous entrenoués.

Le ciel, où depuis deux heures se tendent des nuées blanchâtres, se couvre entièrement et prend une couleur rousse où ne filtre plus aucune lueur de bleu. Le sirocco, qui soufflait par saccades, devient continu.

Harcelé à coups de trique par les Chaambas, le troupeau finit par se répandre sur l'esplanade. Alors, de la ruelle dégagée, surgit un cavalier au galop. Les sabots du cheval battent les dalles sonores ; à chaque foulée son souffle retentit plus rauque. Au milieu de la place, en pleine course il s'effondre, comme frappé par une balle. Un instant, il se maintient sur les genoux. La gueule distendue, il mâche l'air qui le tue. Un flot de sang jaillit de ses naseaux. Le poitrail empourpré, il s'immobilise, puis bascule d'un bloc. La mort le prend en deux saccades.

Dans la chambre, la poulie qui retient au plafond l'éventail de palmes grince en cadence. Les bouffées d'air passent sur Saganne comme l'exhalaison d'un four. Il frappe du poing le mur : l'enfant accroupi dans le couloir cesse de tirer sur la corde qui actionne le *panka*.

Charles est assis devant la table. La chaleur est une prison qu'il transporte au ras de la peau. Le bois de la chaise adhère à ses cuisses et le porte-plume brûle sa paume.

Mon cher frère,

Un cheval vient de mourir sous mes yeux : le sirocco a fait éclater ses poumons.

Je suis à Ouargla. Demain, départ pour In-Salah : 700 kilomètres environ, seize à vingt jours de voyage. La vraie aventure a commencé plus tôt que prévu. Le colonel Dubreuilh, commandant du Territoire des Oasis, est passé par Djelfa au retour de son congé en France. Il a estimé que mon stage avait assez duré et m'a emmené dans ses bagages. C'est une tuile heureuse, qui me jette au cœur de ce que j'attendais depuis longtemps. Comme la France est loin, loin la sinistre caserne de Grenoble, et loin aussi Djelfa, presque aussi sinistre, où l'ennui commençait à me prendre. L'ennui, mon ennemi le plus redoutable !

Si l'on excepte un interprète, je suis le seul officier auprès du colonel. Dubreuilh est un vrai seigneur ! Ses tenues, ses chevaux, ses hommes d'escorte sont les plus beaux et à juste titre, dans ce pays où le prestige veut de l'apparat. Il a aussi de la hauteur de vue, une belle culture et du caractère. Bref, un modèle de chef auprès duquel je m'instruis, tu peux le croire !

Pour l'instant, je lis tout ce que j'ai pu rassembler de livres et de rapports. Cependant, il me tarde d'être en place et d'agir. Oui, je piaffe d'être en place, sans tutelle, et de donner mon plein. Mais, ici, la vertu dont il faut s'armer d'abord, c'est la patience.

Et toi, mon cher Lucien, où en es-tu ? Pioche, pioche et pioche ! Il n'y a que le travail pour s'élever. Et, tu verras, quand on en a pris l'habitude, il rend heureux. Quand tu seras sorti major de Saint-Cyr (car je vise pour toi au plus haut, et je veux que tu y parviennes), tu te laisseras aller à ta pente rêveuse, si tu en as encore le goût.

Alice m'écrit bien régulièrement. Elle semble travailler et se plaire à sa pension. Mais je la soupçonne de faire le tableau un peu bien rose pour moi. Parle-lui : elle t'écoute mieux que moi. Qu'elle ait toujours en tête qu'une jeune fille sans dot doit, plus qu'une autre, compter sur son travail et son application pour s'établir.

Aucune lettre du père depuis un mois. Il est vrai qu'entre Nossi-Bé et Ouargla la route est longue.

Je te quitte, mon petit. Ecris-moi souvent. Crois-moi fraternellement ton

                                    Charlie

P.S. : L'Islam, c'est l'immobilité. Nous y apporterons le mouvement.

Saganne passe sa vareuse rouge et son saroual. Il descend l'escalier voûté dont les marches inégales s'effritent sous le pied. Dans la cour du bordj, les chameaux sont baraqués, pattes pliées sous le ventre, entravées par des cordes de chanvre. Ils écrasent l'une contre l'autre, dans une rumination ininterrompue, leurs lèvres avachies comme de vieilles pantoufles et, de temps à autre, glapissent avec une tristesse stridente.

Embarek, couché sur un banc de pierre, dort malgré le vacarme. Saganne le secoue. Le vieux ôte le voile qui protège des mouches ses yeux et sa bouche.

— Qu'est-ce que tu veux, mon lieutenant ?

— Choisir un chameau.

— C'est pas bon maintenant ! Attends quand le sirocco tombe.

— Debout ! dit Saganne.

Embarek reste couché, et marmonne dans son chèche :

— Tu es jeune, mon lieutenant ; ici, c'est le temps qui commande.

Le ton est plus résigné qu'insolent, mais Saganne réagit :

— Tu veux mon pied au cul ? Debout, Embarek !

Quand Saganne a quitté Djelfa, Flammarin lui a amené Embarek en disant :

— Je vous donne Embarek. C'est un vieux bandit, mais il connaît le Sud. Pendant vingt ans il a traîné partout sa carcasse. Il connaît les chameaux, aussi, et ça, c'est capital. Et puis, il est débrouillard et bon cuisinier.

Quand Embarek les a quittés pour préparer son paquetage, Flammarin a ajouté :

« C'est lui qui m'a demandé de partir avec vous. Quand il ne vadrouille pas, il dépérit. S'il vous adopte, vous pourrez compter sur lui jusqu'à la mort. Il m'a dit : " Le lieutenant Saganne, c'est peut-être un homme ; *Inch' Allah !* " »

Suivi d'Embarek, Saganne s'enfonce dans la cohue de chameaux et de soldats chaambas qui reconnaissent leurs bêtes.

Les méharistes indigènes ne sont admis au service que s'ils possèdent en propre deux, ou mieux, trois chameaux. Ainsi il y en a toujours au moins un à se refaire au pâturage quand l'autre est en course. Chaque homme est responsable du bon état de ce qu'il a de plus précieux au désert : sa monture, dont il assure lui-même l'entretien.

Avec un millier de ces Chaambas, tous volontaires, appartenant à des tribus depuis longtemps ralliées, et depuis toujours hostiles à celles du Grand Sud, aux Touareg en particulier, les Français ont conquis un territoire qui s'étend des hauts plateaux algériens jusqu'au fleuve Niger.

Après avoir fureté un moment, Embarek s'arrête auprès d'une bête brune, d'une race forte, trapue, barbue. Sans se soucier de ses hurlements, il la fait lever. Lui s'accroupit et, l'œil ailleurs, tâte longuement les genoux, les jarrets, les sabots épatés comme des éponges.

— Celui-là, mon lieutenant, il est bon pour aller jusqu'à In-Salah. Mais, là-bas, tu changes.

— Pourquoi? demande Saganne.

— C'est un chameau d'Ouargla. Il a des bons pieds pour le Nord, pas pour la montagne.

— Je le prends, dit Saganne. Préviens le maréchal des logis.

La colonne quitta Ouargla à deux heures du matin. Dans le ciel, lavé des nuées, la lune et les étoiles éclairaient les silhouettes des méharistes tanguant à travers la palmeraie. On entendait le cliquetis lent des palmes qui s'entrechoquaient et, au ras du sol, le glissement de l'eau dans les séguias. Adossé à un tronc, un vieil homme la répartissait entre les jardins à l'aide d'un sablier posé sur son genou. Au passage, les soldats le saluaient d'une phrase. Il répondait en appelant sur chacun la bénédiction d'Allah : litanies répétitives d'Islam.

On s'enfonça dans le désert et dans la nuit. Les souffles des hommes et des bêtes, le choc des armes sur les bidons, les grincements des sangles se détachaient dans le silence.

Aux premières lueurs du jour les hommes de tête commencèrent à chanter. Chacun inventait sa propre mélopée, qui tantôt se fondait à celle des autres, tantôt s'en distinguait et déroulait un instant, seule, sa plainte.

Vers cinq heures de l'après-midi, Saganne marche en tête de la colonne, à une cinquantaine de mètres derrière le colonel et la dizaine d'hommes qui l'entoure. Il ralentit l'allure pour se retrouver à la hauteur de René Hazan, l'interprète. Depuis Ouargla, celui-ci porte le costume indigène. Avec sa barbe peu fournie, son teint pâle, de cette pâleur bleutée particulière aux bruns, son nez à l'arête fine et aux parois renflées, il ressemble à un de ces jeunes lettrés musulmans qui voyagent à travers le Maghreb pour s'instruire dans leur foi.

Dès l'abord, René Hazan a plu à Saganne. L'évidence d'une intelligence fine, un regard de myope, tendre et distant, de la fragilité, mais aussi, dans toute sa personne, quelque chose de vibrant qui fait présager des capacités de réaction brutales, en rupture avec les prudences, séduisent.

Près de lui, Saganne se sent balourd, sommaire. Négligeant les préliminaires, qui ne lui semblent pas de mise avec un tel interlocuteur, il engage la conversation :

— Est-il exact que vous préparez un ouvrage sur les sectes musulmanes ?

— Vous trouvez que c'est une curieuse idée, n'est-ce pas ? dit Hazan en écartant son voile.

— Pourquoi, curieuse ?

— Parce que je suis juif, pardi ! s'exclame l'interprète en accentuant son sourire, et qu'un juif qui s'intéresse à l'Islam...

Saganne reste coi. Il n'est pas antisémite, mais il est trop de son époque et de sa condition pour ne pas marquer une différence.

« Vous ne le saviez pas ? demande Hazan.

— Je n'y avais pas pensé, répond Saganne sottement, et tout de suite conscient de sa sottise.

Il veut dire quelque chose. Mais quoi ? S'excuser ? S'expliquer ? Il y renonce et demande :

« Est-ce que la secte senoussia joue réellement contre nous le rôle que l'on prétend ?

— Il ne fait pas de doute, dit Hazan, que les chefs sénoussistes réfugiés à Ghât, en Tripolitaine, entretiennent l'insécurité en pays ajjer, et même dans l'Ahaggar. Mais je me demande si nos braves officiers ne vont pas un peu vite en besogne en baptisant sénoussistes tous ceux dont ils n'arrivent pas à venir à bout. C'est une tentation compréhensible que de taxer de fanatisme ceux qu'on ne peut réduire.

— Pourtant, dit Saganne, les rapports que j'ai lus sont formels : la sénoussia est derrière tous les rezzous, tous les complots...

Hazan l'interrompt en levant sa main aux doigts effilés :

— Les rapports militaires sont faits, comme vous le savez, non pour dire la vérité mais pour la simplifier, avec trois objectifs chez ceux qui les rédigent : limiter leurs responsabilités, se faire valoir et obtenir des moyens supplémentaires.

Saganne rit si franchement que le chameau, obéissant à la pression involontaire de son pied, prend le trot. Hazan, qui l'a rejoint, le félicite :

« Vous êtes adroit, pour un néophyte. Il est vrai que vous avez une réputation de cavalier émérite.

— Qui vous a dit ça ?

— On parlait beaucoup de vous à Djelfa.

Il guette la réaction de Saganne, mais, comme l'allusion à Djelfa laisse le lieutenant silencieux, il n'insiste pas et reprend :

« Savez-vous que lorsqu'on a créé les premières troupes méharistes, en 1890, on a songé à faire appel à des marins, sous prétexte que chevaucher les " vaisseaux du désert " provoquait des nausées, comme le mal de mer ?

Saganne tend sa gourde à Hazan. C'est marquer délibérément qu'il le considère comme un camarade. Il accomplit le geste avec une certaine grâce qui compense ce qu'il a d'ostentatoire. Hazan boit. Quand il a à son tour bu au goulot, Saganne demande :

— D'où êtes-vous, monsieur Hazan ?

— D'Alger. Ma famille y faisait le commerce du grain depuis un siècle environ lorsque les troupes de Charles X ont débarqué à Sidi-Ferruch. Mon père et mes oncles continuent. Ils s'occupent aussi de vin maintenant, et d'oranges. Ils se sont adaptés.

— Et vous, pourquoi êtes-vous entré dans le corps des interprètes ?

— Quand les troubles antijuifs battaient leur plein à Alger, j'étais un adolescent. Un jour, j'ai vu le beau Max Régis, le meneur antijuif, le Rochefort algérois, défiler rue d'Isly dans une voiture découverte. La foule l'acclamait, les femmes se pâmaient. J'ai décidé de quitter cette ville. Comme je m'intéressais à la culture et à la langue arabes, j'ai choisi cette carrière d'interprète qui m'éloigne d'Alger mais me laisse vivre en Algérie, qui est mon pays et que j'aime.

Il se tourne vers Saganne, le dévisage et, après un temps, demande doucement :

« Etes-vous antisémite, monsieur Saganne ?

— Si je l'étais, être au contact d'un homme comme vous me ferait changer d'avis, dit Saganne, satisfait de sa présence d'esprit.

— En bref, vous êtes antisémite et poli !

— Non... Mais il y a des traits propres aux juifs, n'est-ce pas ?

— Lesquels ?

— C'est difficile à dire... La subtilité... Une intelligence un peu inquiétante pour des gens comme moi...

— C'est-à-dire ?
— Je suis un paysan, dit Saganne.

On bivouaqua près d'un bordj abandonné. De l'enceinte de terre construite par les Français il ne restait que deux pans de muraille, en angle. Le vent continuait à les ronger et le soleil couchant leur donnait les mêmes teintes saumon qu'à l'erg, plat à perte de vue, sur lequel ils se dressaient, pour combien de temps encore ? Le plus réel, dans ce décor, c'était l'ombre bleue qui s'étirait sans cesse.

Les hommes s'affairèrent à débâter les bêtes, à tirer l'eau du puits pour les faire boire, à monter les tentes. La première dressée fut celle du colonel, vaste et blanche. Dubreuilh s'y enferma aussitôt. C'était son habitude.

Deux méharistes montaient la garde devant la porte de toile. Quand Saganne se présenta, l'un d'eux alla s'assurer que le colonel était prêt à le recevoir.

Dubreuilh lissait sa moustache, penché sur un miroir d'argent. Près de lui, son domestique noir rangeait dans une mallette de cuir rasoir et blaireau. Après avoir endossé la veste que lui tendait le Soudanais, Dubreuilh s'assit derrière la table pliante qui lui servait de bureau. Il congédia Mabrouk d'un geste et leva les yeux sur le lieutenant :

— Vous passerez une inspection des chameaux, lieutenant. J'en ai vu au moins un qui boite bas. Constituez aussi trois équipes de courriers. Ils devront être prêts à partir avec mes instructions dans une heure. Direction des deux premières : Fort-Lallemand et El-Goléa. Les hommes rejoindront la colonne aussitôt leur mission accomplie. La troisième équipe nous précédera à In-Salah à marches forcées et se mettra en arrivant à la disposition du commandant de place. Départ de la colonne demain matin à trois heures... Maintenant, j'ai à travailler. Je ne veux plus être dérangé.

Ces deux dernières phrases étaient rituelles. Saganne les avait entendues tous les soirs entre Djelfa et Ouargla. Quand l'heure du repos venait pour tous, Dubreuilh, lui, ne dételait pas, et il voulait que ça se sache.

Saganne salua et fit un demi-tour réglementaire : ses talons s'enfoncèrent dans le sable malgré le tapis. Comme il allait soulever la portière, Dubreuilh lança :

« Dites à Hazan que je vous attends tous deux à souper.

63

Saganne parcourut le camp pour faire son service. Allongés ou accroupis, les hommes étaient groupés autour des tas de racines qui serviraient dans un instant à nourrir les feux. Certains préparaient les aliments dans les marmites noircies qu'ils serraient entre leurs jambes. D'autres cousaient, réparant à grandes aiguillées vêtements et sacoches. Beaucoup jouaient, cartes ou dominos : les soldes changeaient de main. Les chameaux entravés erraient, le nez au sol, à la recherche des touffes de drinn. Au moment de désigner les messagers, Saganne, qui commençait à avoir l'expérience des Chaambas, fut à peine surpris de voir se présenter trois équipes déjà constituées et connaissant leur destination. Avaient-ils deviné les intentions du colonel ? Avaient-ils été prévenus ? Comment savoir ? Ils étaient là, tout équipés, ravis de partir.

Saganne rejoignit sa tente. Embarek était occupé à raser, avec son couteau, le crâne d'un méhariste assis en tailleur sur un carré de chiffon. A quelques pas un autre soldat faisait sa prière en attendant son tour. Quand il se prosternait la gandoura dévoilait ses pieds : l'un était tendu verticalement de la pointe au talon pour soutenir son corps, l'autre était tordu, écrasé comme une chose morte. Saganne enleva sa tunique et s'allongea. Il commençait à accorder grand prix à ces moments de pause dont les bienfaits allaient au-delà du repos des fatigues. Les yeux ouverts, présent à ce qui l'entourait, mais l'esprit et le corps complètement détendus, il vivait intensément de rien. Il apprenait à n'avoir plus ni regrets ni remords pour ces heures sans projets ni pensées. La lutte contre le temps qui passe, se perd, vous presse, était suspendue. « Je m'islamise », se disait-il. Il aimait beaucoup ça.

Là-bas Embarek, grand raconteur d'histoires, éblouissait son patient en lui contant comment, à Biskra, il avait eu une fille de France :

— Je lui ai donné une bouteille entière de Pernod. Tout de suite elle est venue. Elle avait un ventre blanc comme du lait de chamelle...

Embarek se caressait les hanches. L'homme riait. L'autre, sa prière finie, s'approchait à croupetons pour venir prendre sa part de joie.

— Dis encore une histoire, Embarek !

Belaïd, le cuisinier de Dubreuilh, portait lavallière et canotier et, sur le saroual, une redingote de maître d'école. Il avait été cocher de fiacre à Alger, et ne perdait pas une occasion de le rappeler. Ce petit vieillard était une puissance dont même les sous-officiers européens n'osaient dénoncer les trafics. Car il usait sans vergogne de sa situation auprès du colonel pour revendre les vivres de l'intendance d'autant plus cher que les réserves des soldats s'épuisaient.

En approchant de la tente de Dubreuilh pour le dîner, Saganne fut intrigué par un attroupement. Les méharistes étaient debout et lui tournaient le dos. Quand ils s'aperçurent que le lieutenant était sur eux, il était trop tard pour faire disparaître les paquets de semoule et les bouteilles qu'ils portaient. Accoté contre la paroi de toile derrière laquelle le commandant du Sahara rédigeait ses instructions, l'ex-cocher de fiacre menait ses affaires en plongeant à pleines mains dans deux caisses.

Saganne lui demanda rudement :

— Qu'est-ce que tu fais ?

— Je distribue les rations, répondit Belaïd avec une impudence tranquille.

— Quelles rations ?

— Tu n'es pas au courant, mon lieutenant ? Tous les jours le colonel me dit les bons soldats qui ont droit à des rations de récompense.

Saganne se tourna vers les hommes massés en demi-cercle et interpella le plus proche : il tenait dans chaque bras une bouteille, comme une nourrice des marmots.

— Combien as-tu payé ça ? demanda Saganne en arabe.

Le soldat ne répondit pas. Il était jeune, avec une moustache effilée, une figure asymétrique de loup qui va mordre, des yeux jaunes. Le lieutenant l'attrapa par son vêtement et répéta sa question. L'homme continua de se taire. Derrière lui, ses compagnons marmonnaient.

« Alors, qui va se décider à parler ? demanda Saganne en haussant la voix. Bon, comme vous voulez !

Dubreuilh lisait, allongé sur des coussins. Saganne resta debout. Dubreuilh lui inspirait confiance et respect. Mais il commençait à être sensible à la part de comédie grâce à laquelle le personnage se soutenait.

Dubreuilh tendit les feuillets qu'il venait de lire à Mabrouk, debout près de lui, aussi muet et immobile qu'un meuble. Il médita un instant, alluma une cigarette et lâcha, entre haut et bas :

— Mettre devant leurs responsabilités les petits-bourgeois qui nous gouvernent est toujours une sottise. Pour avancer il n'y a qu'un moyen : les mettre devant le fait accompli. On a fait la France sans eux. On fera l'Empire sans eux.

Puis, levant le menton vers le lieutenant, il demanda, comme s'il découvrait à l'instant sa présence :

« Alors, Saganne ?

— Je viens de surprendre votre cuisinier en train de vendre les vivres aux soldats.

— Ah ! bon, dit le colonel.

Il avait l'air de s'amuser.

— Je vous demande l'autorisation de le mettre à l'amende et de lui infliger un mois de prison dès que nous serons à In-Salah.

— Comme vous y allez ! dit Dubreuilh.

— Ces trafics sont inadmissibles.

Dubreuilh tira une bouffée de sa cigarette :

— Nous verrons ça, dit-il. Maintenant, asseyez-vous. Mabrouk, le thé !

— Je m'excuse d'insister, mon colonel. Je ne peux pas céder.

— Céder quoi ? demanda Dubreuilh, placide.

— Je l'ai pris sur le fait. Fermer les yeux, c'est approuver.

Dubreuilh sourit. Son calme était d'autant plus irritant que Saganne, quoi qu'il en eût, se tendait pour l'affrontement.

— Saganne, cet homme est auprès de moi depuis six ans : le condamner, c'est me condamner.

Le lieutenant ouvrit la bouche pour protester. Dubreuilh le coupa :

« C'est comme ça... D'ailleurs, Belaïd m'est précieux. Par lui j'en sais, sur l'état d'esprit de la troupe et de la population, quarante fois plus que ce que vous ou l'un de vos semblables pourrez jamais m'apprendre.

Saganne faillit dire : « C'est Belaïd ou moi. » Il se retint. Dubreuilh n'était pas le genre d'homme qu'on contraint à céder. Il faudrait manœuvrer.

René Hazan entra à cet instant. Dubreuilh, qui le traitait d'ordinaire sans considération, lui fit un accueil empressé. Saganne le nota : le colonel saisissait le premier prétexte pour se défiler.

Mabrouk servit le thé, puis le dîner. Dubreuilh parla des spectacles qu'il avait vus à Paris lors de son congé, des plantations qu'il avait faites dans son château du Berry.

Saganne regardait son chef déployer ses grâces de causeur. Il découvrait à cet homme au regard franc et aux traits d'ascète quelque chose de félin, et presque de retors. Pour le contraindre à punir Belaïd, il faudrait trouver la faille qui le ferait agir par réflexe. Mais, précisément, quoi ?

Mabrouk servit pour le dessert une crème faite de pulpe de datte, de lait de chamelle et de cognac. Depuis un moment, la conversation s'était fixée sur la situation au Sahara. En se resservant de la bouillie brunâtre, le colonel dit :

« En Algérie, les officiers des Affaires indigènes ont acquis une mentalité de ronds-de-cuir. Ils sont devenus des fonctionnaires qui, comme tous les fonctionnaires, n'ont qu'une idée en tête : tout réglementer, tout administrer eux-mêmes. Ils préfèrent qu'une chose, même très utile, ne se fasse pas plutôt que de la voir se faire hors de leur contrôle. Bien beau quand, par solidarité nationale mal comprise, ils ne se mettent pas au service des colons, au détriment des populations indigènes. Je ne permettrai jamais qu'on en vienne là. Ici, au Sahara, il n'y a qu'une façon de faire : laisser en place le système traditionnel, ne s'y substituer que de façon ponctuelle et lorsque c'est indispensable, et pour cela nous appuyer sur la classe noble, sur les élites indigènes.

— Puis-je vous faire une remarque, mon colonel ? demanda Hazan en levant un index timide.

Il était, en fait, sûr de lui, ça se voyait à ses yeux. On eût dit qu'il s'amusait à donner une réplique inversée aux façons magistrales de Dubreuilh.

— Je vous en prie, monsieur Hazan.

— Il me semble qu'il y a une contradiction dans votre système. La présence française au Sahara n'est pas neutre. Même si elle se manifeste comme vous le souhaitez, par une suzeraineté aussi légère que possible, elle a des effets qui modifient en profondeur la société indigène, qui ont pour résultat, en fin de compte, de ruiner les élites à travers lesquelles vous voulez régner.

Hazan avait parlé avec hésitation, comme s'il ne savait pas où il allait. Il s'interrompit, jeta un coup d'œil à Saganne qui le regardait avec la physionomie presque hostile que lui donnait l'attention, et reprit d'un ton cette fois très assuré :

« Prenons les Touareg. Comment les tribus nobles assurent-elles, depuis des siècles, leur domination sur leurs vassaux et sur les populations sédentaires des oasis ? En se comportant comme les seigneurs au Moyen Age en Europe : les seigneurs ne fournissent aucun travail, et tout travail leur apparaît comme une déchéance... Vous connaissez le proverbe targui qui dit que, lorsqu'une charrue entre dans une maison, le déshonneur y entre aussi. Ils se contentent, d'une part, de razzier et de piller les caravanes et les oasis qu'ils ne contrôlent pas, et, d'autre part, le loup devenant chien de berger, de protéger contre les exactions des tribus adverses les caravanes et les oasis qu'eux-mêmes contrôlent. Si, comme c'est votre devoir, vous mettez fin à l'insécurité qui règne du fait de ce système, si vous empêchez les razzias, vous enlevez du même coup aux nobles touareg leur raison d'être. De même si, comme c'est votre devoir, vous rendez leur liberté aux esclaves et aux populations plus ou moins serves qui sont les seules à travailler, à cultiver, et qui assurent la nourriture des maîtres nobles, vous mettez à bas l'économie du régime, et donc le régime lui-même.

Hazan, qui s'était animé en parlant, s'arrêta soudain. Saganne se demanda si c'était discrétion de l'homme qui s'aperçoit qu'il mobilise la conversation depuis trop longtemps, ou habileté d'avocat qui veut se garder des arguments.

— Vous êtes beaucoup trop théorique, répondit Dubreuilh en allumant la cigarette que depuis un moment il tapait à petits coups contre la table. Si nous nous efforçons de supprimer les abus de l'esclavage, nous ne cherchons en aucune manière à pousser les populations noires à s'affranchir. Elles-mêmes le souhaitent-elles? Un équilibre s'est créé au cours des siècles, qu'il serait criminel de rompre sous prétexte qu'il choque notre sensibilité. Ensuite, monsieur Hazan, je vous ferai remarquer que la paix française assure la sécurité aux caravaniers et aux cultivateurs sédentaires. Elle est, globalement, un facteur d'enrichissement, non de ruine. Enfin, si nous luttons contre le banditisme et les razzias, vous savez bien que nous ne transformons pas les guerriers touareg en moutons. Nous les utilisons pour combattre les tribus qui, sur les frontières, s'opposent à la suzeraineté française. Ce faisant, ils servent leurs intérêts et gardent tout leur prestige.

Saganne fut surpris de voir Hazan, abandonnant tout jeu d'attitude, répliquer avec feu :

— Justement, servent-ils leurs intérêts? Vous savez mieux que moi, mon colonel, quelle résistance farouche les populations du Sahara central, malgré leurs dissensions, ont opposée à la pénétration française. Il a fallu attendre 1902 et le retentissement qu'a eu le combat du Tit, où presque tous les guerriers de la tribu

Dag-Rali ont été tués, pour que certaines tribus admettent qu'il fallait compter avec les Français. Quand nous n'étions pas là, ces populations se battaient, c'est vrai, mais leurs affrontements à la lance ou au glaive entre groupes qui dépassaient rarement la centaine d'hommes n'étaient jamais inexpiables. On se tuait peu, et on finissait toujours par s'entendre : le vaincu livrait des femmes, des chameaux, payait tribut, jusqu'à ce qu'il prenne sa revanche, un, deux ou cinq ans après. Ils ne cherchaient pas à s'éliminer. Finalement, c'était entre eux une sorte de cohabitation, troublée de temps à autre par des combats qui n'étaient pas loin de ressembler à des jeux. Maintenant que nous sommes là, ça n'est plus pareil : nous ne pouvons pas admettre ces situations fluides, ces retournements, ces incertitudes. Il y a ceux qui sont avec nous, et ceux qui sont contre nous. Ceux qui sont contre nous doivent être ralliés ou éliminés.

— Tout ce que vous dites est passionnant, dit Dubreuilh. Mais enfin, à vous écouter, il ne nous resterait plus qu'à rentrer chez nous !

Sans répondre, Hazan sortit de sa gandoura une pipe et une blague à tabac. Saganne le regarda bourrer sa pipe. Son regard avait repris les apparences de la sérénité, sérénité un peu rêveuse, mais ses mains tremblaient.

Dubreuilh bâilla ostensiblement. Les deux jeunes gens prirent congé.

Dehors, la nuit était tiède. Sur la bande rougeâtre qui séparait le ciel de l'erg, à l'horizon, les chameaux dressaient leurs cous.

— Vous allez penser que les juifs ne savent décidément que critiquer, dit Hazan.

— Tout ce que vous avez dit m'a paru très intelligent... Moi j'ai des convictions, mais j'ai souvent l'impression que je ne les ai pas acquises par la réflexion. Je les ai attrapées, comme on attrape la vérole, par contact.

Hazan sourit :

— Ne vous plaignez pas, monsieur Saganne. Vous avez la meilleure part : vous êtes un officier français.

Marche, repos, marche, halte, départ, marche, halte. La colonne s'enfonça vers le sud, jour après jour. Longues étapes qui semblaient n'entamer ni le temps, ni l'espace. Entre la secousse en deux temps du chameau qui se lève et la secousse inverse quand la bête s'agenouille, on peinait en file dans l'éclatante lumière. Les heures renvoyaient aux heures, les accablants paysages de pierre aux accablants paysages de pierre. Les incidents : poursuite d'une gazelle bondissant sur l'erg, et que le coup de fusil fait bouler ; ton qui monte dans un coin du bivouac, voix gutturales qui s'affrontent, puis deux hommes qui se dressent et se jettent l'un sur l'autre ; chameau de bât qui soudain s'affole, jette sa charge et s'enfuit, ponctuaient le voyage sans en rompre la monotonie harassante.

Après le bordj de Hassi-Inifet qui marquait la moitié de la route entre Ouargla et In-Salah, des dunes de quartz aurifère succédèrent à l'erg caillouteux. Dans ce décor, si doux aux yeux, la fatigue, suspendue jusqu'alors, s'abattit sur les hommes et sur les chameaux.

A la halte, aussitôt après l'inspection du bivouac et la mise en place des sentinelles, Saganne se jetait sur sa couche et s'endormait. La nuit, il se réveillait trempé de sueur. Il réussissait toujours à renouer avec le sommeil. Au matin, tout allait bien. Il tirait plaisir de sa résistance. Il avait moins l'impression de s'endurcir que de se simplifier.

Hazan était moins solide. Il avouait son épuisement sans plainte. Un soir, son ordonnance vint chercher Saganne. Recroquevillé dans la pénombre de la tente, l'interprète claquait des dents. Le lieutenant le fit boire, puis alla s'asseoir à portée de voix. Alors qu'il croyait la crise passée, il entendit Hazan gémir. Bientôt l'interprète délira. L'expression égarée de ses yeux inquiéta Saganne. Il hésitait à aller prévenir Dubreuilh quand une réflexion d'Embarek, penché sur le malade par-dessus son épaule (« J'en ai vu un comme ça ; il est mort en deux jours »), le décida.

Les deux méharistes de garde dormaient devant la tente. Belaïd rêvassait à quelques pas de là, en égrenant un chapelet. Saganne souleva la portière et entra. Il pensait trouver le colonel plongé dans ses cartes et dans ses dossiers. Or, non seulement le colonel ne travaillait pas mais, le buste affalé sur la table, les bras à l'abandon, il ronflait. Sa gandoura avait glissé, dégageant du côté droit son buste jusqu'à la taille, et Saganne vit qu'il portait, lacé sur le côté, un corset à baleines d'une suave teinte nacrée. Dans cette posture et dans cet appareil, la lèvre bavant sur le bras maigre, il n'avait plus rien du grand chef, et tout d'une cocotte décatie, après l'orgie.

Saganne, retenant un gros sourire, allait faire discrètement demi-tour quand Dubreuilh ouvrit un œil et, aussitôt redressé, cria :

« Je ne dors pas ! » Puis, cachant son corset d'un geste furieux :
« Qui vous a laissé entrer ? »

Saganne répondit sans trop réfléchir :

— C'est Belaïd.

Il enchaîna aussitôt : « Mon colonel, René Hazan est très mal. »

L'œil de Dubreuilh s'était injecté et son visage contracté par la
rage pointait comme un museau de fouine. Il fulmina :

— Et c'est pour ça que vous me dérangez ! Bourrez-le de quinine.
Laissez-lui trois hommes et cinq chameaux. Il nous rejoindra à
In-Salah quand il pourra. Si vous croyez que je vais me laisser
retarder par les vapeurs de ce juif ! Départ demain matin à deux
heures. Donnez les ordres. Nous serons à In-Salah dans cinq jours.

Saganne passa la nuit près d'Hazan. Avant le départ, il le réveilla
pour lui faire part des décisions du colonel. Mais Hazan comprenait-
il ce qu'il lui disait ? Dès qu'il ouvrait les paupières, ses yeux tournaient au blanc. En plus des trois méharistes, Saganne laissa près
de lui Embarek, dûment chapitré :

— Tu es responsable de M. Hazan. Si tu ne me le ramènes pas en
bonne santé, je te fous au trou.

Embarek, énigmatique, cracha dans ses mains.

Quand la colonne se mit en marche, Saganne constata que
Belaïd, au lieu d'enfourcher son cheval — il était le seul avec le
colonel à disposer d'un cheval ; un chameau portait l'avoine —,
partait à pied. Il fit toute l'étape ainsi. Sa redingote, son canotier,
accessoires ordinaires de sa supériorité, lui faisaient une silhouette
grotesque de piéton égaré au désert. Les hommes riaient. Dans les
derniers kilomètres, le vieillard dut s'accrocher à la queue d'un
chameau pour rester debout. Un Chaamba dit à Saganne : « C'est
toi qui as gagné. Belaïd sue l'argent qu'il a gagné. C'est juste. »

Dubreuilh maintint un rythme de marche absurdement rapide.
Il ne sortait du silence que pour de brefs accès rageurs, et mettait
un point d'honneur à être toujours prêt le premier. Au bout de trois
jours, on dut abattre quatre chameaux épuisés. Les méharistes se
mirent nus pour dépecer les carcasses au coutelas. Puis ils se gor-
gèrent de la viande avec une sombre et inépuisable avidité.

Enfin, le cinquième jour, on bivouaqua à proximité d'In-Salah.
Le retour du colonel dans la capitale administrative et militaire du
Territoire des Oasis devait être marqué par une réception de grand
style. Toutes les garnisons du Sahara avaient été sommées d'envoyer
des délégations pour accueillir leur chef. La colonne passa une

matinée à se préparer. Les hommes nettoyèrent les selles, firent briller, en les frottant de sable, les gamelles et les amulettes, rincèrent chèches et djellabas dans des peaux de chèvre tendues entre deux piquets. La perspective des réjouissances avait effacé les fatigues.

Vers quatre heures, on marcha sur l'oasis en tenue et en ordre de parade. Bientôt Saganne aperçut, en avant du cimetière, sur l'erg plat, les troupes rangées de front. Les fantassins des bataillons d'Afrique paraissaient aussi déplacés et inefficaces, plantés sur leurs pieds dans cette immensité, que des soldats de plomb. Les méharistes chaambas, la poitrine ceinte de lanières rouges croisées, semblaient guetter, par-dessus la tête de leurs montures, l'ennemi sur lequel ils allaient fondre. Mais ceux qui donnaient la plus grande impression d'ardeur étaient les guerriers touareg. Entourés jusqu'aux yeux de voiles sombres, arborant le sabre et le bouclier de peau d'antilope, ils se lancèrent au-devant du colonel. Leurs cris, les blatèrements des bêtes, le cliquetis des plaques de métal qui pendaient aux selles et aux cous des chameaux faisaient un tintamarre qui soutenait leur charge. La colonne fut enveloppée par les lances, les clameurs et la poussière. Superbe spectacle. Mais Dubreuilh ne souriait pas. Il lança à Saganne :

— Ne vous laissez pas impressionner. Ce ne sont pas des guerriers nobles. Ce sont seulement des *imrad*, des vassaux. Parmi les moins reluisants, encore. Et je ne vois pas l'aménokal. J'avais pourtant ordonné au commandant Aubagnier de le ramener avec lui de Tamanrasset.

Quand les diables bleus eurent regagné l'alignement, Dubreuilh s'avança pour l'inspection. Menton haut, taille cambrée, il faisait caracoler à l'éperon son pur-sang épuisé.

Alors qu'il arrivait devant le peloton des méharistes de Tamanrasset, un maréchal des logis, que ses moustaches blanches, ses yeux délavés, sa figure congestionnée désignaient au premier regard comme européen et alcoolique, poussa brusquement son chameau en avant. Montrant du bras l'officier qui se tenait au garde-à-vous en avant de ses hommes, il hurla d'une voix de stentor, avec un roulant accent provençal :

— Mon colonel, je vous présente le plus grand bandit du Territoire des Oasis, le commandant Aubagnier !

L'officier reçut l'insulte de profil et demeura pétrifié. La jument du colonel, surprise par le hurlement, s'était cabrée. Un instant, qui parut long, on put suivre les contorsions de Dubreuilh : accroché à l'encolure, il donnait des coups de reins pour se maintenir en selle. Remis d'aplomb, il précipita sa jument vers le perturbateur et, dressé sur les étriers, cravache brandie, cingla la figure et le torse de l'homme. Il était blanc de rage. De sa lèvre, ouverte par un coup de tête de la jument, le sang gouttait sur l'uniforme. Il jeta à Saganne :

— Emmenez ce con !

Puis, comme un acteur enchaîne, il reprit sa parade.

Après les troupes, il salua la population massée derrière une ligne de pierres blanches. Son geste bénisseur leva une vague de cris. Des hommes, des enfants, quelques femmes dont les faces noires riaient, s'approchèrent pour toucher sa main, baiser sa botte, jouir, au plus près, de sa protection. Il enleva des bras de son père un gaillard morveux de cinq à six ans, qu'il plaça devant lui sur la selle.

Il entra dans In-Salah portant contre lui l'enfant paralysé de peur. La foule des ksouriens lui fit escorte le long des ruelles ensablées. Devant la citadelle, il se débarrassa du petit dans les bras de la première sentinelle venue, puis s'engouffra dans son appartement en ordonnant au passage qu'on lui envoie le commandant Aubagnier.

Saganne ne savait que faire du maréchal des logis que Dubreuilh lui avait demandé d'emmener. Il se laissa guider par lui jusqu'au bordj où logeaient les méharistes venus de Tamanrasset. Pendant le trajet, l'homme s'arrêta tous les vingt mètres pour pisser, répétant, tandis qu'il menait son affaire à deux mains : « Vulpi Victor vous pisse au cul ! » Dans la cour du bordj il se planta au garde-à-vous sous le mât qui portait le drapeau tricolore, et aboya au ciel :

— Maréchal des logis Vulpi Victor. Vingt ans de Sahara. Deux fois cassé de son grade.

Les soldats chaambas qui traînaient sous les galeries le regardaient en rigolant.

Saganne s'assit en face de l'ivrogne dans un bureau vide.

— On va vous casser une troisième fois, dit-il.

Vulpi renifla. Il avait des yeux de cocker : la paupière inférieure pendait, découvrant la muqueuse.

— Je bois, c'est d'accord, admit-il. Mais, l'Aubagnier, il peut préparer sa cantine. Parce que Dubreuilh, je le connais. Il va lui faire tout cracher, à l'ordure, et après...

Il frappa la table du plat de la main et, le visage illuminé, s'écria :

« Oui, ratissé, l'Aubagnier ! Et par qui, dites voir, par qui ?

Il se leva, se remit au garde-à-vous, claironna vers le plafond :

« Maréchal des logis Vulpi Victor. Deuxième compagnie de méharistes du Tidikelt. Vingt ans de Sahara. Deux fois cassé de son grade.

Puis, reprenant sans transition une position et une voix familières, il cria à un soldat qui passait :

« Djilali-le-Chacal, va nous chercher deux bières, au galop !

— Qu'est-ce qu'il vous a fait, le commandant Aubagnier ? demanda Saganne.

— A moi, rien, dit Vulpi. Pas fou.

— Qu'est-ce que vous lui reprochez, alors ?

— Voleur, dit Vulpi d'un air concentré. Voleur. Le déshonneur de l'armée française. Sitôt qu'il est arrivé là-bas, à Tamanrasset, il y a un an, ça a commencé. « Il faut faire rentrer l'impôt », il a dit : « En or ou en nature. Ceux qui ne paieront pas : corvées. » On a tout de suite compris où il allait, l'impôt ; et l'argent des récoltes qu'il réquisitionnait, et la vente des rations de semoule aux nomades, sous prétexte qu'avec la sécheresse ils allaient mourir de faim. Et avec un chef comme ça, les méharistes chaambas, déjà qu'en temps ordinaire c'est pas facile de les tenir, ils ne se sont plus gênés avec les ksouriens : « Donne-moi le petit chameau ; donne-moi ta chèvre ; prépare le couscous et prépare ta femme : ce soir, on fait la fête chez toi. »

Vulpi jura en arabe, puis reprit :

« Même les Touareg, qui ne sont pas en reste quand il s'agit de voler les ksouriens, quand on leur parlait d'Aubagnier, ils crachaient. C'est qu'eux non plus il ne les ménageait pas, l'Aubagnier. Il fallait qu'ils paient, sinon corvées, réquisition de chameaux. Résultat : ils ont tous foutu leur camp de Tamanrasset, l'aménokal Moussa en tête.

— A supposer que ce que vous avancez soit vrai, dit Saganne, il y a tout de même d'autres officiers à Tamanrasset ?

— Qui ? demanda Vulpi. Le capitaine Wattignies court les pistes, et le sous-lieutenant Geindroz, c'est un bleu, toujours les yeux dans un livre. Pour voir, il faut regarder, et il faut connaître. Moi, les pourritures comme Aubagnier, je les renifle.

— Et les autres sous-officiers ?

— Ils attendent la solde et ils louchent sur le tableau d'avancement !

— Il faudra des preuves, dit Saganne.

Il trempa ses lèvres dans la bière chaude. Au moment où il reposait son verre, un soldat entra dans la pièce :

— Mon lieutenant, le colonel veut te voir !

Avant de sortir, Saganne dit à Vulpi :

— Vous, vous ne bougez pas d'ici. Pas de blague !

Dans son grand bureau blanc, Dubreuilh tirait sur son narghilé. Un joli livre relié en maroquin pendait de sa main. « Comédien », pensa Saganne.

— Qu'avez-vous fait de Vulpi ?

— Il est au bordj. Il est saoul et bavard. Il prétend...

— Parfait, coupa Dubreuilh. Nous le casserons. Ça fera la troisième ou la quatrième fois. Nous lui donnerons aussi deux cents francs que nous prendrons sur la caisse noire, parce que c'est un brave imbécile.

Il se dressa sur son coude, but une gorgée de thé. Saganne s'attendait à ce qu'il revienne sur l'incident Vulpi. Mais Dubreuilh, après avoir médité un instant, déclara :

« Venons-en aux choses sérieuses. Ecoutez-moi bien, Saganne. La situation à Tamanrasset et dans le Sahara central est mauvaise. Plus mauvaise encore que je ne le pensais. Tous les Touareg ahaggar ou presque, et même leur chef, mon vieil ami l'aménokal Moussa Ag Amastane, ont quitté leurs pâturages habituels et sont partis au sud, vers l'Adrar des Ifogha. Ils refusent de rentrer. Ils ne répondent plus à nos messages. Depuis qu'ils se sont ralliés, en 1904, c'est la première fois qu'ils désertent ainsi en masse. En même temps, vers l'est, tous les rapports que je viens de parcourir indiquent que le chef Sultan Ahmoud prépare une offensive à partir de Ghât, derrière la frontière tripolitaine. Si nous laissons les rebelles fanatisés par la secte sénoussia et armés par les Turcs s'infiltrer dans le Tassili des Ajjer, c'en sera fini pour nous de ce côté : les tribus ajjer, qui n'ont jamais vraiment accepté la suzeraineté française, entreront en dissidence ouverte. Pour éviter ça, il faut que nous occupions au plus vite le Tassili et que nous y établissions une fois pour toutes notre domination. Cette opération, je ne peux pas la mener seul. Pour qu'elle réussisse, il me faut l'aide de Moussa : son appui politique, et surtout ses guerriers. Il est donc indispensable que lui et les siens rentrent de l'Adrar. J'ai besoin, j'ai un besoin impératif de nos alliés ahaggar pour écraser la dissidence qui menace le pays ajjer.

Dubreuilh but une nouvelle gorgée de thé et reprit :

« Mes ordres sont les suivants : premièrement, le commandant Aubagnier ne retourne pas à Tamanrasset ; il quitte le Sahara. Deuxièmement, le capitaine Wattignies, qui était son second, le remplace dans son commandement du Hoggar. Troisièmement, vous êtes nommé adjoint du capitaine Wattignies. Vous partirez pour Tamanrasset avec quarante Chaambas dans huit jours au plus tard. Vous aurez la priorité pour les chameaux. Quatrièmement, à Tamanrasset, il appartiendra au capitaine Wattignies et à vous-même de lancer dans les plus brefs délais une expédition vers l'Adrar des Ifogha pour reprendre contact avec les tribus ahaggar et avec leur chef, l'aménokal Moussa Ag Amastane, et les convaincre par tous les moyens de remonter vers le nord. Dès qu'ils seront rentrés, nous préparerons l'occupation définitive du Tassili des Ajjer. Voilà notre besogne pour les douze à dix-huit mois qui viennent. Est-ce clair ?

— Oui, mon colonel.

Dubreuilh ramena brusquement son regard sur le lieutenant et ajouta, en appuyant sur chaque mot :

— Tout doit être subordonné à ces objectifs.

Il se tut. Un instant, il joua avec le livre qu'il n'avait pas lâché. Il finit par le fermer et le posa délicatement sur un plateau de cuivre.

« Ma femme fait de la reliure. C'est bien peu féminin mais, que voulez-vous, la broderie l'ennuie... Monsieur Saganne, je vous libère.

Saganne avait l'esprit échauffé par les grands projets qu'il venait d'entendre. Il tenait pourtant à revenir au sujet qui le préoccupait.

— Qu'est-ce que je fais de Vulpi, mon colonel ?

— Mettez-le à l'ombre huit jours et emmenez-le à Tamanrasset avec vous. Il pourra vous être utile.

— Il m'a confié des éléments sur la situation à Tamanrasset et en particulier sur le départ des Touareg qui...

— C'est ce que je vous disais, interrompit Dubreuilh. Il pourra vous être utile, à condition que vous fassiez la part, dans ses propos, de l'absinthe et de l'aigreur. Vingt ans de Sahara font d'un homme soit un saint, soit une loque. Foucauld a pris un chemin, Vulpi l'autre... Je les aime tous les deux... Adieu, monsieur Saganne, vous me plaisez bien.

Trois jours plus tard, alors qu'il sortait du mess, Saganne fut abordé par Belaïd. Le cuisinier, depuis sa marche forcée dans le désert, se montrait plein de prévenance envers le lieutenant. Il n'avait pas réussi à comprendre comment Saganne avait obtenu que Dubreuilh sévisse contre lui. En attendant une occasion de revanche, il appliquait le proverbe arabe : « La main que tu ne peux pas couper, baise-la. »

— Une femme m'a dit qu'Embarek arrivait avec le capitaine Hazan. Mais il est mort.

— Qui est mort ?

— Le juif. C'est ce que la femme a dit.

— Fais-moi seller un cheval, cria Saganne.

Il lui fallut moins d'une demi-heure de galop pour atteindre les quatre hommes. Ils avançaient dans la lumière du soir, lentement, tel un groupe biblique. Embarek tenait en mains le chameau à robe claire d'Hazan. En voyant le corps jeté en travers de la selle, jambes et tête pendantes, Saganne ne douta plus de la mort de son ami. Il mit pied à terre. Sans écouter les explications d'Embarek, il s'approcha du corps. La tête était entourée d'un linge sur lequel s'agglutinaient les mouches. Il la tourna vers lui et la découvrit : les yeux étaient fermés, les lèvres retroussées sur des dents d'animal. Il baisa le front : la peau était chaude encore.

Alors Hazan ouvrit les yeux et murmura :

— Je suis content que ce soit vous.

Au bout de trois jours, Hazan était sur pied, ou à peu près. Mais il avait maigri de dix kilos. Saganne passait avec lui chaque instant de répit que lui laissait la préparation de son départ pour Tamanrasset. En entrant dans la chambre de son ami il demandait :

— Comment va le mort, aujourd'hui ?

Un soir, il lui dit :

« Lève-toi, Lazare, et marche ; on va dîner ensemble.

— Ne m'appelle pas « Lazard », dit Hazan. On va croire que je suis apparenté à la banque, et ça me vaudra quelques ennemis de plus.

Saganne sourit :

— Ta susceptibilité hébraïque commence à m'agacer, mon cher !

Hazan le dévisagea un moment, puis dit :

— Tu es gentil, mais tu es bête.

— En quoi suis-je bête ?

— Parce que tu as une figure plaisante, tu crois que tout t'est permis.

CHAPITRE IV

Ecrasée sous l'imparable soleil, la cour du bordj n'est pas un asile. C'est un désert, sans échappée, plus implacable que le désert sans limites qui l'entoure : domaine clos de la caillasse et de la poussière. Pas une plante, pas une bête, pas un homme.

Entre les murs crénelés l'air est une masse rectangulaire qui stagne. Saganne avance comme dans un cauchemar. Des taches noires dansent devant ses yeux. A chaque pas il a l'impression qu'il va basculer dans une de ces trappes d'obscurité, perdre conscience, échapper enfin à l'aveuglante lumière. Ce qui le tient debout, ce qui le tire en avant, c'est la douleur qui élance son flanc. Ce spasme qui, à intervalles réguliers, le transperce est le viatique qui lui permet de traverser cet espace mort, dernière étape de son martyre.

Djelfa-Ouargla, 400 kilomètres ; Ouargla-In-Salah, 700 kilomètres ; In-Salah-Tamanrasset, 600 kilomètres. Saganne a dans chaque muscle, dans chaque os, 1 700 kilomètres de désert, 600 heures de marche à travers les hamadas noires, les ergs, les regs et, pour les derniers jours, le massif de la Koudia où le chaos des grès semble le cauchemar minéralisé d'un dieu fou.

Deux des quarante Chaambas que lui a confiés Dubreuilh au départ d'In-Salah sont morts du scorbut. Il a fait ensevelir les cadavres sous les pierres : Djillali-le-Chacal, qui riait tout le temps, et un jeune, un cousin d'Embarek. Ils sont morts la même nuit, sans appeler. On les a trouvés au matin, dans leurs couvertures, cadavres aux ventres ballonnés, sur lesquels les pierres ont rebondi.

Dans le bureau du capitaine Wattignies il y a un crucifix de buis et, dessous, dans un cadre ovale, la photographie d'une femme anguleuse. Elle fixe sur l'intrus un œil de chouette. Saganne salue. Le capitaine enlève son pince-nez et tend, par-dessus la table, un bras court et une main de poupée.

— J'ai reçu le message que vous m'avez fait parvenir du puits de Gouirat. Je vous souhaite la bienvenue à Tamanrasset, monsieur Saganne.

Il est petit, massif : un chapon de combat. Sa voix posée, son ton d'homme du Nord contrastent avec des gestes saccadés. Debout, résistant au besoin de s'accrocher à la table, Saganne débite les instructions du colonel. Wattignies écoute, bréchet bombé, peignant par-dessous, avec deux doigts, sa barbe de sapeur. Quand Saganne se tait, il demande :

« Vous n'avez rien oublié?

— J'ai ramené avec moi le maréchal des logis Vulpi que le colonel a cassé de son grade.

— Pour quel motif?

Saganne relate brièvement l'incident qui a marqué l'arrivée de Dubreuilh à In-Salah.

« Les messagers que vous m'avez envoyés m'avaient raconté l'affaire avec beaucoup plus de détails. Je préfère votre version sobre. C'est bien. Je n'ai pas à discuter les décisions prises par le commandant du Territoire des Oasis, mais je veux que vous sachiez que le commandant Aubagnier, qui a été si brutalement écarté, m'avait accordé sa confiance et que je lui avais accordé la mienne... Avez-vous confirmation écrite des instructions du colonel?

Saganne sort de sa sacoche les papiers et les pose sur le bureau. Wattignies remet son lorgnon pour les parcourir.

« Il y va bien, le grand chef, avec son départ immédiat pour l'Adrar ! Il ne se rend pas compte que tous mes chameaux sont au pâturage, certains à 120 kilomètres d'ici, et tous très bas d'état. Il n'a pas plu dans l'Ahaggar depuis cinq ans. Il n'y a plus une touffe de vert, comme vous avez pu vous en rendre compte en venant. Si nous partions là-dessus, nous ne ferions pas deux étapes. C'est bien ! Je vais charger mon sous-lieutenant Geindroz d'aller récupérer tous les méhara disponibles ; moi, pendant ce temps, j'accumulerai toute l'orge que je pourrai. Quand les bêtes seront là, nous les bourrerons d'orge. Ça va coûter chaud, cette affaire ! Nous enverrons la facture à In-Salah, n'est-ce pas? Comptez, monsieur Saganne, que nous serons prêts à partir dans un mois, pas avant. Maintenant, allez vous reposer. Vous en avez besoin. Nous sommes mardi. Je vous dispense de service jusqu'à dimanche. Ce jour-là, le père de Foucauld nous fera la joie de venir dire la messe au bordj.

En sortant du bureau du capitaine, Saganne titube. Le soleil le happe, avant même qu'il soit sorti de l'ombre. A travers ses cils il a la vision, sur sa gauche, derrière un mur, d'une sorte de Loïe Fuller, vêtue d'une gandoura flottante, qui arrose un carré de salades. La silhouette lâche son bidon et se précipite à travers la cour, bras ouverts, la figure relevée par un rire. La Loïe Fuller, c'est Courette.

Cinq minutes plus tard, Saganne est allongé dans l'infirmerie, réduit au sol de terre battue où la chaleur amassée a pris l'odeur du camphre. Ce qui le rattache au monde, ce sont les doigts de Courette qui tapotent sa poitrine, frottent ses gencives, pétrissent son ventre :

— Ce n'est pas le scorbut. Congestion du foie seulement. Diète et calomel. Dans trois jours, tu seras frais comme un gardon. Je te donne ma parole d'honneur que tu n'as aucune raison de t'inquiéter.

— Je n'avais pas peur, dit Saganne.

Ce n'est pas ce qu'il voulait dire. Ce qu'il voulait dire c'est : « Si seulement j'avais pu avoir peur ! »

Il ne rectifie pas, ferme les yeux. Il est accablé, outre la fatigue, par une tristesse aussi déchirante que celle qui s'était abattue sur lui quand, au retour de l'enterrement de sa mère, il avait vu entre deux pavés, dans la cour de ses grands-parents, le gant racorni par la pluie que la pauvre femme avait en vain cherché la veille de sa mort. La seule chose qui tranche sur ce désespoir, c'est, à son flanc, les coups de la douleur.

Courette l'a pris par le bras et l'encourage doucement :

— Allons, bois ça... Viens, maintenant... Attention aux marches...

Il se laisse mener. La chambre qu'on lui a réservée ouvre sur la terrasse du bordj par une porte ogivale. Du lit, on voit le ciel, imperturbable azur, et la Koudia, ses pics déchiquetés cerclés de strates vertes, ses éboulis couleur de cendre.

« Veux-tu que je t'aide à te déshabiller ? demande Courette.

— Non, laisse-moi.

Comme Courette insiste, il explose, suffoqué lui-même par la fureur qui le traverse :

« Fous le camp ! Laisse-moi !

Courette le regarde calmement :

— Ce n'est rien, mon petit. Tu as un coup de cafard. On appelle ça : « la grinche du Sud ». C'est aussi classique que ton hépatite. Ça passera aussi vite... Je te quitte.

Saganne se recroqueville en chien de fusil. La grinche du Sud ! Le mot lui fait grincer les dents. Courette n'a rien compris. Personne ne peut rien comprendre : ce dégoût de lui-même et de tout, la certitude qui lui bat les tempes que le monde est une absurdité, et lui-même, dérivant dans cette histoire idiote avec son képi, ses convictions, ses élans, ses entrailles qui ne fonctionnent plus, le ridicule appareil à reproduire l'absurdité qui lui pend au ventre, oui, lui-même la plus futile et la plus bouffonne des absurdités. Disparaître, devenir sable. Qu'avec lui les murs chaulés, la couverture de poil qui pue la chèvre, la montagne qui se teinte de mauve et d'orangé, le monde entier disparaissent. Que tout se dissolve en poussière pour le vent. A quoi bon les efforts que depuis l'enfance il déploie pour tourner ses misères, redresser ses faiblesses ! A quoi bon ce combat pour laisser sa marque ! A quoi bon cette agitation imbécile, sinon pour se distraire de l'évidence : aucune cause ne justifie aucun acte ; le temps engloutit tout, le néant gagne toujours : au Sahara, il a déjà gagné.

Embarek est venu s'accroupir devant la porte de son lieutenant. Il module à mi-voix des syllabes gutturales : plainte plutôt que chant. La peau de ses bras, de ses mollets s'écaille comme une écorce desséchée. Saganne ferme les yeux pour ne pas voir cet homme.

Trois jours durant, Saganne demeura prostré. La crise qu'il traversait, il en avait connu de semblables dès l'adolescence : jamais avec cette force. Le visage enfoui dans son matelas, les poings serrés, il s'exaspérait contre son impuissance à dominer son mal, cette espèce de houle, tantôt fracassante, tantôt insinuée de désespoir. Quiconque lui aurait expliqué que ces attaques de neurasthénie sont fréquentes chez ceux qui cherchent le salut dans l'action, en payant comptant avec leur peau et leurs os, aurait reçu son poing dans la gueule.

Son unique distraction était d'imaginer avec une précision de maniaque le meurtre de Wattignies : il se voyait entrant dans le bureau, le fusil à la hanche, et déchargeant les chevrotines contre le visage stupide de peur, entre les lorgnons et la barbe. Pourquoi Wattignies ? Pourquoi ce meurtre ? Il ne savait pas. Il se raccrochait à cette scène comme à un morceau de réalité possible.

Le samedi matin, il réussit à s'endormir. Il se réveilla dans l'après-midi, les membres las, la tête vague mais, il le sut aussitôt, guéri. Il s'habilla et fit chercher Courette.

— Allons nous promener, lui dit-il, et ne m'en veux pas si je te laisse faire tous les frais de la conversation.

La féerie du soir était concentrée sur l'Adrar Ihagarren, massif des merveilles roses, améthyste, safran. L'air subtil portait les odeurs en couches distinctes : celle du feu, celle du suint, celle de la menthe verte. En avant, s'étendait la plaine de sable ; piquées dans l'or, des chèvres et des femmes voilées de bleu. Saganne n'avait jamais été plus ouvert à la splendeur du désert et à ce sentiment de haute paix qu'elle procure. Le plus beau, c'était le silence.

Derrière le ksar, à l'entrée des jardins, les femmes étaient réunies autour des puits. Leurs gestes pour remonter l'eau, pour placer les jarres sur leurs têtes ou contre leurs hanches, épurés par la répétition, donnaient de la grâce aux plus disgraciées. Ils faisaient paraître aussi désirables les puantes esclaves noires que les jeunes filles touareg dont les coiffures tressées, les fronts bombés, les profils purs évoquaient, malgré les mouches, malgré les misérables robes, des princesses de tableaux florentins.

— Elles ont toutes la vérole, dit Courette... Du moins, c'est ce que Foucauld prétend. Mais il dit ça pour faire peur, quand son prêchi-prêcha sur la grandeur de la chasteté ne suffit plus. Il n'a peut-être pas tort mais, moi, ce qui m'a frappé depuis que je suis à Tamanrasset, c'est le bon état sanitaire des populations. Les microbes ne prolifèrent pas au Hoggar ! La seule maladie grave, c'est la faim... Regarde la petite qui vient de poser sa cruche...

La jeune fille que Courette avait désignée sortit des plis de sa robe une main d'enfant et vérifia les anneaux de cuivre qui pendaient à ses oreilles. Son bras était brun sur le fond jaune du tissu, cerclé de bracelets. Son visage appelait la douceur. La douceur, mais la violence aussi, pensa Saganne.

« Si tu la veux, rien de plus facile, reprit Courette. Elle a fui le village et s'est réfugiée au bordj depuis une semaine. Elle cherche un protecteur.

— Non, dit Saganne, en dégageant son bras de celui de son ami.

Courette rit :

— Tu es encore un vrai « roumi », décidément ! Boutonné du col à la braguette, mijotant dans le moralisme comme un petit bourgeois de province. Ça te passera. Le premier précepte du saharien, c'est de prendre avec le plus grand naturel ce qui fait sursauter monsieur le curé !

— Je ne suis pas ici pour passer mes nerfs sur une enfant.

— Mon cher, dit Courette, si tu ne te débarrasses pas de l'esprit roumi, tu deviendras fou. Du coup de cafard à la démence, ça va vite, ici.

— Ne t'inquiète pas pour moi, dit Saganne, je tiendrai.

— Tu n'es pas un titan. Tu es comme les autres. Ici, il faut être humble ou disparaître. Regarde.

Courette désigna d'un mouvement circulaire le chaos de roches qui les entourait : colonnes en tuyaux d'orgue, pyramides tronquées, entablements, fractures. Ce qui écrasait dans ce paysage, malgré les couleurs tendres du soir, c'était son désordre. Dans les Pyrénées, dans les Alpes, l'homme le moins versé dans la géologie perçoit une harmonie. Ici, l'œil ne pouvait suivre une ligne qu'elle ne se brisât.

— Si nous ne sommes pas capables de résister à ce pays, qu'y faisons-nous ? murmura Saganne.

Il avait parlé sans réfléchir. Il essaya de s'expliquer, moins pour Courette que pour lui-même :

« Tu comprends, si, au lieu de transformer ce pays, c'est ce pays qui nous change, ou plutôt qui nous révèle combien les valeurs, les croyances sur lesquelles nous sommes appuyés sont peu de chose... Si les actes que nous accomplissons pour imposer notre ordre ont en nous des répercussions qui nous apprennent, intimement, combien cet ordre est fragile...

— Tu ne crois plus à ta mission d'officier ? demanda Courette.

— J'y crois, dit Saganne... Mais j'ai besoin, chaque minute, de me rappeler que j'y crois... J'ai traversé de rudes moments. Ça passera...

— Mon petit, dit Courette avec la mine avantageuse — pour Saganne irritante — de l'homme d'expérience qu'il n'était pas, le meilleur moyen de sortir de ton abattement, c'est de t'amuser : l'alcool et les filles. L'autre voie, c'est le mysticisme. Il est dommage que Foucauld soit dans son refuge de l'Asekrem. Il t'aurait embabouiné de Jésus-Christ et de Vierge Marie ; ça t'aurait peut-être soulagé.

— Tu n'as pas l'air d'apprécier Foucauld ?

— Oh ! c'est un homme admirable, dit Courette avec une grimace. Mais il est bien embêtant. Même quand il ne dit rien, on a l'impression qu'il prêche... Les saints de la Bible, pour se fondre à Dieu, se faisaient humbles avec simplicité... Foucauld a l'humilité terrible !

— Tu es de parti pris parce que tu es protestant, dit Saganne.

Courette rit. Lui, si jeune, rajeunissait encore quand il riait : un enfant, non pas insouciant, mais fondamentalement joyeux.

— Il est vrai que mon protestantisme m'aide à déceler les rigidités qu'on dissimule mais que, pour rien au monde, on ne réduirait.

Pendant que les deux officiers parlaient, la jeune fille avait repris sa cruche et sa marche. Le buste raide, elle ondulait à partir de la taille, peut-être avec une intention de coquetterie, peut-être parce que c'était sa façon habituelle de marcher, comment savoir? En la contemplant, Saganne pensa à la petite compagne indigène de Flammarin, aux putains qu'il avait prises vite et mal, ou parfois bien, à sa mère, à sa sœur, et même à Madeleine de Sainte-Ilette, à laquelle il lui arrivait encore de rêver. Il ne méprisait pas les femmes. Il les aimait. Il avait besoin d'elles. Il aurait voulu que le désir qu'il éprouvait pour cette enfant la touche délicatement et l'aide à vivre. Il se sentait mieux. Le monde avait du sens.

Les deux amis continuèrent leur promenade du côté des jardins. Les ksouriens binaient, cassés en deux, les djellabas remontées dans la ceinture. Saganne reconnut du mil, des pousses d'orge, des oignons, des courgettes. Sur les lisières des champs minuscules étaient piqués de jeunes palmiers, fragiles comme des plantes d'appartement. A la limite des surfaces cultivées, des hommes disposaient des claies de végétaux tressés pour arrêter la progression du sable. Plus loin, une autre équipe posait dans le sol une canalisation faite de tuyaux de terre : ils en assemblaient les morceaux avec de la glaise humide, à la main. Ils travaillaient sans hâte, avec une maladresse obstinée. Saganne n'avait vu déployer une pareille activité dans aucune des oasis qu'il avait traversées. Il s'en étonna.

« C'est Wattignies, dit Courette. Il s'est mis dans la tête de faire de Tamanrasset un centre de culture. C'est un bâtisseur, notre capitaine! Tous les jours il a une nouvelle idée ; par exemple la canalisation pour conduire l'eau des puits aux jardins. Comme il n'avait pas de tuyaux de zinc, il a été trouver les vieilles qui façonnent les cruches. Les pauvres potières qui, depuis des siècles, n'ont jamais rien fabriqué d'autre que leurs cruches, ne comprenaient pas ce qu'il voulait. Il ne s'est pas découragé. Pendant des heures, il leur a expliqué pourquoi il était important de fabriquer des tuyaux de terre, comment s'y prendre pour y parvenir, et qu'il les paierait très cher. Il y en a une qui a fini par se lancer, en cachette au début. Wattignies était fou de joie. Il l'a baptisée Mme Lesseps. Elle est en train de devenir la veuve la plus riche du Sahara... Pour la mise en état des terrains, pour l'achat des semences, il a mis au point un système de prêts. Les ksouriens remboursent moitié en corvées pour les travaux d'intérêt commun, et moitié en nature. Je ne sais pas ce qu'en pensent tous ces braves gens mais, pour l'instant, ça a l'air de fonctionner. Il faut dire que Wattignies ne plaisante pas : pas question de refuser le prêt et les corvées subséquentes. Les récalcitrants vont au trou ou paient l'amende. Pour surveiller l'entreprise, Wattignies a le caïd Baba. C'est un vieux nègre, gras comme un cochon, qui a été nommé caïd par le commandant Aubagnier. Il se promène sur son âne, drapé dans son burnous rouge, et, tous les soirs, va faire son rapport à Wattignies... Le voilà justement ; il a l'œil à tout, Baba. Notre présence l'intrigue : il vient aux nouvelles.

Le caïd salua les deux officiers sans descendre de son âne ni cesser d'éventer son énorme figure avec un chasse-mouches de paille. Il parlait assez bien l'arabe, riait et soufflait entre chaque phrase. Tout en répondant à Courette qui le taquinait en lui demandant des œufs, il soupesait Saganne de ses petits yeux d'animal.

— Te donner des œufs ? Ah ! toubib, c'est toi qui dois me donner des cadeaux ! Moi, je suis qu'un *haratin*, un pauvre paysan. J'ai rien. Toutes les poules sont mortes, et celles qui sont pas mortes, c'est tes Chaambas d'Ouargla qui les volent.

Il se détourna pour cracher un jet de chique dans la poussière. Il se cala sur l'âne dont l'échine ployait sous sa masse, et reprit :

« Toubib, la fille qui est allée au bordj, il faut la renvoyer. C'est ma nièce. Si elle reste au bordj, je pourrai plus lui trouver un mari. Et puis, ce qu'elle raconte, tu y crois pas ! C'est une mauvaise fille, une mauvaise musulmane. Elle ment, elle vole, elle fait la putain avec les hommes.

— On verra, dit Courette en arabe. Va en paix, caïd.

Tandis qu'ils s'éloignaient, il ajouta, pour Saganne :

« Il la veut pour lui, le vieux paillard. Elle n'est pas sa nièce. C'est une orpheline. Elle lui a été plus ou moins vendue quand elle était encore enfant. Il la battait. C'est du moins ce qu'elle a raconté à mon infirmier. Mais elle doit mentir au moins autant que ment le vieux Baba.

Quand les deux officiers revinrent au bordj, la nuit était tombée, après un dernier flamboiement de la lumière qui avait projeté sur le ciel de longues traînées pourpres. Courette accompagna Saganne jusqu'à la porte de sa chambre.

« Je peux te laisser ? Tu ne vas pas sombrer à nouveau ?

— Non, dit Saganne.

Il alluma sa lampe à pétrole. Embarek avait nettoyé le carrelage et refait le lit. Il avait aussi, pour fêter la guérison de son lieutenant, disposé sur la table une rosace de fleurs de laurier. Au bout de chaque tige perlait une goutte de sève blanche.

A son frère Lucien, Saganne écrivit :

Rude pays que celui-ci : plus rude que je n'imaginais. Les mots vent, chaleur, lumière, silence, solitude désignent des phénomènes d'une intensité dont on ne peut se faire une idée quand on ne les a pas éprouvés. Oui, le corps et l'esprit y sont à l'épreuve chaque seconde. La fatigue du voyage In-Salah-Tamanrasset, s'ajoutant à celle des étapes précédentes, m'a mis dans un triste état dont j'émerge à peine, après quatre jours de repos. S'il suffisait de volonté et de vaillance physique pour devenir saharien, ce serait facile. Tout commence et tout bascule à partir du moment où l'on atteint les limites au-delà desquelles s'arc-bouter contre soi-même reste sans effet. On passe à travers ça comme une épée à travers le feu : c'est la vraie forge. Je t'avoue que je préférerais affronter seul une bande de dissidents fanatiques plutôt que de connaître à nouveau pareille épreuve.

Au dîner, sur la terrasse, Saganne retrouva, outre Courette, Wattignies, qui l'accueillit avec une bonhomie un peu pincée. Le capitaine était décidément presque nain, et la barbe qui descendait sur sa poitrine tassait encore sa silhouette. Il fit aussi la connaissance du sous-lieutenant Geindroz, qui était rentré la veille de l'oued où il avait été chercher une partie des chameaux nécessaires à l'expédition vers l'Adrar. Saganne prêta peu d'attention au jeune homme. Il ne nota que le plus apparent : ses cheveux roux, ses bonnes manières et une gaucherie d'adolescent poussé trop vite.

La lumière de la lune était suffisamment claire pour qu'on pût se passer de lampe. Elle entourait tout de son halo et faisait luire les dents des hommes et les couverts de fer-blanc. Le nègre chargé du service déposa dans chaque assiette deux sardines à l'huile. Cette montagne de muscles était un esclave enfui du Maroc. Il était venu se joindre, comme un chien en quête de logis, aux ouvriers qui avaient construit le bordj quand les Français avaient occupé Tamanrasset. Depuis, il n'avait plus quitté le fort, et en était devenu l'indispensable factotum. Un facétieux l'avait baptisé Marguerite. Il n'y avait pas vu malice et portait son surnom avec fierté : son cou de taureau et ses poings décourageaient les mauvais plaisants. S'il avait une bouille si particulièrement réjouie ce soir-là, c'est qu'il venait d'épouser la fille du jardinier, une beauté de douze ans, solidement obèse grâce aux restes du mess des officiers dont il la gavait depuis deux ans.

Après les sardines, Marguerite servit un plat de nouilles assaisonné d'oignons et de beurre rance.

— Comment va ta femme, Marguerite ? demanda Courette. Je ne l'ai pas vue depuis le mariage. L'enfermerais-tu, jaloux ?

— Non, monsieur le toubib. Elle sort pas parce qu'elle est pas bien. Elle pisse le sang beaucoup, beaucoup.

— Tu l'as battue ?

— Non, répondit Marguerite, péremptoire.

Puis, dubitatif :

« Pourquoi je la battrais ?

— Qu'est-ce qu'elle a, alors ?

Marguerite s'esclaffa : sa bouche, mais aussi ses narines s'ouvrirent comme des cratères. Il saisit son bas-ventre à pleines mains et donna un vigoureux coup de reins dans le vide :

— Je lui ai donné bien-bien !

Sauf le sous-lieutenant Geindroz, qui rougit jusqu'à ses grandes oreilles, chacun rit.

— Il n'y a pas de quoi être fier, Marguerite, dit Courette. Il ne faut plus que tu touches à ta femme, et demain tu me l'amèneras à l'infirmerie.

Facétieux, il ajouta : « Quel étalon, ce Marguerite ! Ça vous laisse rêveur, hein, Geindroz ! Vous imaginez-vous disant à votre beau-père, le lendemain des noces : " Mon beau-papa, j'ai défoncé votre aînée. Il faudra penser désormais à nous fabriquer des pouliches adaptées à nos moyens, qui sont considérables ! " »

Wattignies sortit Geindroz de sa confusion en l'interrogeant sur son expédition. Le sous-lieutenant n'avait pas trouvé au pâturage le nombre de chameaux qu'on escomptait. Pendant un moment les officiers discutèrent des moyens de se procurer les bêtes fraîches dont ils auraient besoin.

Quand les nouilles furent finies, Marguerite revint en brandissant un grand plat de terre où reposait un demi-chevreau.

« Mâtin ! s'écria Courette. On nous gâte, ce soir !

Wattignies qui, croyant le repas terminé, avait déjà allumé sa pipe, grommela :

— D'où ça vient ?

— C'est un cadeau, répondit Geindroz, qui avait la charge de la popote.

— Un cadeau de qui? demanda sèchement Wattignies.

— D'un vieil homme qui s'est présenté ce matin, répondit le sous-lieutenant.

— Et qui, après vous avoir débité des salamalecs pendant une demi-heure, vous a invité à venir prendre le thé chez lui, continua Wattignies de sa voix traînante.

— Oui mon capitaine, dit Geindroz.

— Qui est cet homme? demanda Saganne.

— L'agent des sénoussites à Tamanrasset, dit Wattignies. Naturellement, je n'ai pas de preuves, seulement des indices. Dieu merci, il est idiot, ou plutôt paresseux. Ce chevreau va lui permettre de faire savoir à ceux qui l'emploient qu'il a soudoyé un officier français, beau coup qui justifiera pendant au moins six mois son inactivité.

— J'ai commis une faute, dit Geindroz.

Saganne pensa qu'à quinze ans le jeune homme devait affronter le préfet de son collège de jésuites avec le même air de coupable par nature.

— Ne vous frappez pas, dit Wattignies. Hadj Slimane m'a tendu le même piège quand je suis arrivé.

Les paroles du capitaine étaient dictées par la charité chrétienne ; le ton sur lequel il les prononçait annulait leur bonté.

— Est-ce le Hadj Slimane qui tient l'école coranique? demanda Courette.

— C'est lui, dit Wattignies.

Courette rit de son air de gamin.

— Mais alors, dit-il, mais alors, il avait peut-être pour tenter de séduire notre jeune ami des mobiles beaucoup moins tortueux?

Wattignies sourit, sans desserrer les dents autour de sa pipe.

— Je ne comprends pas, dit Geindroz.

La rougeur qui envahit ses joues prouvait qu'en fait il voyait très bien où Courette voulait en venir. Celui-ci s'esclaffa :

— Vous ne comprenez pas? Mais, mon bon, regardez-vous dans une glace, et interrogez n'importe quel gamin. Vous êtes joli comme un cœur, et tous ceux qui, dans cette ville, portent un pantalon et pas encore la barbe ont eu affaire à Hadj Slimane !

— Je ne comprends toujours pas, dit Geindroz, cramoisi.

Saganne, que la tranquillité d'esprit qu'il avait retrouvée depuis quelques heures mettait en veine de délicatesse, se tourna vers Courette :

— Tu ne penses décidément qu'à ça... Je serais toi, je m'inquiéterais !

Il en fallait plus pour démonter Courette. Il hennit de rire, agita les deux bras pour donner une ampleur burlesque à son indignation :

— Oh ! l'hypocrite, déclama-t-il ; oh ! le monstre d'hypocrisie ! Mais nous sommes tous malades ! Tous déchirés entre nos désirs et les interdits religieux ou moraux dont on nous a harnachés. Comment en serait-il autrement ? Nous voilà tous, jeunes gens dans la force de l'âge, sans femmes, lâchés au milieu d'une population dont les grandes affaires sont, une fois la nourriture assurée, la guerre et la volupté. Libres de faire ce que nous voulons, à qui nous voulons, sans contrôle, au milieu de gens qui s'entre-tuent et copulent sans plus de remords que nous n'en avons quand nous jouons aux cartes. Libres de tuer, libres de ruiner ou d'enrichir tel ou tel, libres de réaliser toutes nos fantaisies. Nous sommes les maîtres, et il n'y a pour nous surveiller ni parents, ni curés, ni gendarmes. C'est cette liberté qui nous enfièvre ; c'est cette fièvre qui nous rend malades. Si nous ne voulons pas finir fous, il faut accepter nos désirs, nous comporter avec simplicité et naturel ; bref, imiter les braves gens qui nous entourent. Tu me disais tout à l'heure, Charles, que tu n'étais pas ici pour passer tes nerfs sur une enfant. C'est évident. Mais si, faute de faire l'amour à cette petite fille, tu t'effondres, qui en pâtira, sinon ta mission et peut-être les populations dont tu as la charge ? Comment notre Geindroz pourra-t-il être un bon sous-lieutenant s'il rougit comme une enfant de Marie quand on fait une allusion à la pédérastie, dont nous savons tous qu'elle est de pratique banale parmi les soldats qu'il commande ?

— Vous m'avez mis en cause personnellement, interrompit Geindroz.

— Et alors ? reprit Courette. Soyez sûr, mon bon, que probablement tous vos méharistes vous ont, à un moment ou à un autre, considéré d'un œil concupiscent, et que votre teint de pêche et la cambrure de vos reins ont dû faire l'objet de conversations charmantes autour des feux de bivouac.

Geindroz se leva à demi de sa chaise. Il était blême :

— Je ne vous permets pas de m'insulter !

Wattignies posa la main sur la manche du sous-lieutenant :

— Il ne vous insulte pas, dit-il. Et vous, toubib, taisez-vous.

Geindroz alluma une cigarette et alla se camper, mains aux hanches, dans une attitude très mâle, contre la balustrade de terre qui bordait la terrasse. Sa silhouette, cernée d'un trait clair, semblait collée contre le noir dense de la Koudia. Dans le ciel les étoiles rayonnaient, énormes et jaunes, comme celles que dessinent les enfants. Courette se pencha vers Saganne et demanda à voix basse :

— Tu crois que je l'ai blessé ?

Saganne haussa les épaules. La légèreté d'âme qu'il avait goûtée, il y a un instant, s'estompait. Il sentait monter en lui un regain de désenchantement sans cause.

Il allait prendre congé quand Vulpi surgit sur la terrasse, suivi d'un Européen habillé en civil que Saganne ne connaissait pas. Tous deux portaient une bouteille sous chaque bras. Les cheveux dressés en crête, la veste d'uniforme rejetée sur les épaules, Vulpi avait l'air d'un clown.

— Avec votre permission, mon capitaine Wattignies, et sauf votre respect qu'on est déjà pleins comme des Polonais, on vient, Sanchez et moi, boire le champagne à la santé du lieutenant Saganne. Parce que cet officier, parole de Vulpi, c'est un homme ; un vrai saharien et un vrai chef, que les Chaambas ont reconnu, et les chameaux aussi, de suite, à vue. Pendant le voyage d'In-Salah ici, malade à dégueuler ses tripes, seigneur il était, seigneur il restait. Ça, ça se commande pas. Je vais vous dire, mon capitaine, le lieutenant que vous avez touché, c'est un vrai fils à Dubreuilh. Un lapin comme on en parle entre nous, les maréchaux des logis. Je dis pas que vous, le toubib et le sous-lieutenant Geindroz, vous êtes pas des vrais sahariens. Mais le Saganne, hein !

Wattignies avait remis son lorgnon et, suçotant sa pipe, dévisageait l'ivrogne sans aménité. Vulpi rêva un moment, les yeux aux étoiles. Puis il jura en arabe, cracha par terre et reprit, son accent provençal donnant à ses glapissements une résonance comique :

« Pas comme ce cochon d'Aubagnier, le Saganne ! Et moi, pauvre fada de Vulpi, vingt ans d'oasis, pas une tache sur mon nom, je gueule contre un voleur, et on me casse ! On me casse, ah ! fan de Diou !

Il tituba, comme sous le coup de l'injustice, et se raccrocha à l'épaule de son compagnon.

« Allons, y a du bon quand même. Parce que moi, je trouverai partout des poteaux comme le Sanchez pour me payer le coup. Pauvre, Sanchez, les poumons mités, qu'a marié une négresse et qui vit dans une zériba comme un nègre, mais propre, lui, pas comme l'Aubagnier avec ses manières de juge de paix et qui, par-derrière...

Menuisier, Sanchez, i! fait son travail, on le paye, et *barka* ! Pas de combine. Et son argent, quand il en a, tout pour les poteaux comme moi, tout pour la rigolade ! Même sa femme, si ça me démangeait la culotte ! Mais moi, les négresses, *macache bono*. Rien que leur odeur, ça me donne la conjonctivite. Je galèje, Sanchez ? Dis-leur voir !

Sanchez, vacillant et hilare, approuva par un gloussement qui déclencha une quinte de toux. On voyait dans sa chemise ouverte son cou de poulet, cerclé de crasse. Son pantalon de toile s'arrêtait au-dessus de la cheville sur des pieds nus, épatés et cornés. Il avait quarante ans, et c'était un vieillard.

« Bon, maintenant, on boit ! dit Vulpi.

— Quatre bouteilles, c'est trop, dit Wattignies. Ouvrez-en une, Vulpi, ça ira.

— Ne me faites pas bouillir le sang ! cria l'ivrogne. Les quatre, ou rien !

Il s'approcha de la table et, d'un coup, fracassa les deux goulots contre le rebord.

« Fais pareil, Sanchez, on va pas perdre patience à dégoupiller ça !

Il remplit les verres à la ronde. Wattignies se leva, but rapidement, et dit :

— Messieurs, bonsoir. Je vous rappelle que le père de Foucauld sera ici demain et qu'il célébrera la messe dans mon bureau à sept heures.

Quand le capitaine eut quitté la terrasse, Vulpi dit :

— Le Wattignies, c'est l'homme respectable. Mais, sauf votre respect, c'est le pisse-froid !

Le mot déclenchant l'acte, il alla uriner par-dessus la balustrade. Il revint, emplit les verres à nouveau.

Pendant la demi-heure qui suivit, il fit à lui seul toute la conversation, encouragé par les rires enroués de Sanchez et relancé par les piques de Courette quand sa faconde faiblissait. Tout y passa : son enfance à Marseille où son père était porteur d'eau ; ses aventures de bourlingueur du désert ; ses amours :

« Il y a deux ans, non, trois, au retour de la tournée du colonel dans l'Aïr, j'ai connu la fille d'un chef. Elle venait dans ma tente avec son *amzad* et, pendant qu'elle grattait le violon avec les mains, avec les pieds... Une artiste ! Elle n'était pas jeune, veuve deux fois, mais j'ai jamais retrouvé ce tact. On dit c'est des sauvages. Mais quand même, hein, elle connaissait les hommes. On était tranquille, près d'elle, oui, tranquille !

Saganne buvait peu d'ordinaire. Les deux premiers verres avaient suffi à l'égayer. Il mit la main sur une bouteille et la vida, bien que le prétendu champagne fût un vin mousseux tiède et sucré. Bientôt Courette prit sous les bras, pour les mener à leur lit, Vulpi, que l'évocation de sa violoniste aux pieds agiles avait jeté dans les larmes, et Sanchez, cassé par les râles. Geindroz, qui était resté planté au bord de la terrasse, se rapprocha et s'assit près du lieutenant. Saganne craignit qu'il ne se lançât dans les confidences : l'heure était propice. Mais Geindroz continua de se taire ; c'était décidément un jeune homme de bon aloi. Ils restèrent ainsi côte à côte, cernés par le silence. De temps à autre, le braiment d'un âne éclatait en trompette, se distendait en à-coups plaintifs, puis expirait dans des halètements obscènes.

Saganne finit par s'assoupir. Des bruits, des rires à l'autre bout de la terrasse, du côté de sa chambre, le ramenèrent à la conscience. Il n'y prêta pas attention. Il se sentait reposé, tolérant, homme supérieur. Sans ouvrir les yeux, il demanda :

— Vous êtes toujours là, Geindroz?

— Oui mon lieutenant.

— Vous êtes saoul?

— Non.

— Vous êtes content de partir pour l'Adrar, Geindroz?

— Oui mon lieutenant.

— Il ne faut pas en vouloir à Courette. Il fait le mirliflore mais il n'est pas méchant... Vous n'allez pas vous coucher?

— Je n'ai pas sommeil.

Saganne se leva et s'étira :

— Moi, oui... Bonsoir, mon cher.

Avant d'atteindre l'escalier, il se retourna vers le sous-lieutenant : « Ça va Geindroz? Le moral est bon?

— Pas tellement, non.

Pour répondre comme il venait de le faire, le jeune homme devait avoir vraiment besoin de parler, qu'on l'écoute. Le devoir de Saganne était de revenir, de s'asseoir près du sous-lieutenant. Il hésita. Aucun élan ne le portait vers ce garçon raidi par la bonne éducation. Il ne pouvait tout de même pas ne rien répondre. Sans faire un pas vers Geindroz qui restait là-bas, adossé à la nuit, tendu vers lui, il dit :

— Saoulez-vous. Non, je suis bête. Ecoutez, Geindroz, je ne pourrais rien dire qui vous aide : nous sommes trop différents. Vous êtes né coiffé, moi pas. Je n'ai pas la foi, et ça m'est égal...

— Vous avez deviné ça? dit Geindroz.

— Quoi?

— Que Dieu m'a retiré sa lumière.

La voix du garçon tremblait. Saganne renifla. Il valait mieux renifler que ricaner. Mais que dire?

— Je ne peux plus prier, reprit Geindroz. Je ne peux plus prier. A chaque seconde je m'éloigne de Dieu. Paraître devant le père demain sera une torture. Vous me comprenez?

Saganne, d'un ton plus rude qu'il n'aurait voulu, répondit :

— Non, je ne comprends pas. Je suis désolé.

Il marcha vers sa chambre. Les bruits et les rires qui l'avaient tiré de sa torpeur, tout à l'heure, avaient cessé. Quand il passa la porte, la lumière de la lune entra de chaque côté de sa silhouette. La jeune fille était accroupie contre le mur, sa robe ramenée autour d'elle, le visage enfoui dans les bras. Découvrir là l'enfant qu'il avait aperçue près du puits ne le troubla d'aucune manière : pas un sursaut de surprise, pas une vibration de désir. Il accomplit les gestes qu'il s'était apprêté à faire : allumer la lampe, régler la mèche qui fumait. Etait-ce une grâce, cette froideur qui lui venait dans les circonstances, graves ou mineures, où d'autres trouvent l'occasion de perdre la tête? Ou au contraire le signe d'une nature sans générosité?

La jeune fille avait levé les yeux et le suivait du regard. Il lui sourit. Si elle avait peur ou si elle s'amusait, il ne pouvait le deviner. Elle était là, offrant son nez parfait, ses yeux de statue peinte, sa bouche lourde aux lèvres brunes. Saganne connaissait suffisamment les mœurs des Touareg et la liberté dont jouissent les femmes pour être sûr qu'elle n'était pas venue dans sa chambre contre son gré. Il était évident, à l'inverse, qu'elle n'avait pas agi de son propre mouvement. Elle avait consenti à jouer un rôle dans la farce qu'un autre avait montée, Courette sans doute.

Il s'approcha d'elle et posa la main sur sa tête. Ce geste était une réminiscence de celui qu'il avait vu accomplir au capitaine Flammarin à Djelfa. Il en prit conscience en le faisant. Les tresses serrées, enduites de beurre, exhalaient une odeur rien moins que plaisante pour des narines d'Européen : ce qui pouvait rester en Saganne de tentation passa. S'exprimant avec les quelques mots de tamahek qu'il avait appris, il dit à la jeune fille qu'elle devait s'en aller. Il voulut ajouter qu'il la trouvait belle : le vocabulaire lui manqua. Elle se leva sans hâte et parcourut la chambre des yeux. Elle ne semblait ni déçue, ni soulagée. Enfin, d'une voix rauque, rapide, elle parla. Il comprit qu'il s'agissait d'une demande, mais n'en saisit pas le sens. Il répondit : « Fais comme tu voudras. » Découvrant des dents noires, elle éclata d'un rire énorme. Elle finit de briser l'image de séraphin énigmatique sur laquelle le lieutenant avait brodé, en crachant sur le dallage le jus de sa chique. Saganne ne tomba pas dans le ridicule de penser que sa petite compagne venait de révéler sa vraie nature. C'était lui, parce qu'il était civilisé d'une autre manière, qui avait jugé pleine de grâce sa réserve, et qui trouvait vulgaire sa joie. De n'avoir pas eu un réflexe sot lui donna de la satisfaction. Cela dissipa une certaine raideur qui, quoi qu'il en eût, empesait son comportement.

L'enfant sentit qu'une barrière venait d'être levée. Sans gêne aucune, elle fit le tour de la chambre, saisissant les objets, les reniflant, les appuyant contre sa joue. Elle courait du réveil au rasoir, de la brosse à dents à l'encrier. Elle avait les gestes vifs, et l'œil, méchant à force d'attention, des passionnés à leur plaisir. Saganne comprit qu'elle n'était venue dans sa chambre ni parce qu'il lui plaisait ou qu'elle voulait lui plaire, ni pour avoir l'argent que Courette avait dû lui promettre, mais poussée par un mobile plus irrésistible que le désir ou l'intérêt : la curiosité.

Il la regarda faire. Comme elle passait près de lui, sans préméditation, il ferma doucement les doigts sur son poignet et la conduisit vers le lit. Elle se laissa aimer avec une impudeur tranquille que Saganne n'avait connue à aucune femme et qu'il trouva ravissante.

Au lever du soleil, vers trois heures, il se réveilla quelques secondes et la vit endormie en rond, par terre près du lit. A cinq heures Embarek apporta le café. Heureux de constater que son lieutenant avait su gaillardement reprendre le dessus, il posa à Saganne, sans se soucier de la jeune fille qui ne pouvait le comprendre puisqu'elle ne comprenait que le tamahek, des questions précises sur les voluptés qu'elle lui avait dispensées. Saganne le fit taire et lui demanda de servir d'interprète. Il fit asseoir la petite près de lui et lui demanda son nom (« Demla »), son âge (« quinze ans »), pourquoi elle était venue au fort et ce qu'elle comptait faire.

Embarek traduisait, phrase après phrase :

— Je suis venue au fort parce que le caïd Baba me bat et me donne pas à manger... Qu'il est un nègre et que moi je suis pas une esclave, mais une Targuie imrad d'un bon sang... Je veux rester avec les Français, avec toi... Quand tu partiras tu m'emmèneras, parce qu'ici je pourrai jamais me marier... J'ai pas de chameau à donner en dot, mais je sais coudre, monter la tente, m'occuper des bêtes, faire la soupe et la galette. Je mange pas beaucoup ; je suis pas malade. Je marche longtemps à pied sans me fatiguer. Je peux avoir beaucoup de fils.

Quand Embarek eut fini de traduire, elle ajouta quelque chose en riant, de sa voix rauque si peu en harmonie avec ses airs d'ange.

— Qu'est-ce qu'elle dit ? demanda Saganne.

— Elle dit que tu es le meilleur homme qu'elle a connu.

— Elle en a connu beaucoup ?

Sans même traduire la question, Embarek répondit :

— Les femmes touareg, c'est toutes des putains.

Comme Saganne buvait son café, se demandant ce qu'il allait faire de sa conquête, la petite se lança dans un discours véhément.

— Qu'est-ce qu'elle dit ?

— Elle dit que le caïd Baba est un voleur qui garde tout l'argent que le capitaine donne pour les ksouriens. Quand les Français sont pas là, il dit qu'un jour ça sera la guerre sainte, qu'on chassera tous les koufars, les infidèles, et qu'après il ira à La Mecque pour se purifier. Elle dit que le caïd Baba prend les récoltes des ksouriens et qu'il garde l'argent. Elle dit qu'il a deux fusils cachés dans la montagne et qu'il raconte qu'un jour il tirera sur les incirconcis et qu'après il leur coupera les couilles avec son couteau parce que les koufars sont des fils de chien.

— Dis-lui que ce n'est pas la bonne façon d'agir avec moi que de me raconter des mensonges ; qu'elle n'y gagnera rien.

Pendant qu'Embarek parlait, la petite défia Saganne du regard. Elle répondit trois mots brefs, la voix étranglée par la colère.

— Elle dit qu'elle ne ment pas, dit Embarek.

Saganne résistait à l'envie de caresser le bras, la main, la joue de Demla. Il se répétait : « Pas de sentiment. » Il finit son bol, le tendit à Embarek :

— Donne-lui du café.

Elle but à grands bruits de langue, gaie à nouveau, ses yeux bruns plissés de malice. Elle posa le bol à terre et, saisie d'un incompréhensible accès de pudeur, ramena sur son visage un pan de sa robe. Elle parla à travers le tissu. Embarek, qui n'entendait pas bien, lui fit répéter sa phrase. Enfin il se redressa, et dit à Saganne en riant :

— Elle dit qu'il y a un proverbe targui qui dit : « Un chien, s'il t'aime, aime-le. »

Avant que Saganne ait eu le temps de faire le geste tendre qu'il retenait, Demla se leva et s'enfuit en courant.

— Où va-t-elle ? demanda-t-il, le buste dressé.

— Avec les femmes touareg, tu peux jamais savoir, mon lieutenant.

— Où couche-t-elle depuis qu'elle est au bordj ?

— Le toubib lui a mis des sacs dans un débarras derrière l'infirmerie.

— Comment se nourrit-elle ?

— Il y a Marguerite, dit Embarek.

— Elle couche avec lui ?

— Non, elle va pas avec les nègres. Elle, elle va avec les Français. C'est une maligne.

— Avec le toubib ?

— Moi, je m'occupe de toi, dit Embarek. Je regarde pas les histoires des autres.

— Allez, Embarek, parle !... Tiens, sers-toi du café.

Saganne voulait savoir. Ce n'était pas de la jalousie. Au fait, si, c'était un accès de jalousie amoureuse brute. Qui, avant lui, avait pénétré le sexe de Demla, dont il sentait encore les battements ?

Le vieux singe poussa des piaillements. Rien ne le mettait plus en joie que les commérages. Il s'accroupit pour boire, passa sa langue sur ses lèvres.

— Alors, raconte, elle couche avec le toubib ?

— Le toubib y couche pas, mon lieutenant. Des officiers d'ici, il y a que le capitaine qui couche... et puis toi.

Saganne sourit en pensant aux déclarations enflammées de Courette pendant le dîner, au crucifix pendu dans le bureau de Wattignies. D'apprendre que Demla ne s'était livrée ni au monstrueux Marguerite, ni à l'ami Courette l'avait rendu léger.

— Il couche avec qui, le capitaine ?

— Comme ça vient... C'est les soldats qui m'ont parlé. Moi j'ai rien vu depuis qu'on est arrivé.

Un peu honteux d'avoir posé cette dernière question, que rien ne justifiait, Saganne rejeta la couverture et ordonna à Embarek d'aller lui chercher l'eau de sa toilette.

« Je t'amène deux bidons, dit Embarek. Ce matin, il te faut beaucoup d'eau.

Saganne mit le vieux dehors d'une poussée de pied dans les reins.

Wattignies a décroché la photographie de sa femme. Sur le mur ne reste que le crucifix. Les dossiers sont entassés par terre : la table, nappée de blanc, sert d'autel. Saganne avance sur la pointe des pieds et prend place derrière Courette et Geindroz. Il croise les bras comme eux. Wattignies, à genoux à la droite du prêtre, serre contre sa poitrine deux bouteilles de Ricqlès, promues burettes. Penché sur le sacrifice, Foucauld présente un dos d'orpheline. La gandoura sans ampleur qui pend sur ses mollets évoque moins la robe du moine que la chemise que les Croisés portaient sous l'armure. Une ceinture de cuir serre ses reins. Il se retourne, bras écartés, paumes ouvertes : Saganne, qui voit pour la première fois son visage étréci par la barbe, est frappé par les yeux, peut-être parce que Dubreuilh lui en a parlé en termes frappants : « Un regard noir qui comprend, juge et absout. Le regard d'un homme qui a fait son ordinaire de la haute fièvre. Foucauld brûle de renoncement, et ça se voit. » Le père lève l'hostie à la hauteur de son front. Saganne ne fléchit pas le sien, ni le genou. Il est venu à l'office parce qu'il a jugé que c'était son devoir d'officier d'y paraître. Solidaire de ses concitoyens aux yeux des indigènes, il ne se soucie pas de donner le change sur ses sentiments religieux ni à Foucauld, ni à Wattignies. Son respect du convenable s'arrête en deçà des simagrées.

Etranger au mystère qui se célèbre à quatre pas de lui, il finit pourtant par être sensible, à force d'immobilité, à la grandeur de la cérémonie qui tient réunis ses camarades et lui dans cette cellule isolée au milieu du désert. C'est avec une certaine compréhension qu'il regarde Wattignies tendre vers l'hostie une langue fervente. Enfin, Foucauld prononce le *Ite, missa est*, et bénit les quatre hommes. Tandis que Wattignies, Geindroz et Courette répondent par un signe de croix, Saganne redresse sa moustache. Il le fait sans provocation aucune. Pourtant, le capitaine braque sur lui un regard de douairière indignée qui se contient en public mais qui, dès que l'occasion se présentera, vous chantera ses arias.

La messe n'est pas achevée depuis cinq minutes, et les hommes en sont encore aux conversations à voix basse par lesquelles on réintègre le siècle, quand Vulpi surgit. Il n'a pas encore bu. La sobriété ne lui réussit pas : il a l'air d'un vieil éventail replié.

— Mon père, dit-il à Foucauld, je vous dérange, un homme comme moi, parce que le menuisier Sanchez a passé une mauvaise nuit et que ça ne s'arrange pas. Au stade qu'il en est, le Sanchez, ce serait plutôt le marabout que le toubib : il crache le sang à plus finir.

— Accompagnez-moi », dit Foucauld à Courette. Et, à Vulpi : « Nous vous suivons.

Saganne, qui ne se soucie pas de demeurer entre Wattignies et le triste Geindroz, leur emboîte le pas.

Sanchez a construit sa case à mi-distance du bordj et du ksour, comme pour marquer qu'il n'appartient ni à l'ordre des Français, ni à celui des indigènes. Tandis que Foucauld et Courette y pénètrent, Saganne s'assied dans le sable avec Vulpi. Courette les rejoint bientôt :

— On ne le sauvera plus, dit-il. Mais ça peut traîner des jours.

Au bout d'un moment il demande à Saganne :

« As-tu trouvé le cadeau que j'ai laissé dans ta chambre hier soir ?

Il a dû s'exciter comme un collégien en pensant aux propos facétieux et aux confidences qu'il échangerait avec son ami. Il n'a pu se résoudre à ne pas aborder le sujet, mais la proximité du moribond le force à la sécheresse.

— Oui, répond Saganne.

Il est content que les circonstances lui permettent de rester laconique. Il ne souhaite pas détailler sa nuit dans une conversation de garçons.

Foucauld sort de la zériba, dit à Vulpi : « Il vous demande », et, aux deux officiers, avec un doux sourire inflexible : « Je vous prie de me pardonner si je vous laisse : j'ai beaucoup de besogne et peu de temps. Je vous retrouverai au déjeuner. »

Il reprend la direction du fort. Il marche sans hâte ni hésitation. C'est un homme qui a choisi un chemin et qui le suit.

Le sol de la case est de sable. La femme, accroupie dans la pénombre, geint sans arrêt, bouche close. Sanchez est allongé sur le haut lit de planches qu'il s'est construit. Dès qu'il voit Vulpi et les officiers, il se dresse, les yeux flambants de fièvre, son indignation sifflante hachée tous les trois mots par des accès de toux.

— Il m'a dit que j'allais mourir, l'enfant de putain ! Je l'ai mis dehors, et comment que je l'ai mis dehors ! Ici c'est une zériba, mais c'est chez moi... L'enfant de putain, il m'a dit confesse-toi, fais ta paix avec Dieu, renvoie ta femme, arrête de boire ; que tes derniers jours soient dignes !... Je veux pas mourir. Je vais m'en aller d'ici, rejoindre mon cousin qui fait fortune avec les tomates à Oran... C'est le toubib, là ? Toubib, guéris-moi ! Fais-moi des piqûres ! Si tu me dis plus d'absinthe, plus d'absinthe ! J'ai quarante ans, dites ! A soixante-dix ans et plus, mon père déchargeait encore les bateaux à Barcelone. Là-bas, à Oran, je travaillerai, je mettrai des douros de côté, j'aurai des enfants avec une Française.

Il crache du sang noir, retombe entre ses planches, murmure :
« Le marabout, c'est lui qui porte la mort.

Il ne fut pas question de Sanchez pendant le déjeuner. Marguerite servit un poulet targui, maigre et tendineux comme ses maîtres. Foucauld avait apporté une bouteille de vin muscat des pères blancs de Maison-Carrée. Il mangeait ostensiblement peu, et refusa d'en boire. Courette, que cette sobriété agaçait, insista pour qu'au moins il le goûtât. Foucauld répondit : « Je connais son goût ; c'est mon vin de messe », amortissant l'ironie par un mouvement de paupières.

Saganne savait Foucauld le meilleur connaisseur des affaires touareg. Depuis qu'il s'était installé au Hoggar, en 1905, le père consacrait son temps à un dictionnaire, à une grammaire et à un recueil des légendes et des poèmes. Lui-même avait beaucoup lu, beaucoup appris par ses conversations avec Dubreuilh et Hazan, pris force notes. Il interrogea avec précision Foucauld, qui laissa paraître son plaisir d'avoir trouvé, dans ce jeune lieutenant attentif, un collaborateur possible pour ses travaux.

Le père proposa à Saganne, quand le repas fut terminé, d'aller poursuivre en tête à tête leurs échanges, faisant mine d'oublier que, d'ordinaire, lors de ses séjours dominicaux, cette heure était consacrée à une conversation avec Wattignies. Le capitaine repoussa sa chaise :

— J'espère, mon père, que vous aurez un moment pour moi avant votre départ ?

— Certainement, dit Foucauld. Il faut que je vous parle de votre ami le caïd Baba.

— Quoi donc, à propos de Baba? demanda Wattignies sur la défensive.

— Je vous dirai ça, mon cher capitaine. A tout à l'heure.

Courette s'était approché de Saganne. Il lui glissa :

— Wattignies va te détester. Foucauld, c'est sa chasse gardée.

Saganne sourit :

— Tu es petit, mon vieux, et tu juges petit. Wattignies est au-dessus de ça.

Courette donna une bourrade à son ami :

— Et toi, tu es naïf. Prends garde à toi. Il peut être redoutable, Wattignies.

Foucauld entraîna Saganne vers la montagne jusqu'à un lac d'eau verte, entouré de tamaris. Une plage le bordait, où poussaient des coloquintes : les longues tiges et les feuilles pâles dessinaient des arabesques sur le sable et de temps à autre apparaissait, aux trois quarts enfoui, au chaud comme un œuf, un petit melon strié de jaune et de vert.

Les deux hommes s'assirent. Ils n'avaient pas parlé pendant le trajet. Avant que la conversation sur les Touareg ne reprenne, Saganne voulut mettre les choses au clair :

— Mon père, j'ai reçu une éducation anticléricale que je ne renie pas. Je doute que personne puisse jamais me convertir.

— J'apprécie votre franchise. J'avais compris en vous voyant à la messe. Je ne chercherai pas à vous convertir. Permettez-moi pourtant de ne pas désespérer. Car ce n'est pas le hasard qui vous a fait choisir l'idéal militaire qui est d'obéissance, de renoncement, de sacrifice. Et ce n'est pas le hasard qui vous a fait choisir, parmi toutes les voies qui s'ouvrent à un jeune lieutenant, le Sahara. Ici, l'avancement est moins rapide, les coups d'éclat restent ignorés. Les officiers servent comme les moines d'un vaste monastère. Comment n'espérerais-je pas? Toutes les vertus que je pressens en vous sont des vertus chrétiennes. Et puis, l'Ahaggar est le plus beau lieu du monde pour rencontrer la grâce.

Saganne protesta que ses mobiles étaient moins nobles, que s'il avait choisi le Sahara, c'était simplement que la vie de garnison l'étouffait.

« Cher monsieur Saganne, reprit Foucauld, que vous le sachiez ou non, vous êtes un chercheur d'absolu. J'entends bien que vous ricanez quand on vous le dit. Mais revenons à nos Touareg...

Pendant une heure, Saganne questionnant, Foucauld répondant, ils parlèrent des Touareg. Saganne fut frappé par la probité intellectuelle du père. Au contraire de Dubreuilh, dont la science était beaucoup plus superficielle, Foucauld se refusait aux théories générales, aux comparaisons approximatives. Il semblait que les recherches qu'il avait entreprises sur le monde targui n'avaient pas pour but de mieux comprendre pour mieux agir, mais seulement de connaître. Saganne lui en fit la remarque.

« Vous vous trompez, dit Foucauld. Si je n'étais pas persuadé que mes travaux servent les intérêts de la France et des populations que Dieu a mises sous notre sauvegarde, je ne les aurais pas entrepris. En matière coloniale on s'est trop souvent contenté d'à-peu-près. Il est temps de mettre au jour la vérité et de la faire accepter. C'est à ce prix que l'œuvre civilisatrice qui nous est échue réussira.

Avant qu'ils ne se séparent, Foucauld invita Saganne à venir le visiter dans son repaire de l'Asekrem, dans la montagne :

« Ce sera toujours pour moi une joie de vous voir. J'ai encore beaucoup de choses à vous dire.

Saganne remercia avec une chaleur sincère. Il n'avait pas d'opinion sur Foucauld, homme de Dieu. Foucauld, homme de science, l'avait séduit.

Le soir, il se retira tôt dans sa chambre et envoya Embarek prévenir Demla qu'elle ne devait pas le rejoindre. Avant de s'endormir, il nota ce qu'il avait appris de Foucauld.

A trois heures, le lendemain matin, l'ordonnance de Wattignies le réveilla : le capitaine le demandait. Il s'habilla à la hâte, traversa la cour où le sable était froid du froid de la nuit. Le ciel, les remparts du bordj, la montagne, tout semblait fait de la même matière gazeuse, d'un mauve pâle. Dix Chaambas, la carabine à l'épaule, attendaient près de leurs montures harnachées. Les chameaux essayaient de se mordre l'un l'autre avec de grands balancements de cou. Les hommes tapaient du pied et soufflaient dans leurs mains pour se réchauffer. Wattignies, le képi sur la tête, marchait dans son bureau, trois pas d'un côté, trois pas de l'autre :

— Je vous rappelle que votre service reprend ce matin, Saganne. Ici, on commence tôt. Je pars inspecter mes chantiers de piste. Je serai de retour dans trois jours.

D'un geste brusque de marionnette, il désigna les papiers entassés sur son bureau :

« Je vous laisse ça : état nominatif de paiement des indemnités pour les méharistes, à remplir en trois exemplaires ; bordereaux récapitulatifs des achats d'orge, quatre exemplaires ; inventaire trimestriel de l'armement et du matériel, quatre exemplaires. Les bureaux d'Alger se nourrissent de paperasses. Il me faudra aussi les rapports sur les deux hommes que vous avez perdus en route. Pour la préparation de l'expédition vers l'Adrar, c'est Geindroz qui s'en occupera. L'instruction des méharistes, c'est le maréchal des logis Lagnère qui s'en charge. Je lui ai donné pour consigne de ne pas les tenir plus de deux heures par jour. Il vous rendra compte...

Wattignies saisit sa cravache de bambou avant d'ajouter :

« Naturellement, vous avez le commandement pendant mon absence. A bientôt.

Saganne s'assit sous le crucifix et la photographie de Mme Wattignies, et se mit au travail. Il avait trop l'habitude des mœurs militaires pour s'offusquer des brimades de Wattignies.

Le lendemain, en fin d'après-midi, alors qu'il était toujours à ses formulaires et que l'ennui commençait à prendre le pas sur ses bonnes résolutions, il eut la visite du caïd Baba. Après les longues salutations d'usage, le gros homme le contempla de son œil de poule. Saganne se remit à écrire. Au bout d'un moment, comme Baba ne faisait mine, ni de s'en aller, ni d'aborder le sujet qui l'avait amené, il demanda :

— Qu'est-ce que tu veux ?

Baba fit un geste de la main pour signifier que ce qu'il voulait était sans importance, pouvait attendre.

— Les Chaambas qui sont venus d'In-Salah disent que tu es un vrai chef, toi !

Saganne n'avait pas l'intention de se laisser flatter par ce forban matelassé de graisse. Il répéta :

— Qu'est-ce que tu veux ? Je n'ai pas de temps à perdre.

Le caïd soutint à deux mains sa bedaine que le rire secouait :

— Toujours pressé comme un roumi ! C'est pas bon ici, ça !

Puis, estimant qu'il ne ferait pas bon éprouver plus longtemps la patience du lieutenant, il entra, à sa manière, dans le vif de ce qui le préoccupait :

« C'est toi qui remplaces le capitaine, maintenant ?

— Pendant son absence, oui.

— Et il t'a dit, le capitaine, pour l'argent des ksouriens, les récoltes, les remboursements, les corvées, tout ça ?

Il était clair que Baba voulait savoir si le nouveau venu allait intervenir dans le système dont il tirait bénéfice. Il était venu s'assurer, à tout hasard, ses bonnes grâces.

— Qu'est-ce que ça peut te faire? répondit Saganne. Tu as peur pour tes trafics?

Jusque-là bon enfant, le caïd changea de ton et de figure. La bouche serrée, il demanda :

— Elle est bonne, Demla?

Saganne ne répondit pas. Au bout d'une minute, le caïd changea à nouveau d'attitude. Il s'approcha du bureau, se pencha et murmura avec des airs de maquignon qui veut conclure :

« Mon lieutenant, Demla, je te la fais cadeau de la part des ksouriens.

Saganne avait gardé son porte-plume à la main. Il le trempa dans l'encrier de verre :

— Sors d'ici, Baba.

L'autre voulut expliquer son marché, détailler ses avantages. Saganne répéta : « Sors d'ici », et se remit à écrire sans plus se soucier du gros homme.

Dix minutes environ après que le caïd eut quitté le bureau, Saganne entendit des cris. Il n'y prêta pas attention, d'autant que, depuis un moment, la cour résonnait des blatèrements poussifs d'un chameau mâle qui, encouragé de la voix et du geste par une dizaine de méharistes, s'évertuait à rendre ses hommages à une chamelle. Embarek parut à la porte :

— Mon lieutenant ! Baba emmène la Targuie !

Saganne suivit l'ordonnance. Près de l'entrée du bordj, le caïd tirait la jeune fille derrière lui, comme il eût fait d'une chèvre. Demla se débattait par à-coups, le corps arqué, criant des injures. Les Chaambas s'étaient détournés des amours des chameaux pour suivre ce nouveau spectacle. Courette apparut au seuil de l'infirmerie, puis Geindroz devant le magasin d'armes. Saganne marcha jusqu'à Baba et se planta devant lui.

— Lâche-la, ordonna-t-il.

Baba cracha :

— Elle est à moi ! Laisse-moi passer !

Saganne fit un pas en avant :

— Lâche-la, répéta-t-il.

Derrière le burnous du caïd il vit le petit visage de Demla qui le regardait, plus curieux qu'effrayé. Baba vérifia d'un coup d'œil que les Chaambas et les quelques ksouriens qui traînaient ici et là étaient attentifs, et se mit à hurler :

— Tu la veux pour toi ! Les Français, ils prennent nos femmes. Les vieilles, ils les laissent. Les jeunes, ils les gardent.

D'un geste théâtral, il fit virevolter la fille et la précipita aux pieds du lieutenant :

« Tiens, prends-la. J'en veux plus ! Les musulmans, ils passent pas derrière les koufars. Les musulmans...

Sa diatribe fut interrompue par le coup de poing que Saganne lui envoya sous la mâchoire. Baba avait préparé l'éclat par lequel il espérait compromettre le lieutenant, mais il n'avait pas prévu que celui-ci le frapperait. Il resta un instant désemparé puis, rassemblant les plis de son burnous, il fila sans se retourner.

Demla s'était relevée. Elle trottina derrière Saganne. Dans leur coin, les deux chameaux ne s'étaient pas dépris. Ils formaient un couple grotesque, baveux et râlant. Le mâle bramait de désir empêché, et lançait en avant son cou comme un serpent autour de celui de la femelle. Elle fuyait le chevauchement à petits pas, rentrait la croupe et, de temps à autre, balançait la tête pour mordre le flanc du maladroit obstiné.

Saganne était furieux. En passant devant Geindroz, il lui lança :

— C'est votre chamelle, non ? Si vous la laissez engrosser, vous irez dans l'Adrar à pied, ou quoi ?

Il s'arrêta près de Courette, la petite à trois pas de lui :

« Envoie ton infirmier chercher Marguerite !

Quand le nègre arriva, Saganne posa la main sur son épaule de titan et lui dit à voix très haute, pour que tous ceux qui étaient dans la cour entendent :

« Marguerite, tu vas garder la Targuie comme si c'était ta sœur. Si quelqu'un essaie de la toucher, tu lui casses les reins. Compris ?

— Oui mon lieutenant, hurla Marguerite d'une voix de stentor, pour rester — imitation ou déférence — dans le registre de l'officier.

Wattignies revint de son inspection d'excellente humeur. Le balisage des pistes à l'aide de tas de pierres — tâche épuisante pour ceux qui en étaient chargés, mais d'ailleurs très utile — était sa marotte : les indigènes l'avaient surnommé « le capitaine cailloux ». Il avait trouvé ses chantiers plus avancés qu'il ne l'espérait.

Il avait aussi fait aménager une piste d'atterrissage pour les aéroplanes. Cela le ravissait. Frottant ses petites mains, il répétait : « En attendant le transsaharien, nous aurons les aéroplanes. J'ai fait un rapport. Imaginez ! Alger-Tombouctou en trois jours ! Vous verrez, le grand désert infranchissable, nous en ferons un boulevard ! »

Son humeur était tout autre quand Saganne entra dans son bureau le lendemain matin. Il commença par un froid : « Monsieur Saganne, je ne suis pas content de vous. » Son ton monta tandis qu'il énumérait les premiers reproches : « Vous avez injurié et frappé publiquement le caïd. Vous vous êtes affiché avec une indigène. » Bientôt, il hurlait :

« Vous vous croyez très fort, n'est-ce pas ! Parce que vous avez parcouru deux ou trois livres et que les méharistes se sont laissé impressionner par vos manières de grand chef, vous pensez que vous pouvez tout vous permettre ! Mais vous n'êtes qu'un blancbec qui ne sait rien ; qui trouve le moyen de perdre deux hommes entre In-Salah et ici ; qui, à peine arrivé, succombe à ses nerfs ; qui, à peine rétabli, se saoule dans la compagnie des Vulpi, des Sanchez, d'individus dont l'existence est une offense à Dieu ; qui finit la nuit avec une putain ; qui, à peine sorti des bras de cette fille, court à la messe pour se faire bien voir mais qui, le naturel reprenant le dessus, y adopte une attitude intolérable ! J'en sais sur vous plus que vous ne pensez, lieutenant. Votre réputation vous a précédé. Je sais quelle a été votre conduite à Djelfa. Je ne comprends pas comment le colonel Dubreuilh a pu s'enticher de vous. Ou, plutôt, je ne le comprends que trop bien, après vous avoir vu manœuvrer avec Foucauld. La façon dont vous vous êtes insinué dans ses bonnes grâces par la flatterie, en lui dissimulant que vous étiez sans religion, est indigne !

Saganne n'avait pas l'habitude qu'on le prenne violemment à partie : quelque chose en lui retenait les cris. Même les chiens de quartier, quand il était enfant de troupe, et plus tard simple soldat, baissaient le ton pour le réprimander. Il assistait à cette explosion de rage comme si elle ne l'avait pas concerné, partagé entre la stupéfaction et l'envie de rire.

Il dut faire effort pour revenir au seul point qui l'avait touché, et qu'il estimait ne pas devoir laisser passer :

— Mon capitaine, vous avez mis en cause ma conduite à Djelfa. Puis-je vous demander à quoi vous faites allusion ?

Wattignies ne répondit pas. Ses mains tremblaient et son visage, convulsé il y a un instant, s'était affaissé, soit fatigue nerveuse, soit honte de s'être laissé emporter au-delà des bornes. Il se mit debout et dit d'une voix enrouée, s'arrachant chaque mot :

— Monsieur Saganne, si vous avez pour moi un peu d'estime, vous oublierez cette scène, dont je vous demande pardon, humblement.

Le « humblement » abasourdit Saganne. La colère qui le gagnait au fur et à mesure qu'il se répétait que le capitaine, pantin ridicule de ses humeurs ou pas, l'avait injurié dans des termes inadmissibles, fut désarmée d'un coup. Il saisit la première idée qui lui vint :

— Mon capitaine, je sollicite l'autorisation d'aller passer quelques jours auprès du père de Foucauld.

Wattignies était redevenu lui-même. Il avait trop l'habitude de ses débordements, de ces aller et retour entre la fureur et l'humiliation, pour ne pas avoir appris à les maîtriser avec une aisance très surprenante pour les témoins. Il répondit calmement :

— Bien sûr, monsieur Saganne, allez à l'Asekrem.

Puis ajouta :

« Merci de vous être acquitté de la corvée de paperasses que je vous avais laissée.

Le refuge de Foucauld était une masure de pierre au bord de l'abîme. On était au cœur de la Koudia, la vue plongeant sur le terrible massif. Il soufflait un vent glacial. Quand le soleil se coucha, le djebel Ahmar, la montagne rouge, flamboya de la base au sommet, comme embrasé de l'intérieur, tandis que tout l'Atakor se teintait de violet. Puis les couleurs pâlirent, la montagne s'éteignit, le ciel turquoise et rose devint, presque d'un coup, la voûte noire qu'il était chaque nuit avant que les étoiles ne viennent l'éclaircir. Saganne se coucha dans une anfractuosité de roche, sur un lit de sable, près de la chamelle blanche qu'Embarek avait choisie pour lui à In-Salah. C'était une bête d'une tout autre finesse que le gros méhari d'Ouargla. Saganne s'était attaché à elle, et il lui semblait parfois que la réciproque était vraie.

Foucauld vivait à l'Asekrem avec un adolescent abruti — un esclave qu'il avait racheté et qu'il avait baptisé Pierre —, et un Targui rescapé de la tribu des Dag-Rali, qui l'aidait dans ses travaux. Le vieux Ben Messis savait toutes les légendes qui tenaient lieu d'histoire à son peuple, et était capable de réciter la généalogie de tous les guerriers.

L'emploi du temps de Foucauld était strict ; il ne le modifia pas pour son visiteur. Saganne fut invité à assister, sans poser de questions, à la transcription des poèmes que le père avait rapportés de Tamanrasset.

A midi, Foucauld rangea son crayon et dit :

— Nous avons une heure pour nous nourrir et causer.

Pierre apporta deux parts de galette et une cruche d'eau. Foucauld mangea — ce fut l'affaire de quelques minutes — avant d'entreprendre son hôte :

« Monsieur Saganne, vous allez donc, d'ici à quelques semaines, partir pour l'Adrar sur les traces de l'aménokal Moussa Ag Amastane et de ses tribus. Comme je doute que vous réussissiez à les convaincre rapidement de remonter vers le nord, vous allez passer beaucoup de temps à leur contact. Vous vivrez avec eux. Vous bavarderez avec eux. Vous me rendriez un signalé service si vous vouliez bien, chaque soir, tenir le journal de ce que vous apprendrez : vocabulaire, tournures de phrases, histoires, poèmes, liens de famille...

— Je le ferai volontiers, dit Saganne, mais ma compétence est limitée, et je crains...

— Vous apprendrez vite, coupa Foucauld. Je n'ai pas besoin d'impressions ; j'ai besoin de faits précis, vérifiés, recoupés. Cela demande du soin : les Touareg ne cessent de fabuler. Ils sont vantards comme des enfants mal élevés. Un point serait très utile : que vous fassiez, avec votre ami le médecin Courette, un inventaire des méthodes de soins et d'hygiène. Ben Messis m'a parlé d'une décoction contre la syphilis. Il m'a parlé aussi des projections d'eau dont les jeunes filles, qui vivent comme vous le savez dans la plus complète licence, useraient pour ne pas concevoir. Ce sont des sujets difficiles à aborder pour moi.

Foucauld avait baissé les yeux.

— Comptez sur moi, dit Saganne.

Il avait décidé de ne rien dire au père de son différend avec Wattignies. Ce fut Foucauld qui aborda le sujet :

— Vous avez en Wattignies un chef de valeur, courageux, entreprenant et droit. Cependant, son caractère entier l'aveugle parfois. Ne vous laissez pas rebuter par ses foucades. Wattignies peut commettre de bonne foi des erreurs, et s'y obstiner. Il vous appartiendra d'y veiller, avec diplomatie. Mais la plus grave erreur de Wattignies ne lui est pas imputable. Vous n'y pouvez rien, ni moi non plus, malgré mes efforts. Elle tient à la politique qu'a définie et que fait appliquer notre ami le colonel Dubreuilh : s'appuyer sur les nobles, gouverner à travers les élites. Dans ce pays, les nobles ne savent que razzier, piller, exploiter. Ce sont des parasites, sans utilité sociale, sans loyauté, sans honneur. Ils se rallient à nous quand c'est leur intérêt, et nous abandonnent dès que leur intérêt change. Vous verrez l'aménokal Moussa. Dubreuilh fait grand cas de lui, le traite en ami. Mais soyez sûr, monsieur Saganne, que Moussa retournera ses armes contre nous, un jour ou l'autre, s'il nous sent affaiblis ou s'il estime que notre appui lui est plus nuisible qu'utile. Le sort des populations sur lesquelles il règne, leur bien-être, est le cadet de ses soucis... Pour conquérir ce pays, pour le marquer durablement de notre empreinte, ce n'est pas cette caste de brigands qu'il faut renforcer. Il faudrait la mettre à bas, au contraire, et consacrer tous nos efforts aux pauvres, à ceux qui, depuis des siècles, sont humiliés. Que notre présence soit l'occasion de leur émancipation. Eux seront reconnaissants et fidèles, si notre règne est celui de la justice et de la bonté. A Tamanrasset, comment voulez-vous que les malheureux ksouriens croient en la France, quand ils sont pressurés par le caïd Baba, qui a l'appui de Wattignies !

Saganne se garda d'approuver ou de désapprouver. Il savait que c'était grâce à Dubreuilh, peut-être à son instigation, que Foucauld s'était installé au Hoggar et s'étonnait que deux hommes qu'on disait si proches puissent avoir des conceptions si opposées. Mais, après tout, qu'y avait-il de commun entre Wattignies et lui, entre Courette et Geindroz? Qu'y avait-il de commun entre eux tous, sahariens, sinon leur présence au Sahara?

Au milieu de l'après-midi, deux Chaambas du fort arrivèrent et remirent à Foucauld un message. Foucauld le lut, rédigea aussitôt une réponse et renvoya les hommes. Il ne dit pas à Saganne de quoi il s'agissait, et celui-ci ne le questionna pas. Vers cinq heures Saganne, qui craignait d'importuner Foucauld par un trop long séjour, prit congé.

Quand il arriva à Tamanrasset, la nuit était tombée. En passant devant la case de Sanchez il vit, à la lueur d'une lampe au carbure, Courette et Vulpi penchés sur le menuisier. Il descendit de chameau et les rejoignit. Dans son lit de bois d'éthel, Sanchez râlait. Sa femme était assise dans son coin, le visage inexpressif, attendant l'heure de laver le corps et de l'enterrer, comme, en d'autres temps, elle attendait que les chèvres aient fini de boire.

— Donne-moi une absinthe, Vulpi ; une absinthe, pas du lait, haleta le moribond.

Il but, cracha, rebut. Courette souffla à Saganne :

— Il a vidé presque une bouteille. Il mourra gai, au moins.

Remonté par l'alcool, Sanchez se mit à parler, très vite, très bas, d'une voix d'enroué qui sait que, dans quelques minutes, il sera privé de la parole :

— L'absinthe, ça m'a toujours guéri. Depuis dix ans que j'ai mon rhume, il n'y a que l'absinthe qui m'a donné du mieux. J'avais acheté de la poudre de Cok, j'avais vu une réclame, mais tout ça c'est charlatan et compagnie. Tu sais, Vulpi, ma mère s'est remariée. Elle est riche, maintenant. Elle tient un caboulot sur les Ramblas. Dès qu'on aura un congé, on ira là-bas. On s'installera sur la banquette. On commandera des apéritifs et, quand il faudra payer, je dirai : « Je suis ton fils. Je suis chez moi ici. Il faut me donner à boire et à manger gratis. Je ne veux plus partir. »

Sa tête retomba. Il répéta : « Je ne veux plus partir. Je ne veux plus partir. » Il mourut, les deux mains autour de la gorge, la bouche ouverte sur les derniers lambeaux d'air qu'il avait pu happer.

En sortant de la zériba, la lampe à la main, Courette demanda à Saganne :

— Tu viens de l'Asekrem ? Tu as vu les messagers que j'ai envoyés ?

— J'ai vu deux gars. Mais Foucauld ne m'a pas dit que c'était toi qui les avais envoyés.

— C'était moi. Je lui disais que c'était la fin pour Sanchez et qu'il fallait qu'il vienne... Sais-tu ce qu'il m'a répondu, ton Foucauld ? Tiens, lis.

Il tendit à Saganne la feuille de carnet sur laquelle Foucauld avait écrit : « J'ai déjà vu Sanchez. Il n'y a rien à faire avec lui. Je n'ai pas de temps à perdre. »

Saganne rendit le papier à son ami. Peut-être parce qu'il venait de quitter le père, il se crut obligé de l'excuser :

— Il ne faut pas juger là-dessus.

Courette ricana :

— Je ne juge pas !

Il ajouta :

« Tu sais, Charles, ce dont il faut se garder d'abord, c'est de la tentation de faire le grand homme... Surtout pour nous, ici, avec la " quête de dépassement ", la " mystique du désert ", et tout leur fourbi.

Puis il glissa son bras sous celui du lieutenant :

« Viens, mon Ariégeois. On va boire une absinthe dans ma chambre. Ce sacré Sanchez m'a donné soif. Pas toi?

Ils vidèrent leur verre, assis côte à côte sur le lit de sangle. En face, appuyés contre le mur, il y avait le violoncelle et la carabine, tels que Saganne les avait vus à Djelfa la première fois qu'il avait rencontré son ami.

« Sais-tu ce qui me ferait plaisir? demanda Courette.

— Dis-le.

— Que tu m'écoutes jouer.

Ils s'installèrent sur la terrasse, sous le ciel, Courette posé au bord d'une chaise, son instrument entre les jambes, Saganne par terre, le dos calé dans un angle de la balustrade, les genoux entre les bras.

Courette plaça l'archet. Les premières mesures résonnèrent, fortes, inattendues. Il n'était pas un virtuose. Il s'appliquait, faisait un sort à chaque note. Saganne fut ému, moins par la musique que par ce qu'il y avait de têtu dans cet égrènement de sons.

Dans le silence revenu — et c'était le silence qui était maintenant étrange : le silence, la nuit du désert, et ce décor du bout du monde —, Saganne dit à son ami qu'il l'enviait.

« De quoi?

— De jouer du violoncelle. Plus exactement, d'être capable de donner un morceau d'un bout à l'autre. Oui, c'est ça. J'envie la satisfaction que tu dois éprouver à accomplir quelque chose de complet, de bouclé, quelque chose qui échappe aux contingences.

— Ce qui est satisfaisant, ça n'est pas de tout jouer, c'est de jouer bien, ne serait-ce que quelques mesures.

— Il n'y a que l'art qui permet ça, non? reprit Saganne qui suivait son idée : un morceau de musique, un tableau, un livre. Dans la vie, rien n'est jamais bouclé. Les circonstances, les décisions, les hasards, les actes s'enchaînent. Ça forme une trame, bien sûr, mais dont les fils restent en l'air.

Sautant du coq à l'âne, il demanda :

« Te souviens-tu de Madeleine de Sainte-Ilette, à Djelfa?

— Bien sûr, dit Courette : mademoiselle Madeleine et sa sœur Jeanne, la très pieuse. Pourquoi ? Tu es amoureux ?

— Je ne crois pas, dit Saganne. D'ailleurs, je me demande si l'amour est une chose aussi belle qu'on le dit... Peut-être que l'amour c'est pour les idiots ?

Courette donna un violent coup d'archet :

— Tu es superbe, épatant, mais tu n'as pas de cœur... Laisse-moi dormir... Ou, plutôt, non, allons boire encore une absinthe.

Dans la chambre, il regarda son réveil, et s'exclama :

« Sanchez doit être raide, maintenant.

CHAPITRE V

Deux mois et demi plus tard, le 8 mars 1912, vers quinze heures, la colonne du capitaine Wattignies atteignait le campement des Hoggar. Dispersés sur l'immensité du plateau, des centaines de chameaux pacageaient le had vert, pattes de devant écartées. Les ânes restaient immobiles, sans manger, chacun à sa place sous le soleil, comme anesthésiés par l'odeur de fumée qui flottait sur le camp. En revanche, les chèvres, museau en avant, ne cessaient d'aller et de venir, d'un trottinement pressé, balançant leurs pis noirs que les chevreaux tentaient de happer. Leurs bêlements ininterrompus ébranlaient l'air. Entre les tentes et dans les enclos de branches et d'épines qui servaient de cour, le sol était jonché de détritus. Epluchures, crottins, étrons, tout était sec, enrobé de poussière. Accroupies devant leurs misérables foyers, entourées d'enfants nus qui ne cherchaient même pas à chasser les mouches agglutinées autour de leurs yeux, les femmes avaient l'air de mendiantes. Mais, dès qu'elles se levaient et se mettaient à marcher, à longues et lentes foulées, elles se métamorphosaient en autant de reines de Saba. Leurs voiles, noirs ou bleu électrique, ondulaient à partir des épaules comme des manteaux de cour.

Depuis que les Français avaient quitté le puits de Tin-Rarsh, à cinq jours au nord, les guetteurs touareg tenaient leur suzerain informé de leur progression. Quand Wattignies, Saganne, Courette et Geindroz mirent pied à terre, Akamouk, l'homme de confiance de Moussa, les attendait. Il les conduisit à l'aménokal.

Moussa était assis sous sa tente de parade, entouré des chefs des tribus nobles : une dizaine de loups rigides et dédaigneux. Tous avaient la figure étroitement voilée par le litham. Dans la tente, pas un meuble, pas un objet décoré ou peint, sauf une théière à long bec et des verres posés sur un plateau de cuivre. Les tapis chargés de crasse, les cuirs de la tente grossièrement tannés et cousus à grands points, tout témoignait du dénuement et d'un mépris radical pour le confort. Seuls les bijoux, les costumes et les armes — ce qui touche directement à la personne — donnaient l'impression d'une recherche.

L'unique visage découvert était celui d'une femme. Elle siégeait à la droite de Moussa, légèrement en retrait. Un collier d'or pendait sur sa poitrine. Wattignies souffla à Saganne :

— C'est la fameuse Dassine. Foucauld vous en a parlé, non ?

Cette grande dame dont la beauté et les talents de poétesse étaient, depuis plus de vingt ans, loués dans tout le monde targui était, pour l'heure, une quinquagénaire au faciès aplati, qui ruminait sa chique.

L'un après l'autre, les officiers s'inclinèrent devant Moussa et, à la mode targuie, frottèrent leur main contre celle qu'il tendait. Puis ils prirent place sur les tapis. La cérémonie des salutations et des échanges de vœux commença. Elle aurait dû, selon la règle, se prolonger longtemps. Mais Moussa n'avait pas le goût des solennités. Il allait droit au fait comme un Européen, sauf à utiliser en maître la palabre interminable et toujours indécise, quand il le jugeait utile. Il fit lever l'homme assis à sa gauche et indiqua à Wattignies de prendre sa place. Ils entamèrent une conversation à voix basse. Dassine tendait l'oreille.

Au contraire de ses guerriers, Moussa n'avait aucune prestance. Il était court de membres, gras du ventre ; ce qu'il laissait voir de sa figure trahissait le sang nègre.

De naissance, Moussa, fils d'une esclave, n'aurait jamais dû, dans une société où la fortune et le pouvoir se transmettent par les femmes, hériter du tobol — ce tambour symbole du pouvoir. Pour s'en emparer, il avait dû évincer son cousin Attici. Il y avait réussi en acquérant, très jeune, une réputation extraordinaire de bravoure physique, de loyauté, d'intelligence. Peu à peu, il avait rallié tous ceux que les maladresses ou la couardise de l'aménokal en titre mécontentaient.

Lorsque les Français avaient pénétré au Hoggar, la puissance de Moussa contrebalançait déjà celle d'Attici. Il avait compris très vite que — à vue d'homme — les nouveaux occupants ne partiraient pas : il avait joué la carte française. Harcelé par les guerriers de Moussa et par les méharistes chaambas de Dubreuilh, Attici avait fui, assez piteusement, vers la Tripolitaine. Moussa avait alors pris le tobol et le titre d'aménokal.

Au début de la conversation entre l'aménokal et Wattignies, les guerriers demeurèrent impassibles. Cette façade ne tint pas :

quelques-uns, las d'être assis, s'allongèrent ; d'autres sortirent leur couteau pour se gratter les pieds. Ils avaient des bras musculeux, cerclés de bracelets ; la teinture de leurs vêtements assombrissait leur peau : c'était leur coquetterie que d'être bleus. Bientôt fusèrent les propos facétieux, les rires. Enfin, l'un des plus jeunes, un géant sec dont les cheveux pointaient en touffes sur le crâne, vint se planter devant Saganne et lui demanda :

— Comment tu t'appelles, toi?

— Lieutenant Saganne.

— Eh bien ! Saganne, donne-moi du tabac. Moi, je suis Takarit, le chef des Taïtok.

Le lieutenant sortit sa blague à tabac. L'homme la lui prit des mains et, repoussant la poignée de son sabre, la fit disparaître dans son vêtement. Hilare de satisfaction, il dit à Saganne :

« Viens, je vais te montrer ma femme.

Il marchait lentement, les jambes très écartées, pour marquer son chic, à la façon targuie. Son épouse, une tour de graisse, somnolait devant une case de branchages en compagnie d'une vieille esclave noire. Takarit énuméra ses qualités :

« Elle est la fille de la sœur de Moussa. Si elle a un fils, il aura le tobol après Moussa. On m'honorera et on me fera beaucoup de cadeaux par ce que je serai le père de l'aménokal. Elle mange beaucoup de beurre. Quand je la prends, il faut deux négresses pour lui lever les jambes.

La femme l'interrompit, en tamahek.

— Que dit-elle? demanda Saganne.

— Elle dit : le Français me donne du tissu, des aiguilles, des colliers et du médicament. A moi, tu donnes du sel, du grain, du macaroni, des cartouches. Tout ce que tu as, c'est bon.

Saganne éclata de rire. Ce rire, loin de vexer Takarit, l'enchanta. Plus tard, le lieutenant apprit de son nouvel ami que les Touareg classaient les gens en « rieurs » et « non-rieurs ». Ces derniers ne méritaient ni confiance, ni estime.

Embarek, qui ne perdait jamais son lieutenant de vue et qui jouait volontiers les mentors, vint lui dire :

— Attention, mon lieutenant ! Si tu commences comme ça à écouter les histoires de ces bandits et à leur faire des cadeaux, tu es foutu. Chez les Touareg, c'est les plus faibles qui font des cadeaux aux plus forts.

Le soir, Moussa offrit aux officiers un dîner de chevreaux, rôtis sur de grands feux. On but du lait de chamelle et de la limonade. Les nègres dansèrent au son des cymbales ; les jeunes filles touareg jouèrent de l'amzad, petit violon à une corde. Courette, à son tour, fit grincer son violoncelle au milieu d'un cercle de femmes et de guerriers. Dassine baptisa l'instrument « le grand-père de tous les amzads ». Puis Courette proposa une course d'ânes à travers les tentes. L'idée plut aux Touareg, toujours prêts à jouer, même les plus rassis. Mais Wattignies coupa court. Il n'aimait pas les initiatives qui ne venaient pas de lui, et ce qu'il appelait les « gamineries » de Courette l'agaçait.

— Prenons congé ; j'ai à vous parler, dit-il aux trois officiers.

Il les réunit dans sa tente. Assis derrière sa table, éclairé par la lampe à pétrole, il exposa sèchement, en chef, la situation telle qu'elle ressortait de sa conversation avec l'aménokal. Moussa avait reçu les courriers par lesquels Dubreuilh lui demandait de faire remonter ses hommes vers le nord ; il jurait ses grands dieux que, depuis lors, il avait déployé tous ses efforts pour les convaincre. S'il n'avait pas répondu au colonel, c'était par crainte que ce dernier ne se méprenne sur ses intentions et pour ne pas avouer qu'il était incapable d'imposer sa volonté aux siens. En effet, les chefs de tribus marquaient la plus grande répugnance à quitter l'Adrar. Les pâturages y étaient bons : pourquoi les abandonner, alors que l'on savait que la sécheresse persistait dans le Hoggar. Ensuite, Moussa avait laissé entendre que ses braves, et peut-être lui-même, n'étaient guère soulevés d'enthousiasme à la perspective d'aller combattre les Ajjer, comme le souhaitait Dubreuilh. « Tu comprends, avait-il dit au capitaine, le colonel nous promet de nous laisser tous les chameaux et tout le butin qu'on prendra aux Ajjer. Mais ce butin et ces chameaux, c'est nous qui nous battrons pour les avoir. Est-il juste de dire à un homme : je te donne cette montre ; va la chercher ? »

« Sur ce point, je ne lui donne pas tort, dit Wattignies.

Après cette petite pique contre Dubreuilh, il se garda de dire que la principale raison que lui avait donnée Moussa pour expliquer la répugnance de ses hommes à regagner Tamanrasset était le souvenir odieux qu'ils gardaient des amendes et des corvées dont les avait accablés le commandant Aubagnier. Il conclut :

« Moussa mesure le danger qu'il y aurait pour lui à résister longtemps à nos instructions. Mais il est clair qu'il ne mettra tout son poids dans la balance que lorsqu'il aura l'assurance que ses chefs de tribu seront prêts à le suivre. Notre tâche est donc de convaincre dans un minimum de temps le maximum de Touareg qu'il faut rentrer vers Tamanrasset. N'oubliez pas les femmes et les enfants : Dieu sait pourquoi, leur avis compte beaucoup ici.

Apprivoiser, séduire, persuader : au soleil levant, Wattignies s'installait dans un vallon, à quelque distance du campement, à l'ombre d'un grand éthel. L'un après l'autre, les guerriers venaient s'accroupir près de lui pour des conversations qui duraient parfois la journée entière. A la fin, le capitaine notait quelques chiffres dans son carnet. On se frottait la main. On échangeait des plaisanteries et des éclats de rire. Saganne admirait la façon dont Wattignies, si froid, savait forcer sa nature sans qu'il y parût. Cet homme, qui lui avait semblé au premier abord tout d'une pièce : un officier catholique, entêté, emporté, se révélait, au fur et à mesure qu'il le connaissait mieux, beaucoup moins simple. Rien de ce qu'il faisait ou disait, même dans les moments de détente, au cours des conversations amicales, n'était gratuit. Il se tenait en main sans relâche. Saganne éprouvait pour lui une sorte de pitié, de celle, amusée et qu'on garde pour soi, que provoquent des hommes trop petits pour le personnage qu'ils se sont assigné.

Un soir, Saganne lui demanda :

— Peut-on savoir, mon capitaine, ce que vous racontent les Touareg, sous l'éthel, et ce que vous leur racontez?

— Occupons-nous donc chacun de nos affaires, mon cher, et tout ira bien, répondit Wattignies sans lever les yeux.

Il nettoyait sa pipe avec le bout de l'ongle puis essuyait la saleté contre son saroual, avec la complaisance rêveuse des enfants qui se curent le nez. Saganne n'insista pas. Il s'était fait une règle de ne pas répondre aux provocations du capitaine. C'est par Moussa qu'il apprit la vérité. L'aménokal, vite informé que ce jeune lieutenant était dans les bonnes grâces du colonel Dubreuilh, le traitait avec une déférence marquée. Moitié pour le flatter, moitié pour se distraire, il envoyait Akamouk quérir Saganne et le comblait de thé, de galette et des récits de ses faits d'armes. Il parlait tamahek, traduisant en arabe les mots que Saganne ne comprenait pas malgré ses rapides progrès dans la langue targuie. Mais c'est en français qu'il lui dit un jour :

— Le capitaine, il est drôle. Il dit au guerrier : « Combien d'amendes tu as payées ? Combien de chameaux on t'a réquisitionnés ? Je l'écris sur la feuille et, quand tu seras revenu à Tamanrasset, je te rendrai tout. » Qui oublie que, quand le commandant Aubagnier il a mis les amendes et pris les chameaux, c'était lui, le capitaine, qui commandait avec le commandant Aubagnier ?

Et le gros homme de rire en se frappant la panse, guettant du coin de l'œil l'effet de ses paroles. Saganne demeura imperturbable, mais ne crut pas utile d'aller avertir Wattignies que ses ficelles étaient un peu grosses.

Depuis qu'il était arrivé au camp des Hoggar, Courette rayonnait. Saganne et lui faisaient tente commune et passaient de longs moments chaque soir à s'informer de ce qu'ils avaient appris et à le noter.

— Toi, tu travailles pour Foucauld, disait Courette, mais moi, je travaille pour moi. Quand je rentrerai en France, j'écrirai un livre où je raconterai les choses comme elles sont, et non comme les professeurs de morale et d'énergie nationale voudraient qu'elles soient. Je raconterai Sanchez et Foucauld, Aubagnier, Wattignies avec sa grande barbe et sa petite âme. Je raconterai Geindroz : les aventures du puceau roux ou comment réussir à ne pas retrouver la foi et à ne pas perdre sa virginité dans le Sahara français... Et je parlerai de toi, aussi. Mais, de toi, je dirai du bien, d'abord parce que tu es mon ami, et surtout parce que, de nous tous, tu es le seul à paraître à ton aise au désert. Je veux dire qu'on n'éprouve pas le besoin de trouver des justifications à ta présence ici. Le désert, c'est ton domaine naturel. Mais peut-être que le monde entier est ton domaine naturel. Tu vois, on a l'impression, quand on vit avec toi, que les combats que chacun de nous livre contre ses misères, tu les as livrés et gagnés avant de venir au monde...

Saganne l'interrompit :

— Tu dis n'importe quoi...

Les armes de Courette pour apprivoiser les Touareg étaient les médicaments, le violoncelle et la bonne humeur. Sa tente-infirmerie était envahie en permanence d'enfants à gros ventre, tanguant sur leurs jambes grêles, et de femmes dolentes. Les godelureaux et leurs belles en avaient fait leur lieu de rendez-vous : on y parlait chiffons, teintures, coiffures, bijoux. Le soir, on y tenait des séances d'« ahal », veillées de poésie et de musique que des voyageurs, sans doute aveugles et sourds, avaient comparées aux cours d'amour du Moyen Age courtois. En réalité, ce qui rassemblait les garçons et les filles couchés dans l'ombre les uns contre les autres n'avait rien d'éthéré. Quand un couple quittait la tente, la déclamation de poèmes faisait place à des échanges de plaisanteries d'une franche obscénité.

Harcelé par les vieilles quémandeuses, bousculé par les garçons qui le défiaient à la lutte, suivi par une meute d'enfants qui pissaient partout et chipaient tout ce qui était à portée, Courette, toujours débordé, jamais obéi, prêt à toutes les farces et hurlant de rire le premier quand il s'apercevait qu'il en avait été le dindon, n'inspirait aucun respect et plaisait par cela même. Il avait abandonné l'uniforme pour une tenue targuie prêtée par un des jeunes lions de la tribu des Kel-Rehla. Un soir, alors qu'ils s'apprêtaient à dîner, Wattignies, Saganne et Geindroz le virent surgir accompagné de sa cour. Juché sur le dos d'un chameau, il jouait du violoncelle. Il cria à Saganne :

— Ça y est, mon cher, j'ai réalisé mon rêve ! Maintenant, je peux mourir !

Le campement des Chaambas avait été établi à bonne distance de celui des Touareg pour éviter les heurts. Wattignies avait chargé Geindroz de prévenir les incidents. Comme c'était autour des puits et à propos de pâturages que les risques de différends étaient les plus grands, le sous-lieutenant passait l'essentiel de son temps à y accompagner les hommes. Il ne mesurait pas sa peine, semblait éprouver un sombre plaisir à s'éreinter en courant d'un point à l'autre. Il avait toujours peur qu'un accrochage n'eût lieu en son absence, qu'il ne saurait pas dominer. Plus maigre chaque jour, il était pathétique. Wattignies le traitait avec une bienveillance doucereuse qui humiliait le jeune homme sans qu'il osât protester.

Saganne le fascinait. Après le repas du soir, lorsque les quatre officiers étaient réunis sur le sable autour d'un feu, il couvait le lieutenant d'un regard brûlant.

« Il t'aime, disait Courette à Saganne. Il t'aime d'amour. Il donnerait un de ses bras pour te ressembler. Sois donc aimable avec lui !

— Que veux-tu que je fasse ? répondait Saganne. Chaque fois que je m'adresse à lui sur un ton un peu personnel, j'ai l'impression qu'il va me faire une confession complète, se répandre d'un coup tout entier. C'est très désagréable !

En dépit des efforts de Geindroz, une bagarre eut lieu une nuit entre Chaambas et Touareg. Les Français n'en auraient rien su si une vieille femme, l'une des fidèles patientes de Courette, n'avait été quérir le médecin : son fils gisait dans sa tente, l'épaule profondément entaillée, la clavicule brisée. C'était le cousin de Takarit, le plus jeune guerrier de la tribu taïtok. Il accepta les soins mais ne répondit pas aux questions de Courette. C'est par sa mère que le médecin apprit que la blessure avait été faite par un soldat chaamba. Mais la vieille ne lâcha pas un mot sur les causes de la rixe. Du côté des Chaambas, les gradés déclarèrent tout ignorer. Sur ordre de Wattignies, les choses en restèrent là.

Presque chaque jour, à l'heure de la sieste, Takarit entrait dans la tente de Saganne et, après un salut distrait, tripotait longuement la lampe, la boussole, les livres. Bien que cela lui coûtât, il ne quémandait plus : à sa première visite, Saganne lui avait offert un couteau et lui avait déclaré qu'il ne donnerait plus rien. Ayant satisfait sa curiosité, Takarit s'asseyait pour se livrer à sa seconde passion : le bavardage. La tribu taïtok dont il était le chef, très réduite en nombre, mais riche, avait longtemps vécu sans lien ni avec la confédération des Hoggar, ni avec celle des Ajjer. Il prétendait, pour lui et les siens, à la plus ancienne noblesse. Bien que Moussa l'eût comblé de faveurs pour se l'attacher — il l'avait emmené avec lui en France lors du voyage qu'avait organisé Dubreuilh ; il lui avait fait épouser sa nièce —, Takarit aimait faire sentir que son allégeance à l'aménokal n'était ni totale, ni définitive : « Si le méhari de Moussa marche sur ma piste, je le suis ; si le méhari de Moussa prend une autre piste, je continue sur la mienne. »

En France, deux choses l'avaient ébahi : l'absence de chameaux (il répétait, avec de grands rires incrédules : « Pense donc, un pays sans chameaux ! »), et l'abondance de l'herbe :

— Pourquoi êtes-vous venus ici où il n'y a que des cailloux, alors que vous avez tout ce vert là-bas ? disait-il. Qu'est-ce que vous avez fait ?

Ce « qu'est-ce que vous avez fait ? » n'était pas une exclamation oiseuse. C'était une vraie question. Takarit s'était mis dans la tête que si les Français avaient quitté leurs pâturages pour venir au « pays de la soif », ça ne pouvait être qu'en expiation d'un crime. Quand il eut compris la pensée du Targui, Saganne ne la trouva, à la réflexion, pas si sotte. N'était-ce pas pour compenser la honte de Sedan que l'on s'était lancé sur l'Afrique et l'Asie? Et la soif de sacrifice et de gloire qui animait les conquérants de l'Empire n'était-elle pas une réplique à la frivolité et à l'esprit de lucre qui avaient conduit leurs pères au désastre? A partir de là, pour la première fois, Saganne pensa explicitement que, s'il était celui qu'il était, c'était moins pour poursuivre l'ascension sociale qu'avait amorcée son père, que pour racheter les écarts du vieux farceur. Cette idée lui plut. Elle expliquait à ses propres yeux qu'il ait placé au premier rang des vertus la discipline, le respect de l'ordre et de certaines valeurs morales un peu courtes, qui faisaient sa force mais dont il pressentait qu'il ne se contenterait pas toujours. En tout cas, Takarit avait raison : il était au Sahara pour souffrir. Ce n'était pas aux honneurs qu'il aspirait, c'était aux épreuves.

Un après-midi, Takarit ne se présenta pas à la tente de Saganne. Le lendemain, il ne vint pas non plus. Saganne y prêta d'autant moins attention que, depuis deux jours, il s'inquiétait de l'absence de deux soldats chaambas. D'après Geindroz, ils étaient partis à pied, sans vivres, pour une chasse au mouflon qui n'aurait pas dû les retenir plus d'une journée. Le matin du troisième jour, Saganne partit à leur recherche avec une patrouille de cinq méharistes et deux pisteurs touareg que Moussa avait tenu à mettre à sa disposition. Il avait maintenant l'expérience des hommes et du pays. Il ne lui fallut pas plus de quatre heures de marche pour se rendre compte que les pisteurs, qui précédaient la patrouille d'un kilomètre environ, les entraînaient au hasard. Il les rappela, et mit en avant Embarek. Embarek n'était pas pisteur : il n'avait pas le don divinatoire de certains de ses coreligionnaires pour vous mener, apparemment sans indices, droit au but. A cinq heures de l'après-midi, on n'avait rien trouvé. Saganne allait donner l'ordre de rentrer au camp lorsque Embarek, très excité, vint lui signaler des laissées de chameaux.

— On suit, mon lieutenant?

— Vas-y, dit Saganne.

A six heures, ils arrivèrent dans le lit d'un oued. Ils découvrirent les deux Chaambas à trois kilomètres en amont, au pied d'un rocher rouge : ils étaient épinglés dans le sable, côte à côte, une lance dans le dos. On les avait dépouillés de leur fusil, de leurs munitions et de la sacoche de cuir où ils mettaient leur argent et leur tabac. Embarek cracha par terre :

— Ça, c'est des Touareg qui l'ont fait. Des chiens fourbes qui viennent par-derrière.

En s'approchant, Saganne reconnut, aux inscriptions qu'elles portaient, des lances taïtok.

Dès son retour au camp, il se rendit chez Wattignies. L'ordonnance lui dit que le capitaine était chez l'aménokal. Saganne y courut. Moussa et Wattignies étaient assis sous la lumière de la lune. Derrière eux, Akamouk, Dassine et quelques hommes se tenaient debout.

— Puis-je vous dire un mot, mon capitaine?

Wattignies vint à lui. Le lieutenant l'informa de sa découverte.

— Eh bien, moi, j'ai découvert autre chose, dit Wattignies. Votre ami Takarit, dont vous faisiez si grand cas, et tous ses guerriers ont levé le camp depuis au moins hier matin. De la tribu taïtok, il ne reste que deux vieillards, les femmes et les enfants. Ils ont même emmené le gars blessé à l'épaule. Moussa essaie de me persuader depuis une heure qu'il n'est pas au courant, qu'il ne faut pas se soucier des allées et venues de Takarit qui, d'après lui, a toujours été un peu fou.

Il toisa Saganne :

« C'est vous qui aviez le contrôle de Takarit, non? Enfin, venez avec moi. Maintenant que le mal est fait, il faut tirer la vérité à ce vieux singe.

L'aménokal observait les officiers en s'éventant avec son voile. Il salua Saganne d'un plissement de paupières.

« Moussa Ag Amastane, dit Wattignies, le lieutenant Saganne a trouvé mes deux Chaambas tués à coups de lance. Comment expliquez-vous ça?

Au lieu de répondre, Moussa, sans se retourner, fit, par-dessus son épaule, un signe avec son doigt. Akamouk vint se pencher à son oreille. Quand Akamouk se retira, Dassine vint prendre sa place. Moussa la mit au courant en quelques phrases. Après quoi il l'écouta attentivement. Quand Dassine se fut effacée à son tour, Moussa tourna son regard vers les Français :

— Mon capitaine, la vérité seule est vraie. Mais celui qui ne connaît pas la vérité, que peut-il dire à son ami?

— Il peut lui faire part de ses suppositions, répliqua Wattignies.

Moussa se recueillit un instant, puis reprit d'une voix lointaine :

— Mon capitaine, si des hommes avaient blessé ton frère par traîtrise, tu aurais cherché à venger ton frère, n'est-ce pas? Pour le

venger tu aurais pu, par exemple, suivre les traîtres quand ils par-
taient à la chasse au mouflon et les attaquer. Ton frère vengé, tu
serais revenu dans ta tribu pour y chercher protection, comme c'est
naturel. Si, dans cette circonstance, tu avais été le chef de la tribu,
qu'aurais-tu fait? Tu aurais dit à l'homme : « Tu as eu raison de
venger ton frère, mais maintenant tous les amis de ceux que tu as
tués vont se retourner contre toi. » Et tu aurais dit à tes guerriers :
« Laissons nos femmes et nos enfants à la garde de ceux de notre
race, et éloignons-nous pour ne pas provoquer une guerre. »

L'aménokal s'interrompit, leva sur Wattignies un regard mali-
cieux :

« Tu as compris, mon capitaine?

— Moussa Ag Amastane, je vous remercie, dit Wattignies. J'ai
parfaitement compris. A mon tour, je vous demande de comprendre
qu'il m'est impossible de laisser fuir impunément le guerrier taïtok
qui a tué deux de mes soldats, même s'il a agi pour venger son frère.
Mais je n'ai aucune raison de vouloir du mal aux autres guerriers
de la tribu, et surtout pas à son chef, Takarit, que le lieutenant
Saganne et moi connaissons bien et apprécions. Je vous suggère,
pour régler cet incident, d'envoyer vos propres émissaires auprès de
Takarit. Ils lui diront que, s'il revient, l'homme qui a tué les deux
Chaambas sera jugé équitablement, mais que lui-même et les autres
guerriers de sa tribu n'auront rien à redouter. Je laisserai passer
trois jours. Si, dans trois jours, Takarit et ses guerriers ne sont pas
revenus, le lieutenant Saganne partira à leur poursuite... Je vous
souhaite une bonne nuit, Moussa Ag Amastane.

Wattignies et Saganne se levèrent. L'aménokal, après avoir
appelé sur eux la protection de Dieu, les regarda s'éloigner sans
bouger.

« Commencez vos préparatifs demain matin, dit Wattignies à
Saganne ; quinze hommes, un mois de vivres. Vous emmènerez
Geindroz ; ça le débrouillera.

— Pourquoi leur laisser trois jours d'avance? demanda Saganne.
Vous savez bien que Moussa n'enverra personne.

— Ce sont des hommes de Moussa. Je suis obligé de ménager son
autorité. Ces trois jours de délai lui permettront de présenter sa
version des choses et de persuader les siens qu'il ne les a pas trahis.
C'est comme ça qu'il l'a compris... Quant à vous, je vous souhaite
de retrouver le plus vite possible vos zèbres. Je vais être obligé de
faire un rapport à Dubreuilh, et il ne sera pas content. Parce que,

maintenant que la tribu taïtok a levé le pied, pour convaincre les autres de remonter à Tamanrasset, c'est flambé ! J'espère que vous vous en rendez compte.

Le soir, dans leur tente, Courette dit à Saganne :

— Trois jours de délai pour ménager l'autorité de Moussa, tu parles ! C'est pour être sûr que tu ne retrouveras pas les Taïtok, voilà tout ! Wattignies ne souhaite qu'une chose, mon vieux : ton échec. Ou, plutôt, il y a une chose qu'il souhaite encore plus, c'est l'échec du plan de Dubreuilh, et que ce soit toi qui en portes la responsabilité. Il est ravi, n'en doute pas, que ton ami Takarit soit parti.

— Je veux bien admettre qu'il ne serait pas mécontent de me voir faire chou blanc pour ma première mission, dit Saganne. Mais qu'il veuille saboter le plan de Dubreuilh, là tu exagères !

— Que nenni, dit Courette, que nenni ! Wattignies n'a pas digéré l'affaire Aubagnier. Il fera tout pour se venger.

— Eh bien, si tu as raison, il en sera pour ses frais. Car je vais lui ramener ses Taïtok, même si je dois écumer le désert pendant six mois !

CHAPITRE VI

Extrait d'une lettre du lieutenant Saganne à son frère Lucien :

Sounfat, le 1ᵉʳ avril 1912.

Sounfat veut dire « repos » en tamahek. Ce joli nom est celui d'un puits où nous sommes campés depuis une demi-heure.

J'ai quitté les tentes des Hoggar le 28 mars, avec quinze Chaambas. Nous avons marché neuf heures le 28, treize heures le 29, dix heures le 30, quatorze le 31 et treize heures aujourd'hui. Que ceux qui trouvent que le méhari n'est pas fatigant viennent un peu voir ici!

Le groupe que nous poursuivons a trois jours d'avance. Pas question de traîner. Surtout qu'ils semblent se diriger droit vers l'erg Chèch. S'ils l'atteignent avant que nous ne les rejoignions, ils nous échapperont. L'erg Chèch est un océan de dunes, cinq cents kilomètres sans puits, ou presque. Aucun Européen n'y a pénétré. Aucun de mes Chaambas n'y a été. M'y engager dans ces conditions serait aller au-delà de la témérité. Mais parfois, contre toute raison, ça me tente. On verra...

Nous avons emporté un mois de vivres par homme et deux cents kilos de dattes pour les chameaux, cadeau de l'aménokal. C'est une nourriture échauffante qui les engourdit ou les rend à demi fous. Hier ma chamelle « Djahar » — la perle —, si docile à l'ordinaire, s'est emballée : elle gambadait comme une pouliche ; j'ai failli prendre une très mauvaise tape. Pour calmer ma bête, Embarek, maître en chameaux, lui a introduit une grosse pincée de tabac dans chaque œil : c'est radical. Les indigènes s'en servent aussi pour une boiterie, une constipation, une colique. Le tabac est bon dans tous les cas, souviens-t'en!

Le temps est très lourd et chaud. En France, il tomberait des hallebardes ; ici, nous avons eu des étincelles électriques gigantesques qui illuminaient l'obscurité, mais à peine quelques gouttes de pluie. Le vent a arraché deux fois de suite ma tente, la nuit passée.

J'ai un détachement de lapins très sympathiques, qui ne me donnent que des satisfactions. Avant-hier, après quatorze heures d'étape, ils ont travaillé de nuit plus de six heures pour enlever toutes les pierres du coffrage écroulé qui obstruaient le puits. Après ça, ils ont tiré de l'eau pendant tout le reste de la nuit pour abreuver trente-deux chameaux assoiffés qui absorbent soixante-dix à quatre-vingts litres chacun. Le lendemain, tout le monde avait le sourire.

Pendant l'étape, ils chantent. L'un d'eux improvise des couplets, et tous reprennent en chœur le refrain : « Nous avons quitté In-Salah, l'oasis aux mille palmiers. Le lieutenant marche avec nous. La route est dure. Chaque jour nous éloigne un peu plus de notre maison. Quand nous reviendrons à In-Salah, on nous fera une grande fête. Nous boirons le thé sucré, couchés sur des matelas. Et nous mangerons du poulet, des œufs, du potage au vermicelle, des tomates, du piment, du couscous... » L'énumération de la nourriture tient une dizaine de strophes.

J'ai très bonne opinion d'eux et nulle inquiétude au cas où les balles se mettraient à siffler. Au demeurant, il n'est question pour l'instant ni de balles ni de poudre. C'est une mission de gendarmerie que je remplis.

Pour guide, nous avons Baba Ould Abidin, fils du vieux pillard Abidin qui bat l'estrade depuis dix ans avec ses bandes entre l'Afrique occidentale française, la Mauritanie et le Tafilalet. Il a maudit son fils, au dire de ce dernier, pour une cause que je n'ai pas réussi à élucider, et celui-ci est venu demander l'aman à Tamanrasset six mois avant mon arrivée. Notre Baba est un marabout de trente-cinq ans, au profil en lame de couteau. Jusqu'à présent il a été correct mais je n'ai qu'une confiance limitée dans ses protestations de fidélité éternelle (il nous avait quand même tué pas mal de monde). J'ai confié sa précieuse personne à mon fidèle Embarek : son revolver est chargé à six coups et ne ratera pas Baba si celui-ci flanche.

J'ai repris l'accoutrement du saharien nomade, et tu rirais en me voyant enveloppé dans mes voiles. Notre popote est bien organisée : nous avons en abondance du riz, des pâtes, et du Maggi, cette providence du saharien.

Mon sous-lieutenant Geindroz manque un peu d'entrain. Mais c'est un garçon plein de zèle qui, physiquement, résiste, ce qui est le principal. Il fait bien son service et, après tout, je n'ai rien d'autre à exiger de lui. Tout de même, il y a des soirs où je préférerais la compagnie de quelqu'un de plus allant...

Extrait d'une lettre du lieutenant Saganne à M. Augustin
Saganne, hôpital de Nossi-Bé, Madagascar :

Tin Tinaï, le 13 avril 1912.

Nemchou l Allah : *Marchons à la grâce de Dieu! C'est ce que
je crie chaque matin en partant à la tête de mes hommes.*

*Je profite de la rencontre inattendue d'une petite caravane amie
pour t'écrire. Ces braves gens remontent du sel des salines du Taou-
deni vers le Touat. Quand arriveront-ils? Recevras-tu cette lettre?
Il y a entre nous tant de distance! J'ai l'impression de jeter une
bouteille à la mer.*

*Je fais une promenade intéressante, bien que toute idée de flânerie
en soit exclue, dans une région où, à ma connaissance, nul Européen
n'était encore venu. C'est mieux que de faire des papiers à Tamanrasset!*

*Hier j'ai tué une gazelle. Elle n'avait jamais vu d'homme, et
s'est laissé approcher sans broncher. Chaque fois que nous tuons
des gazelles, les Chaambas font deux parts de la viande : l'une
qu'ils dévorent sur-le-champ, l'autre qu'ils découpent en fines
lamelles et qu'ils accrochent à leur selle. Ça prend en séchant des
teintes vertes et violettes, mais c'est bien bon tout de même.*

*Tandis que j'écris, j'aperçois devant moi notre guide qui casse
avec une pierre les petits os de la gazelle pour en manger la moelle :
les hommes du désert ne laissent rien perdre. Où un Européen ne
voit que du sable et des rochers, ils trouvent toujours des racines
enfouies pour faire un feu et, pour manger, un lézard, un os, quelques
graines.*

*Nous marchons depuis dix-sept jours. Après avoir traversé pen-
dant cinq jours un sale bled désolé, sans eau et sans végétation,
des cailloux noirs à perte de vue — ce que j'ai vu de mieux dans le
genre —, mon guide nous a fait découvrir une source et un excellent
pâturage. Nous sommes campés dans le lit d'un oued splendide;
il y a de grands arbres : des talhas épineux pleins de fleurs qui embau-
ment. Les chameaux s'en régalent. Malgré ma hâte d'atteindre
ceux que nous poursuivons, j'ai dû ordonner une halte d'un jour
pour que nos montures, très éprouvées, se refassent. Que le nom
d'Allah soit exalté, qui m'a envoyé cette inspiration! Si nous étions
repartis ce matin, nous aurions manqué la caravane, et je n'aurais
pu t'écrire.*

Ne te soucie pas pour moi. Ma santé et mon moral sont excellents. J'ai pu me laver à la source tout à l'heure. Se laver! Tu n'imagines pas quel réconfort cela peut être ici. Ces moments comptent parmi les meilleurs que j'ai vécus. Cette fois, c'est le vrai désert, pas celui que les Anglais vont voir à Biskra. Et je suis seul responsable.

La vie active, personnelle et utile du saharien m'a entièrement pris. Que de lieutenants en France envieraient mon sort s'ils le connaissaient! On est quand même mieux ici que dans une garnison à attendre la Revanche l'arme au pied! Je ne regrette pas d'avoir abandonné les chasseurs alpins. Ah! bigre non, je ne le regrette pas!

Le 15 avril, après dix-neuf jours de poursuite, la colonne Saganne n'a toujours pas rejoint le groupe de Takarit, malgré maints indices de sa proximité et, en particulier, la veille, la découverte de cendres encore chaudes. On marche depuis l'aube sur un plateau de cailloux, à pied pour ménager les chameaux. Ils n'ont pas bu à l'étape précédente, le puits ensablé ayant à peine permis de refaire la provision d'eau des hommes, et brament de soif. Le liquide qui subsiste au fond des guerbas en peau de bouc est épais, noirâtre. Au départ, Baba Ould Abidin a prétendu qu'il atteindrait le puits de Tagenout en moins de six heures. Mais, deux heures après le coucher du soleil, il n'a rien trouvé. Exaspéré par les atermoiements du guide, dont il est impossible de savoir s'il est réellement perdu, ou s'il a volontairement égaré la colonne pour laisser à Takarit le temps de fuir, Saganne ordonne la halte.

Il choisit cinq hommes pour aller à la recherche de l'introuvable puits. A leur tête, il place le Targui Anini. C'est un taciturne, qui a la réputation d'un homme loyal et pieux. Il a abandonné sa tribu pour s'installer à Tamanrasset où il a épousé la fille d'un marabout arabe. Les Chaambas le respectent, et même Embarek, que rien ni personne n'impressionne, lui marque une révérence particulière. Les six hommes disparaissent dans l'obscurité, vers l'ouest.

On fait baraquer les chameaux et on les entrave. On fait provision de racines pour allumer le feu qui servira de repère à Anini dans la nuit. Puis Saganne, Geindroz et les indigènes s'installent pour attendre.

On attend toute la nuit. Le lendemain à midi on attend encore. A deux heures, il n'y a plus d'eau dans les guerbas. Les hommes sont affalés à l'ombre des bêtes, certains déshabillés, d'autres au contraire enveloppés dans leur couverture. Chacun résiste à la soif : combat solitaire, silencieux.

Geindroz a tiré un des livres dont ses poches sont pleines et écrit dans les marges. Saganne abaisse ses jumelles et lui demande :

— Qu'est-ce que vous faites ? Vous annotez les Évangiles ?

— Je prends des notes sur la mort par la soif. Ça pourra rendre service aux médecins.

La résignation de son adjoint exaspère Saganne. Une minute après, il pleurerait sur le détachement de Geindroz. Il ne laisse rien paraître.

A quatre heures il désigne deux chameaux et ordonne qu'on les égorge. Il distribue, avec une boîte en fer-blanc, l'eau des poches stomacales. Les Chaambas boivent aussi le sang. La puanteur qui sort des carcasses, c'est l'odeur du désespoir. A cinq heures, on attend toujours. Geindroz s'endort. Sa tête pend entre ses genoux. Saganne le secoue :

— Ne vous laissez pas aller ! Priez, écrivez, pensez aux filles ! Ça ira. Il nous reste encore des chameaux. De quoi tenir plusieurs jours.

Geindroz lève la tête et, avec un air d'illuminé :

— Il y a l'eau des conserves de petits pois !

— J'y ai pensé aussi. Mais il n'y a que trois boîtes. Attendons encore.

A gauche de Saganne, Embarek ne cesse de marmonner.

— Qu'est-ce que tu racontes ?

— Anini s'est fait accrocher par Takarit, mon lieutenant, c'est sûr. Il est mort, maintenant, et nous, si on reste ici, on va crever comme des chacals.

— On partira s'il n'est pas là à six heures. Si un vieux saharien comme toi craque, où va-t-on ? Regarde Baba, il reste calme, lui.

Le guide, assis un peu à l'écart, égrène un collier d'ambre. Embarek fait mine de cracher, sans cracher cependant : la salive est trop précieuse.

— Baba, dit-il, il sait où est le puits. Cette nuit, si tu l'attaches pas avec des bonnes cordes, tu vas pas le retrouver. Il boira, lui, et nous...

— Ferme ta gueule, dit Saganne.

Au même instant, un soldat crie. D'un bond, tous sont debout. Saganne braque ses jumelles : à l'horizon de la taga plate, six chameaux se hâtent vers eux. Le lieutenant distingue, au flanc des bêtes, les guerbas gonflées d'eau. Les hommes se mettent à chanter en lançant en l'air chèches et fusils. Autour de l'eau qui coule, claire, abondante, dans les quarts de zinc, c'est la cohue et la fête.

Embarek, hilare, sort de son saroual un bidon qu'il vide par terre.

— C'est l'eau de la vaisselle, mon lieutenant. Depuis deux jours, je la gardais. Avec ça, j'aurais tenu trois jours de plus !

— Tu n'en aurais donné à personne !... Tu es un salopard !

— Et toi, mon lieutenant, l'eau des petits pois, tu nous l'aurais donnée à nous ? Non ; tu l'aurais gardée pour toi et le sous-lieutenant. Pour les Français !

— Tu te trompes, dit Saganne.

— Non, mon lieutenant, je me trompe pas, dit Embarek, qui rit toujours.

Il tend son quart :

« Tiens, bois encore. Quand on est jeune comme toi, il faut beaucoup boire.

En arrivant sur le puits au milieu de la matinée du lendemain, la colonne surprit trois hommes qui abreuvaient leurs montures. Sitôt repérés ils sautèrent en selle et prirent le trot à la hâte. Il n'était pas question de les poursuivre, avec des bêtes qui n'avaient pas bu depuis trente-six heures. Saganne et Geindroz à la jumelle, les indigènes à l'œil nu, observèrent la course des fuyards.

— C'est pas des Touareg, dit Anini.

— Qui, alors ? demanda Saganne.

— Des Berabers, dit Anini. Des « choufs » qui couvrent un rezzou.

En apercevant les trois hommes, Saganne a éprouvé la secousse qui saisit le chasseur à la vue du lion.

— Anini, dit-il, tu retournes au puits. S'il y a un rezzou beraber et que tu n'as pas vu leurs traces hier, c'est qu'ils ont fait de l'eau ce matin. Tu regardes les traces, et tu reviens me dire combien d'hommes et combien de chameaux tu as comptés. Dépêche-toi.

Anini dévale vers le puits à grandes enjambées glissantes, la carabine brinquebalant dans le dos. Tous le voient s'agenouiller de place en place. Il semble moins scruter que renifler le sol que les hommes et les bêtes ont piétiné. Quand il revient faire son rapport à Saganne, tous les Chaambas s'approchent. Ils sont nerveux; ils ont retiré les bouchons de chiffon qui protègent les canons des fusils.

— Il y a cent chameaux, dit Anini. Pour les hommes, il y en a pas plus de vingt, avec des nègres. Peut-être trois nègres, peut-être plus. Il y a des femmes, et des enfants très petits.

Derrière Saganne, les Chaambas font claquer les culasses. Le lieutenant se retourne : quinze gueules sourient, la bouche fendue; quinze regards, que la perspective du combat enflamme, défient le sien. Les claquements de culasse redoublent.

Baba Ould Abidin, qui danse sur place d'excitation, siffle entre ses dents :

— Attaque, attaque, mon lieutenant! Il y a du butin.

Saganne fait mine de réfléchir. Enfin, il dit :

— On fait boire les bêtes sans desseller. Chaque homme prend une guerba, des rations pour trois jours et cinquante cartouches. Djillali, le plus jeune, et Chir Omar, le plus vieux, garderont les chameaux de bât et le matériel. Les autres, préparez-vous au combat. *Nemchou I Allah!*

Ses paroles libèrent chez les soldats les trilles gutturaux de l'enthousiasme.

La poursuite, menée par Baba et Anini, dura seize heures, avec deux pauses d'une demi-heure. Gonflés d'eau, bourrés de dattes, sensibles à la tension qui animait leurs cavaliers, les chameaux avançaient sans faiblir dans la nuit lumineuse.

A l'aube, le soleil découvre les premières dunes de l'erg Chèch. Elles dérivent comme des masses gazeuses à l'horizon nord-est. Le reg a les teintes bleutées et saumon de la mer au lever du jour. Saganne voit les deux guides qui marchent en avant s'arrêter, rebrousser chemin et trotter vers lui, leurs méhara luttant de vitesse, cou tendu. Dès qu'il est à portée de voix, Baba hurle :

— Ils sont là, mon lieutenant! Ils ont lâché les chameaux! Ils fuient comme des mouflons femelles!

Saganne crie à Geindroz, qui marche en serre-file :

131

— Gardez six hommes. Je fonce avec les autres. Dès qu'on aura accroché, faites mettre pied à terre et ouvrez le feu.

Pendant que les soldats vérifient leur chargeur et s'assurent du libre jeu des sabres-baïonnettes dans le fourreau, il ôte le voile qui lui couvre le crâne et coiffe son képi. Il décroche de la selle sa carabine Lebel, y engage un chargeur. Après s'être assuré que tous sont parés, il crie :

« En avant, les lapins!

Il a les entrailles tordues par quelque chose qu'on pourrait nommer allégresse, à laquelle se mêle quelque chose qu'on pourrait nommer peur; la poitrine et la tête sont libres. C'est son premier combat.

Sa chamelle est la plus rapide : il arrive sur le rezzou en tête des siens. Il ne pense à rien. Ses yeux voient tout. Des chameaux libres, par groupes de dix à quinze, errent au hasard, les jeunes gambadant sur leurs pattes grêles. Sur sa gauche, quatre nègres nus poussent devant eux, à grands coups de gaule, une vingtaine de bêtes, lourdement chargées de paniers et de caisses. Sur sa droite, une douzaine de Berabers montés se sont mis en ligne pour résister à l'assaut. Enfin, devant lui, disséminées sur le reg, des silhouettes plus ou moins lointaines de bêtes et d'humains fuient.

La première détonation part derrière lui : au centre de la ligne des Berabers, un chameau plie le genou et bascule lentement en avant. Saganne arrête son méhari, épaule, vise, tire. Anini surgit à son côté, le dépasse, penché en avant, frappant la croupe de sa bête avec la crosse de son fusil. Le Targui saute à terre en voltige et, campé sur ses deux jambes, se met à tirer sans désemparer. Le Beraber dont le chameau s'est effondré court, plié en deux. Atteint en pleine tête, il boule et s'affale. D'autres coups de feu claquent et se croisent, invisibles. L'odeur de la poudre investit l'air par traînées. Deux Berabers s'élancent au trot, droit devant eux, puis obliquent sur la droite. Saganne pousse son méhari pour leur couper la route. A moins de trente mètres d'eux, il vide son chargeur. Il tire au jugé, vite et mal. Pourtant, l'un des hommes lâche son fusil et glisse de sa selle, en tordant dans sa chute le cou de sa bête, qui hurle. Son visage grimace, le sang assombrit son vêtement, à l'épaule. Il tourne un instant sur lui-même, comme s'il cherchait son chemin, puis se jette à plat ventre, bras en croix. Deux Chaambas fondent sur le second pillard : tandis que l'un attrape le chameau par la bride, l'autre désarçonne l'homme d'un coup de crosse. Les chuintements des projectiles se multiplient autour de Saganne. Aux coups de départ répondent les crépitements métalliques des balles qui ricochent contre les cailloux. En levant les yeux, il voit les fusils de la dizaine de Berabers qui n'ont pas rompu l'alignement braqués sur lui : son képi les aimante. Il veut mettre sa chamelle au trot : la bête refuse d'avancer. Il la cravache à tour de bras. En se démenant, il finit par apercevoir les coulées rouges sur l'antérieur. Il saute à terre, perd l'équilibre. Tandis qu'il se relève, les yeux fixés sur le poitrail d'où le sang jaillit, une balle fracasse la mâchoire de la chamelle. Elle bascule sur le flanc. Il saute entre ses pattes et, agenouillé derrière l'abri de chair, accoudé contre le ventre tiède secoué de sursauts, se remet à tirer. Ses Chaambas ont encerclé les Berabers, mais n'osent plus s'approcher. Le rythme de la fusillade faiblit : chaque détonation devient distincte. Un Chaamba bascule de sa selle et, après une pirouette sur la croupe de sa monture, s'écrase sur le reg, enseveli sous ses voiles.

Une salve éclate. Saganne se retourne : sur une éminence, Geindroz et ses six soldats sont en place, et visent comme à l'exercice, un genou en terre. Quatre Berabers tombent, puis un cinquième. Les survivants, saisis au même instant du même réflexe, tournent bride et s'enfuient. Les Chaambas se lancent derrière eux en hurlant. Geindroz lève la main pour faire cesser le feu. Le silence succède au vacarme. En se mettant debout, Saganne s'aperçoit que son pantalon est trempé. Une fraction de seconde, il est sûr qu'il s'est pissé dessus sans s'en rendre compte. Une rage morose douche l'exaltation du combat. Il est d'autant plus mortifié que, pas une seconde, il n'a eu conscience d'avoir peur. Puis il comprend que c'est son méhari qui l'a inondé en mourant. Il dit à haute voix : « Brave carcasse! » puis déboutonne sa braguette. Sauf un tremblement intérieur, pareil à celui qu'il éprouve après l'amour, il est tout à fait lui-même. L'excitation de Geindroz, qui accourt en criant victoire avec de grands moulinets des bras, l'agace. Il dit au sous-lieutenant, par-dessus son épaule :

— Ils nous ont tout de même foutu un gars en l'air. Allez voir dans quel état il est. J'arrive.

Il n'a pas cessé de suivre du regard la course des Berabers et de ses hommes. Les pillards, dont les montures sont fraîches, gagnent sans cesse du terrain. Il décroche de sa selle sa trompe de cuivre, et sonne le ralliement.

Extrait du rapport du lieutenant Saganne au capitaine Wattignies :

Une heure après la fin du combat, le butin était rassemblé et je pouvais faire de notre affaire le bilan suivant :

— De notre côté, un mort ; pas de blessé ; quatre chameaux hors de combat.

— L'ennemi a laissé sur le terrain quatre tués et trois prisonniers, dont deux blessés ; l'un est mourant, l'autre survivra.

— Il nous a abandonné : sept nègres, huit négresses et vingt-quatre négrillons d'un à cinq ans, quarante-trois fusils 1874 à tir rapide, dix-huit sabres, dix selles, quatre-vingt-dix-sept chameaux, trois cents kilos de dattes. Plus un petit butin que j'ai laissé aux Chaambas sans le recenser. Suffisant pour leur donner du montant pour la prochaine occasion.

Extrait d'une lettre du lieutenant Saganne à son frère Lucien :

Je viens de passer une des plus belles journées de ma vie! Nous avons arraisonné et vigoureusement étrillé une caravane de pillards berabers qui remontaient des esclaves du Soudan vers les marchés marocains. Succès complet. Un seul mort chez nous. Du côté des pillards, il ne s'en est échappé que cinq, qui n'iront pas loin sans eau et sans vivres. Il en fallait bien quelques-uns pour porter au Tafilalet et ailleurs la sainte terreur de nos ceintures rouges!

Maintenant, que vais-je faire avec mes prises? Songe que j'ai sur les bras vingt-quatre négrillons, dont l'aîné n'a pas cinq ans. Tout ce petit monde doit manger et boire. Je les ai délivrés d'un sort abominable, mais si je les abandonnais maintenant au milieu du désert, ce serait les condamner à mort. D'un autre côté, pas question de laisser tomber ma mission. D'autant moins que, dès que mon capitaine aura reçu mon rapport et l'aura répercuté au grand chef, je vais sans doute être voué aux gémonies sahariennes pour mon « indépendance », ma légèreté, que sais-je encore?

Mais pouvais-je agir autrement? Je ne regrette rien.

Le camp de mes Chaambas est devenu une nursery noire. Comme les Berabers transportaient les bambins dans des outres en cuir qui avaient contenu du beurre, ils sont tout luisants, jusqu'à ce que le sable les enfarine. A part ça, horresco referens! *ils ont tous la colique, résultat des vertus purgatives des puits de ce pays. J'ai aussi huit négresses, craintives comme des animaux maltraités. Elles n'ont pas compris que nous les avions délivrées. Dans leur esprit, elles ont changé de maître, voilà tout. Elles étaient habituées aux duretés des Berabers. Elles redoutent d'avoir à s'habituer aux nôtres. J'ai mis mes Chaambas en garde. Je ne me fais guère d'illusions sur ce qui se passera à la faveur de la nuit; du moins savent-ils que, s'ils exagèrent, ils auront affaire à moi. Les sept nègres ne posent aucun problème. Depuis que nous leur avons laissés manger à satiété de la viande de chameau, ils collaborent de tout cœur. Les Berabers devaient sérieusement les rationner! Pour manger la viande, ils la laissent quelques minutes dans la cendre, la pétrissent entre deux gros cailloux et l'absorbent : ils en ont ainsi avalé des kilos!*

Avec toutes ces nouvelles bouches inattendues, nous n'aurons bientôt plus d'autres vivres que les chameaux! Il faudra pourtant qu'il m'en reste suffisamment pour transporter notre eau et nos prises.

Mais les transporter où? Nous allons rester deux jours au puits pour nous reposer et nous organiser. Après, je ne sais pas ce que je ferai. Pas question de retourner au campement de Moussa sans avoir d'abord mis la main sur Takarit et ses guerriers. D'ailleurs, que ferait-on de tous les nègres là-bas? Je ne peux quand même pas les vendre ou les donner comme esclaves aux Touareg! La meilleure solution serait que je les raccompagne jusqu'au Soudan, où ils ont été enlevés. Ce serait l'affaire de quatre à cinq semaines, aller et retour. Mais, dans ce cas, j'abandonne la poursuite des Taïtok, et je désobéis carrément aux ordres. Je crois que je vais être forcé de séparer notre groupe en deux, mon sous-lieutenant Geindroz raccompagnant les nègres chez eux, et moi continuant à errer sur les traces de l'insaisissable Takarit. Cette solution ne m'emballe pas : nous sommes peu nombreux et, si l'un des deux groupes tombe sur un fort rezzou, il sera hors d'état de se défendre.

Je me suis mis dans un piège. Mais, une fois encore, pouvais-je agir autrement?

Les hésitations du lieutenant furent de courte durée. Le surlendemain du combat une colonne d'une soixantaine de tirailleurs soudanais arriva au puits. Elle était commandée par un capitaine dont l'allure martiale, la tenue impeccable impressionnèrent Saganne. Lui-même n'avait pas trouvé le temps, depuis deux jours, de se raser. Quand le capitaine l'aborda, il était à genoux auprès du Beraber blessé. La tente, où les mouches bourdonnaient, puait la sueur, la sanie et l'excrément.

— C'est vous qui commandez ce détachement? demanda l'officier.

Il parlait sans remuer les lèvres, d'une voix sans timbre, le visage lourdement impassible.

Saganne leva les yeux sur la silhouette campée qui obstruait l'entrée de la tente :

— Lieutenant Saganne, commandant en second de l'annexe de Tamanrasset. Excusez-moi. mon capitaine, il faut que je finisse ce pansement.

L'autre ne tendit pas sa main :

— Capitaine Baculard d'Arnaud. Adjoint du lieutenant-gouverneur du Haut-Sénégal-Niger. Je vais vous attendre là-bas.

Il écarta les négrillons avec sa badine et alla se planter à une vingtaine de mètres, les mains dans le dos.

En quittant le blessé pour rejoindre le capitaine, Saganne vit que les tirailleurs soudanais n'avaient pas rompu les rangs. Ils étaient debout en ligne par quatre, l'arme au pied, flanqués des sous-officiers immobiles sur leurs petits chevaux gris fer.

— C'est la Providence qui vous envoie, mon capitaine, dit-il en s'essuyant les mains à un chiffon douteux. Nous venons d'accrocher un rezzou et je me demandais ce que j'allais faire de tous ces enfants.

— Je suppose que vous savez, dit le capitaine de sa voix morte, que vous êtes sur le territoire de l'Afrique occidentale française où vous n'avez aucun droit, et d'abord pas celui de pénétrer.

Il avait une manière désagréable de vous dévisager sans vous regarder dans les yeux. Le sentiment d'infériorité et de gêne qu'avait éprouvé Saganne passa. Il devinait en Baculard un type d'homme que les contacts qu'il avait eus avec des sous-officiers depuis l'âge de seize ans lui avaient rendu familier : des gaillards à l'intelligence épaisse, dont le seul ressort est une brutalité qu'ils prennent, et qu'ils essaient de faire prendre, pour du caractère et dont l'itinéraire est jalonné d'actes imbéciles, accumulés avec une assurance de fer.

Cependant, Baculard n'était pas adjudant, mais capitaine, et visiblement bien né. Cela devait donner à sa stupidité des assises inébranlables. Saganne pensa qu'il aurait bien du mal à le manœuvrer. Il répondit d'un ton cordial, en évitant toutefois de sourire : il connaissait la susceptibilité de ce genre de bête :

— Mon capitaine, pour dire vrai, je ne sais pas exactement où je suis.

— Sur mon territoire, coupa Baculard. Le rezzou que vous avez accroché, en laissant échapper l'essentiel de ses forces, m'appartenait. Je le piste depuis deux semaines.

— J'ai laissé partir cinq hommes sans eau et sans vivres.

Saganne s'interrompit. Se justifier plus avant, c'était se mettre en position d'infériorité. Sans laisser au capitaine le temps de parler, il reprit :

« Le rezzou est détruit. Je vous abandonne volontiers le butin, y compris les chameaux et les fusils... et ces malheureux nègres, qu'il faut ramener chez eux...

Il s'interrompit à nouveau : de grosses veines violettes enflaient sur le front et le cou du capitaine. Ses yeux roulaient. On aurait dit un acteur de mélodrame chargeant à fond un rôle de dément en crise. Enfin, il se mit à hurler :

— Vous vous foutez de moi!

Saganne leva un œil très froid sur le furieux. Au bout d'un moment, comme celui-ci ne donnait aucun signe de retour au calme, il tourna les talons. Argumenter ne servait à rien pour l'instant. Il fallait attendre. Il lui semblait évident que la logique de la situation, qui exigeait que Baculard et lui coopèrent, finirait par l'emporter.

Il entra dans sa tente et s'allongea. Embarek lui apporta un verre de thé et un morceau de galette. Il mangea et but en suivant à travers la toile translucide les vacillements de la lumière. Il finit par s'assoupir.

Celui qui secoue son épaule, c'est Geindroz :

— Ils nous ont encerclés, mon lieutenant!

Saganne pousse le panneau de la tente. Il voit les tirailleurs sénégalais disposés en cordon autour du camp : un homme tous les dix mètres, le fusil à la main. Il se penche vers Geindroz :

— Rassemble les Chaambas. Je ne veux pas d'incident. Retire-leur les fusils.

Baculard, entouré de ses sous-officiers, pérore, le stick brandi. Saganne marche sur lui. Les sous-officiers noirs s'écartent.

« Ordonnez à vos gens de s'éloigner, dit Saganne. Il faut que nous parlions seuls.

Comme Baculard ne bouge pas, il se retourne et crie aux Soudanais :

« Éloignez-vous!

Les sous-officiers hésitent, puis se dispersent. Suffoqué, le capitaine hurle :

— Qui vous permet? C'est insensé!

Mais il ne rappelle pas ses hommes.

— Ce qui est insensé, c'est ce que vous avez fait. Qu'est-ce que vous espérez?

Baculard ne répond pas. Sa figure est tordue par la rage. Saganne pense : « C'est un fou. » Mais il n'arrive pas à le croire : Baculard est un officier français.

« Mon capitaine, je vous le demande encore une fois : acceptez-vous de vous charger des prises du rezzou, afin que je puisse pour-suivre ma mission?

— Jamais! crie Baculard, apoplectique. Jamais! Et si vous avez dans l'idée de partir, je vous tirerai dessus! Et si vous aban-donnez les esclaves, je les laisserai crever!

— Dans ces conditions, je vais les raccompagner moi-même au Soudan.

— Je vous l'interdis! hurle Baculard. Vous n'êtes pas sur votre territoire!

— Je vais raccompagner les esclaves à Tombouctou, répète Saganne. Maintenant, écoutez-moi bien. Si vous continuez à tourner par ici, il y a de fortes chances pour que vous finissiez par tomber sur la tribu que je cherche. Si le cas se présentait, il serait souhaitable que vous ayez avec vous des hommes qui connaissent son chef et qui puissent lui faire compren-dre ce que l'aménokal Moussa et les autorités françaises du Sahara attendent de lui. Acceptez-vous que je laisse avec vous, sous vos ordres, mon sous-lieutenant Geindroz et deux guides?

— Je n'accepte rien! crie Baculard.

Il attrape son stick à deux mains, et le brise. Ses joues tavelées tremblent. Il meugle :

138

« Tu ne me fais pas peur, petit trou du cul! Je te tiens, maintenant! Je vous tiens tous!

Saganne en a par-dessus les oreilles. Plus question de tourner les talons, de rompre. Il avance, bousculant Baculard.

Au centre du camp, les Chaambas ont formé le cercle, face aux Soudanais. Les négrillons et les femmes noires se sont réfugiés derrière eux. Saganne les rejoint à grandes enjambées :

— On lève le camp. Geindroz, fais rassembler les chameaux de bât. Fais remplir les guerbas.

Il s'aproche de Baba Ould Abidin :

« Toi, donne-moi ton fusil!

Tandis que, derrière lui, ses hommes s'activent aux préparatifs du départ, il retourne vers Baculard et s'assied sur une pierre, face au capitaine, le fusil posé sur les genoux.

— Vous me menacez? crie Baculard.

— Asseyez-vous. Nous allons attendre sans nous donner en spectacle.

Baculard ne bouge plus. Au bout d'une heure, les chameaux sont chargés, les Chaambas prêts. Saganne hèle Geindroz :

« Forme la caravane : les nègres et les chameaux au milieu, les soldats autour, à pied.

Il se retourne vers Baculard :

« Mon capitaine, si vous ne me donnez pas votre parole d'honneur que vous nous laisserez partir sans tirer, je serai contraint de vous emmener avec moi.

— Chantage, marmonne Baculard. Je ne cède pas au chantage. L'attente a réduit, concentré sa fureur.

— A moins que vous ne rappeliez vos hommes? propose Saganne.

— Foutez le camp, dit Baculard d'une voix sourde.

Les lèvres bouclées, il répète :

« Foutez le camp! Foutez le camp!

Un instant, Saganne hésite. Peut-il se fier à ce dément? Finalement, sa répugnance à prendre en otage un officier français sous les yeux des indigènes l'emporte. Il claque les talons et salue. Il va se placer en tête des siens. Il crie, très haut : « En avant! »

Derrière lui, Baculard s'est levé. Un des sous-officiers noirs se précipite. C'est un homme grand, aux joues scarifiées. Comme tous les Soudanais, comme tous les Chaambas, il a suivi de loin, depuis le début, l'affrontement entre les deux Français. Il dresse sa masse face à Baculard :

— Ne donne pas d'ordre, mon capitaine. Les soldats n'obéiront pas. Ils ne tireront pas.

Baculard lance son bras et gifle, poing fermé, le visage noir. Le Soudanais ne recule pas, n'esquisse aucun geste de défense; il se penche, au contraire, pour mieux s'offrir aux coups. De sa bouche qui saigne, il dit :

« C'est bien, mon capitaine, c'est bien. Tape sur moi, tape encore. Tape! Tape!

Pendant que Baculard passe sa rage sur le nègre, la caravane s'éloigne.

Extrait d'une lettre du lieutenant Saganne à son frère Lucien :

A bord d'un chaland sur le Niger, le 10 mai 1912.

Si tu me voyais, emmitouflé dans mon burnous rouge, en train de t'écrire sur une bonne table dans un chaland du Niger, tu n'en croirais pas tes yeux. J'en crois à peine les miens... Quelle trotte j'ai faite! D'In-Salah à la boucle du Niger!

Nous sommes arrivés à Tombouctou il y a cinq jours. J'ai été bien déçu. Tombouctou la mytérieuse, que tous les caravaniers indigènes dépeignent comme une sorte de Capoue, est une triste capitale. Et, pour l'atteindre, on traverse un pays dont nous ferions nos délices, nous gens de sable et de cailloux, mais qui est épouvantable si on se place du point de vue économique, colonial, français.

Le voyage a été dur, encombré que nous étions par nos prises humaines et animales. Notre nursery de vingt-quatre négrillons ne facilitait pas la manœuvre. Heureusement, les négresses ont été parfaites. J'avais confié à chacune deux ou trois gosses en consigne, et je leur avais affecté un animal pour les porter avec elles, pendus de chaque côté dans les outres en cuir abandonnées par le rezzou. A chaque halte, tout ce petit monde accourait au rapport. Pour eux, on ne criait pas « aux armes! », on criait « aux dattes! », et ça rappliquait de tous les côtés dans le costume le plus simple ou le plus compliqué, suivant les heures : le matin, ça grelotte, et tout est bon pour se couvrir; dès que le soleil chauffe, un mouchoir de poche semble un vêtement trop encombrant. Je craignais que la diarrhée ne fasse des ravages, mais nous n'en avons perdu que deux.

Mes huit nègres adultes et mon prisonnier valide m'encombraient moins : les premiers gardaient les chameaux; le prisonnier avait aussi peur d'être lâché en plein désert sans eau, sans vivres et sans monture que d'être tué. Je lui avais garanti la vie sauve, mais je ne le nourrissais pas. Il trouvait sa vie sur les carcasses des chameaux abattus. Quant à l'autre prisonnier blessé, il est mort dès la première étape.

L'accueil, ici, a été enthousiaste de la part de la population indigène : Noirs et nomades des environs, victimes habituelles des Berabers, nous ont fait un accueil chaleureux. Cadeaux et invitations ont plu. Mes Chaambas ont profité de la situation, tu peux m'en croire! Les autorités françaises ont été plus réservées. Le lieutenant-gouverneur du Haut-Sénégal-Niger n'était pas encore informé de l'accrochage que j'avais eu avec son adjoint. Je l'ai mis au courant sans minimiser les faits. Il a encaissé ça sans commentaires. Au demeurant, c'est un homme qui m'a paru de bon jugement. Au fil des jours, l'accueil s'est réchauffé, et mon sous-lieutenant Geindroz et moi avons été très sollicités. Les coloniaux ne savent pas résister à l'occasion de se distraire que représentent de nouveaux venus... même quand ceux-ci sont arrivés sans être attendus et après avoir pas mal piétiné leurs plates-bandes!

Nos malheureux esclaves ont été « libérés » au cours d'une grande fête, avec danses sauvages, musique tonitruante et fantasia à cheval et à chameau. En fait de libération, nos négrillons et nos négresses ont abouti à l'orphelinat des sœurs blanches. Retrouvera-t-on leurs familles? Pour les enfants, peut-être que oui, à la longue. Mais les femmes, après ce qu'elles ont subi, quels pères et quels maris accepteront de les reprendre? Elles finiront putains dans les cases qui entourent la ville. Les hommes ont repris le chemin de leurs villages après moult embrassades de nos mains et de nos genoux. Un seul, le plus jeune, a refusé de nous quitter : il s'est attaché à mon sous-lieutenant Geindroz et a décidé de remonter dans le Hoggar avec nous. Encore une recrue pour la France!

Extrait d'une lettre du lieutenant Saganne à Mlle Alice Saganne, pension Poques, Versailles :

Je glisse sur le fleuve Niger, et je pense à toi, ma chère petite. Après un périple unique pour un saharien, et tant d'événements que je te raconterai, j'avais besoin d'une pause. Comme je me repose! J'avais oublié combien il est bon de ne rien faire!

Dans chaque village où je m'arrête, au bord du fleuve, je suis accueilli en libérateur, avec des chants, des danses, des cadeaux. Je te rapporterai ces bracelets de cuivre et d'os, ces colliers de coquillages.

Je ne me lasse pas de contempler le Niger. Il est d'une largeur inouïe, bordé de verdure, peuplé d'oiseaux innombrables de toutes tailles et de toutes couleurs. Il y a un moment, j'ai même aperçu, au ras de l'eau, les yeux de vache d'un hippopotame. En regardant cette énorme masse d'eau limoneuse que, de l'aube au couchant, les jeux de lumière métamorphosent en pâte d'amande rose et verte, en coulées de métal en fusion, en noir Léthé et en beaucoup d'autres choses encore, il me semble que j'assimile par les yeux une nourriture réconfortante.

Ce soir, je regagne Tombouctou où nous donnons, nous les sahariens, une grandissime diffa pour rendre d'un coup toutes nos politesses. Les officiers et tous les Français de Tombouctou y assisteront. Demain nous repartons. Je n'ai aucune envie de m'arracher au Niger et de retrouver le sable et les cailloux. Si ce voyage ne me rapprochait de vous tous, que j'ai tant de hâte de revoir, je crois que j'aurais trouvé des prétextes pour le retarder à l'infini.

Extrait d'une lettre du lieutenant Saganne à Courette :

... Et que je te dise, puisque cela t'intéresse, que j'ai goûté de la négresse, à plusieurs reprises. Des jeunes personnes amenées par leur papa pour m'honorer et me remercier : car je suis ici un grand homme. Pas trace de maladie pour l'instant. Mais tu examineras ça en expert, si nécessaire.

Les conversations avec les officiers de Tombouctou, mieux au fait que moi — et pour cause — des dernières nouvelles d'Europe, m'ont remis en tête des inquiétudes plus graves. Je redoute d'apprendre à mon retour à Tam que la guerre est déclarée avec l'Allemagne. Quelle guigne ce serait pour moi de perdre mon temps dans le sable si on se bat là-bas!

A côté de ça, les autres soucis pâlissent. Je me doute que mon expédition vers Tombouctou au mépris des ordres me vaudra des réactions de Wattignies, de Dubreuilh, d'Alger. Tout ça diversement agréable! On verra. Je pars demain à l'aube...

Sur le chemin du retour, au soir de la septième étape, la colonne Saganne fit halte au puits de Tagenout, où cinq semaines auparavant avait eu lieu la rencontre avec Baculard d'Arnaud.

Les hommes étaient gais. Ils relancèrent les feux et se mirent à chanter. Maintenant, Saganne comprenait chaque parole : « Avec notre lieutenant qui n'a jamais peur on a été jusqu'à Tombouctou. Les nègres nous ont donné à manger des galettes, du bœuf et du poulet. Ils nous ont donné leurs femmes. Là-bas on était traités comme des seigneurs. Maintenant nous rentrons chez nous. Nous retrouverons nos épouses et nos enfants. Les Français nous donneront une gratification. On restera longtemps à nous reposer, à manger, à dormir avec nos femmes, à jouer avec nos enfants, à raconter à tous notre voyage. Tout le monde dira de nous : ceux-là, ce sont des braves qui ont traversé le pays de la soif; ils se sont battus; ils n'ont eu peur de rien. Avec notre lieutenant qui n'a jamais peur on a été à Tombouctou... »

Embarek, pitre chef et champion de la danse du ventre, entraîna Sama, l'esclave soudanais qui s'était attaché à Geindroz, dans une parodie lascive. Pressé des reins, pincé, houspillé de lazzi, le garçon se dandinait contre les assauts du vieux bouc. Les Chaambas secouaient les tambours, riaient derrière les hautes flammes jaunes.

Soudain, Geindroz se leva et cria :

— Arrête, Embarek! Viens ici, Sama.

Geindroz avait une voix de Parisien bien né. Quand il forçait le ton, il en prenait une autre, artificiellement basse. Pour se mettre à la hauteur des situations, il devait tout le temps changer de registre.

Sama vint s'accroupir aux pieds de son maître. Au centre du cercle, Embarek continuait à danser en gloussant.

« Je ne supporte pas qu'on humilie Sama, dit Geindroz.

Saganne ne bougea pas. Couché dans le sable accueillant, les yeux ouverts aux étoiles, il jouissait de ces dons tranquilles.

« Sama a peur d'eux, reprit Geindroz. Il n'ose pas leur résister. Si on les laissait faire, ils se serviraient tous de lui comme d'une femme.

Comme Saganne se taisait toujours, la voix du jeune homme se chargea d'âpreté :

« Et vous, vous ne voyez rien. Vous ne voulez rien voir!

Saganne se tourna sur le flanc. Il n'avait pas envie de parler :

— Gardez votre éphèbe, dit-il, et laissez-moi m'endormir en paix.

Il se retourna et tira son burnous sur son visage. La nuit précédente, il avait surpris Geindroz et Sama enlacés. Il avait pensé, sans mépris : « C'était donc ça, les tourments de ce jeune homme si fin ! »

Le lendemain, à l'aube, Saganne, qui s'était isolé derrière une barrière de roche à cent mètres en surplomb du puits, crut entendre un gémissement humain. Il prêta l'oreille un moment, sans résultat. Il allait faire demi-tour pour regagner le camp quand il entendit — et cette fois il ne pouvait s'y tromper — des coups, semblables à ceux que produisent des cailloux qu'on cogne. Il marcha vers le bruit. Malgré les coups, qui reprenaient à intervalles réguliers, il mit plus de dix minutes à découvrir, au ras du sable, un orifice horizontal. Il s'accroupit :

— Qui est là ? demanda-t-il en arabe.

Avant que l'homme ait eu le temps de répondre, ses yeux, acccommodés à l'obscurité, avaient reconnu Takarit.

Le Targui était couché sur le dos. Sa jambe gauche, dénudée jusqu'à l'aine, montrait un genou éclaté. Au-dessous, son mollet et son pied étaient enflés et bleuâtres. Il tenait dans une main le caillou par lequel il avait guidé Saganne et, de l'autre, serrait contre son ventre un paquet de chiffons raides de sang. Il avait conservé son litham autour du visage. Il voulut parler, n'y réussit pas, jeta au lieutenant un regard intense, puis ferma les yeux.

« Ne bouge pas, ne parle pas, dit Saganne. On va t'amener au camp, on va te soigner.

Quand Takarit fut couché sous la tente, Saganne vit que la blessure du ventre s'était remise à saigner. Il ôta le pansement de chiffons. Du nombril au flanc gauche, la plaie était bridée par un lacet piqué à gros points non dans la peau, mais dans la chair même.

« Qui t'a fait ça ?

En guise de réponse, Takarit, sans ouvrir les paupières, leva lentement sa main droite et la tint devant lui, ouverte, doigts écartés. Cette main brandie, l'image qu'elle évoquait de l'homme qui, percé de balles, seul dans le désert, non seulement ne s'était pas abandonné au désespoir, mais avait trouvé la force insensée de se recoudre lui-même, émut violemment Saganne.

Les quelques médicaments qu'il transportait dans une cassette de bois lui semblèrent dérisoires. Quand Embarek lui présenta, au fond d'une gamelle, une décoction de crottin de chameau et de tabac, il laissa l'ordonnance appliquer l'emplâtre.

Restait la jambe, la bouillie de pourriture et d'os. Dans l'espace clos de la tente, l'odeur devenait intolérable.

— De toute façon, avec ça il est mort, dit Embarek, que ni les puanteurs, ni les vérités brutales ne gênaient.

La décision de Saganne était déjà prise :

— Je vais l'amputer au-dessus du genou, dit-il.

— Vous parlez sérieusement? demanda Geindroz effaré.

Saganne dévisagea le sous-lieutenant, debout à la porte de la tente dans le contre-jour. Depuis Tombouctou, Geindroz laissait pousser une barbe roussâtre.

« Vous ne pouvez pas faire ça, mon lieutenant!

— Pourquoi? demanda Saganne.

— Vous n'avez rien de ce qui est nécessaire. Vous allez...

— J'ai un couteau, une scie, une plaque de fer qu'on fera rougir pour cautériser la plaie.

— Mais, mon lieutenant, essayez d'imaginer ce que ça va être!

Geindroz avait sauté de l'effarement à l'indignation. Saganne l'interrompit à nouveau :

— Cet homme s'est recousu lui-même le ventre, alors qu'il savait ses chances de survie nulles. Vous voudriez que je le laisse crever sans rien tenter?

Comme Geindroz ouvrait la bouche pour protester, il ajouta :

« Ça suffit. Allez chercher la bouteille de cognac dans ma cantine. Si vous désapprouvez ce que je vais faire, ou si vous craignez de ne pas le supporter, laissez-moi seul.

Ainsi Saganne, agenouillé dans le sable, les manches retroussées jusqu'aux épaules, le visage ruisselant d'une sueur qui l'aveuglait et qui, de son nez, de son menton, dégouttait dans le sang, tailla les muscles, les nerfs, trancha les tendons rétractiles, scia l'os, qui paraissait si tendre sous sa membrane nervée, et qui se révéla si dur sous la scie grossière, sutura, avec du fil noir et une aiguille courbe qui servaient aux Chaambas à réparer leurs selles, l'artère d'où le sang fusait, appliqua sur le moignon un fer rouge tenu par deux pinces, pansa dans un linge la chair grillée dont l'odeur le pénétra jusqu'au fond des fosses nasales, jusqu'au cerveau. l'envahit tout entier, jusqu'à ne laisser subsister en lui, lui semblait-il.

aucun sentiment, aucune pensée, aucune sensation, rien. Avant de commencer, il avait fait boire à Takarit une demi-bouteille de cognac et avait glissé entre ses dents un morceau de bois. Anini et Embarek maintenaient les épaules et la cuisse. Ils n'eurent pas à intervenir : assommé par l'alcool et la première attaque de la douleur, le Targui avait perdu connaissance aussitôt.

En fin d'après-midi, alors que Saganne avait perdu tout espoir, Takarit ouvrit les yeux et réclama à boire. Et, si extraordinaire que cela puisse paraître, il guérit et survécut.

Le lendemain, Saganne se mit à l'écart. Il sommeilla tout le jour, rêva de femmes : il arrachait la jupe de tennis de Madeleine de Sainte-Ilette, la prenait debout, plaquée contre le grillage; ensuite, il était couché, chevauché, et le sexe de Demla l'inondait. Puis le tourniquet érotique reprenait : Madeleine, le grillage, Demla.

Au soir, revenu au camp, il se lava dans une peau de bouc, grignota des dattes à chameaux, fibreuses et âcres. Les Chaambas jouaient aux dominos. Geindroz apprenait à lire à Sama. Accroupi dans l'ombre de son maître, l'esclave grattait inlassablement son mollet gauche avec les ongles de l'autre pied, comme un singe captif.

Quand Saganne entra dans la tente, Takarit avait remis son litham. La fièvre dilatait ses pupilles :

— Tu as mal, Takarit?

Le Targui éluda :

— Donne-moi du tabac.

Saganne glissa la chique sous le voile jusqu'à la bouche. Puis il s'agenouilla à la tête du blessé, penché sur ses yeux :

— Tu peux parler? Tu peux me dire quand c'est arrivé?

— Il y a cinq jours, dit Takarit. La nuit, je venais au puits sur le dos. Je marchais avec les bras, en arrière, comme un lézard. Je mâchais la boue : je pouvais pas tirer l'eau.

— Où sont tes guerriers?

— Si tu marches une demi-étape, tu les trouveras. Tous les Taïtok, tous les chameaux. Ils ont tout tué.

— Qui vous a attaqués? Pourquoi vous ne vous êtes pas défendus?

— Ils tenaient le puits. Ils bougeaient plus pendant dix jours. Nos chameaux buvaient plus : ils voulaient plus marcher. Une fois, la nuit, j'ai envoyé deux choufs avec des guerbas pour prendre l'eau. Le fils de la sœur de ma mère et un autre, bon, pareil. Ils les ont pris, je sais pas comment.

— Qui c'était ?

— Des nègres, des Français, avec des chevaux et des fusils à répétition comme toi tu en as pas.

Saganne ferma les yeux. Un point se mit à battre à sa tempe. Il voyait rouge à travers ses paupières.

« Donne-moi de l'eau, dit Takarit.

Saganne releva le litham, pencha la gourde. Takarit essaya de cracher. Le jus de la chique glissa sur son menton, dans les poils. Son visage était trempé de sueur.

— Tu veux que je t'essuie ?

Takarit éluda encore : il s'affaiblissait, il voulait finir.

— Ils sont venus sur nous à pied, avant le soleil. Ils ont fait le cercle, de loin. J'ai rien vu, j'ai rien entendu. Ils ont commencé à tirer avec la lumière, vite, de partout.

— Tes choufs vous avaient donnés ?

— Jamais. Jamais des Taïtok font ça. Les autres ont pris la trace. Peut-être qu'ils avaient un pisteur toubou devant ? Il y en a qui sont bons.

Ce qui tenait Saganne penché sur le Targui, de plus en plus près des yeux, des invisibles lèvres, ce n'était plus l'impatience de savoir — depuis un instant il le savait, que c'était Baculard qui avait massacré ses Taïtok —, ce n'était pas non plus l'indignation : c'était la honte.

— Après, Takarit ?

— Ils ont tué les chameaux d'abord. Quand on pouvait plus bouger, ils ont tiré sur nous. Toute la journée ils sont restés. La nuit, ils ont envoyé les fusées. Quatre Taïtok, qui avaient pas de blessures, sont partis doucement, comme des chacals.

— Et toi ?

— J'avais la chevrotine dans le ventre... Toute la journée encore ils sont restés à tirer, et encore une nuit. Nous, on pouvait rien faire ; on mourait. Après, le capitaine français est venu, il a tiré le pistolet dans toutes les têtes.

— Et toi ?

— Moi, je sais pas... Après, je suis venu au puits. Toute la nuit, je marchais sur le dos; je dormais; je marchais sur le dos.

Takarit se tut, puis bougea la jambe qui lui restait :

« C'est toi qui m'as coupé la jambe?

— Oui, dit Saganne.

— Maintenant, j'ai une seule jambe, alors?

— Oui.

— Je vais rester toujours assis avec les vieilles?

— Non; tu pourras marcher, monter à chameau.

Takarit rêva un moment; il sembla même à Saganne qu'il souriait. Il finit par dire :

— Comme ça, ça va.

Il avait souri, il avait parlé sans haine, comme si les événements qu'il avait rapportés avaient concerné non sa propre tribu, mais des étrangers, en des temps anciens.

La fureur, c'est Saganne qu'elle saisissait. Une fureur de tête, qui se ficha en lui comme une lame. Que ce porc de Baculard d'Arnaud se fût vengé de l'affront qu'il lui avait fait subir en anéantissant les Taïtok était une monstruosité qu'il se refusait, non seulement à jamais pardonner, mais même à comprendre. S'interroger sur les raisons de cette bassesse sanglante, c'était déjà s'avilir. En avoir fourni l'occasion, parce qu'il avait été incapable de prévoir qu'un officier français pourrait déchoir à ce point, était une souillure que rien ne laverait.

Il ne laissa rien paraître et rédigea un rapport dans lequel il consigna, avec toute la froideur dont il était capable, les événements qui avaient conduit à la mort ceux qu'il avait mission de ramener. Il n'omit pas l'amputation de Takarit.

Deux Chaambas furent chargés d'apporter en toute hâte ce rapport à Wattignies, soit au camp de l'aménokal Moussa, s'il s'y trouvait encore, soit à Tamanrasset.

Deux jours plus tard, la colonne repartit. On avait fabriqué pour le blessé un palanquin que portait une vieille chamelle robuste et tranquille. A quelques kilomètres du puits, on tomba sur les cadavres des guerriers taïtok. Ils reposaient sur le sable, moitié pourrissants, moitié momifiés par le soleil, dans la position où la mort les avait pris.

Saganne fit creuser des tombes. Quand les compagnons de Takarit furent ensevelis, il leur fit rendre les honneurs. Les Chaambas, qui trouvaient que c'était prendre beaucoup de peine pour quelques dissidents, ne grommelèrent pas, comme ils le faisaient d'ordinaire quand on leur imposait des corvées qu'ils jugeaient superflues. Ce n'était pas crainte de se faire rabrouer : depuis que leur lieutenant avait amputé le Targui, il aurait pu leur demander de le suivre en enfer, ils l'auraient fait.

Mais ce n'était pas pour Saganne un réconfort. Il n'avait qu'une seule pensée en tête : arriver à Tamanrasset, pousser la porte du bureau de Wattignies.

CHAPITRE VII

Wattignies est assis sous le crucifix. La porte est ouverte.
Saganne entre.

Il a remis le saroual qu'il traîne depuis deux mois et sur lequel
le sang de Takarit a durci. Il ne s'est pas rasé, pas lavé. Il est arrivé
à Tamanrasset à la tête de son escouade d'ombres à onze heures,
la veille au soir : quarante kilomètres par jour pendant trente-
deux jours, les dix dernières étapes à pied, pendus aux longes des
chameaux qui n'avançaient plus. Il a dormi cinq heures, nu sur
son lit. Il n'est pas reposé. Il n'est pas apaisé. Sa fureur s'est coulée
dans son épuisement : il est écœuré.

Wattignies se dresse sur la pointe de ses bottes pour prendre
Saganne aux épaules. Il marmonne :

— Je suis content de vous voir, mon cher.

Saganne échappe à l'accolade du nain. Il ne peut compter
sur sa voix, que la fatigue a rompue. Pour fixer l'attention de
Wattignies il répète, deux fois :

— Écoutez-moi.

Puis, du même ton blanc :

« Je donne ma démission d'officier.

Les bottes grincent sur le carrelage. Wattignies reprend sa
position sous le crucifix. Il scrute son subordonné. C'est un chef
que Wattignies. Ça se voit : sur son visage, rien ne passe. Il tire
une bouffée de sa pipe, souffle la fumée bleue :

— Allez prendre une douche, Saganne. Dormez. Nous causerons
après.

Saganne est l'inférieur, le dépossédé. Chaque seconde un peu
plus il perd de son étoffe, il se détrame. Ce qui le rassemble, son
point d'appui, c'est, dans la gorge, ces spasmes de nausée qui
montent, gonflent, avortent :

— Non. Je veux tout régler maintenant.

— Comme vous voudrez, dit Wattignies. Il me reste du café.
En voulez-vous ? Ou du cognac ?

Il dit non avec la tête. Il campera sur sa faiblesse.

Wattignies bascule sur sa chaise, libère d'un tour de clé le rideau de bois de l'armoire qui s'enroule sur lui-même en cliquetant. Il sort un dossier.

« Voyons les faits, dit-il. Voici d'abord un rapport du capitaine Baculard d'Arnaud, contresigné par le colonel Hanault, lieutenant-gouverneur du Haut-Sénégal-Niger. Je cite au hasard : *" Le lieutenant Saganne a manifesté une insolence... manque d'éducation élémentaire indigne d'un officier... insubordination caractérisée... menaces, chantage... violence physique sur ma personne... "* Il y en a trois pages de cette encre.

« Et puis aussi le rapport d'un certain médecin-colonel Martinerie, inspecteur général des Services de santé d'Afrique occidentale, qui demande une sanction pour exercice illégal de la médecine. Ça, c'est pour vos talents chirurgicaux.

« Ces rapports ont été transmis au gouverneur de l'AOF, au gouverneur général de l'Algérie, au ministère de la Guerre, et aux Colonies. Est-il besoin que je vous dise que, puisque vous êtes un saharien, nous vous défendrons ? Dubreuilh a déjà fait parvenir à Alger et à Paris une note qui vous couvre. Mais, si vous démissionnez maintenant, vous perdez la face. Et vous la faites perdre à tous les sahariens.

— Ça m'est égal, dit Saganne.

— Pas à moi, dit Wattignies.

Il balance son lorgnon au-dessus du dossier ouvert. Ses hésitations semblent suivre ce mouvement pendulaire. Finalement il se sort d'embarras par un fielleux :

« Au fait, mon cher, pourquoi voulez-vous démissionner ?

Wattignies joue : il essaie de mener la conversation, de décontenancer son interlocuteur par des changements de ton. Saganne n'est pas là pour jouer; il répond, en détachant chaque mot :

— Le capitaine Baculard a massacré les hommes de Takarit, dont j'étais responsable.

Sa faiblesse physique le sert, parce qu'elle le simplifie. Si bas, sur sa chaise, il est hors d'atteinte.

Sur la sienne, Wattignies s'agite :

— C'est absurde, Saganne. Vous n'étiez pas présent quand l'accrochage s'est produit.

— Ce n'était pas un accrochage. C'était un massacre délibéré.

— L'un ou l'autre, peu importe : vous n'en n'êtes d'aucune

façon responsable... Et puis, je vais vous dire : d'accord, le capitaine Baculard vous a fait une crasse...

Saganne interrompt :

— Vous appelez ça une crasse?

— Ce que je voulais dire, c'est qu'il a fait ça pour se venger : vous aviez piétiné ses plates-bandes en arrêtant, sur son territoire, le rezzou d'esclaves. Il a saisi la première occasion de piétiner les vôtres.

— C'est exactement pour ça que je démissionne, dit Saganne.

— Laissez-moi terminer... Ce Baculard d'Arnaud s'est peut-être conduit de façon blâmable, mais je suis obligé de constater que l'affaire a eu d'excellents effets. Je doute que les tribus hoggar eussent accepté de remonter dans le Nord avec nous, aussi facilement qu'elles l'ont fait, si leurs chefs n'avaient pas appris la mésaventure survenue à Takarit et aux siens. Ils ont vite compris qu'en restant dans l'Adrar, ils risquaient tous, un jour ou l'autre, d'avoir affaire aux troupes soudanaises qui, faute de les connaître, les auraient traités en rebelles.

Saganne pose ses mains sur ses cuisses. Il regarde par terre, entre ses jambes.

— En somme, finit-il par dire, j'aurais dû laisser courir le rezzou d'esclaves, et massacrer moi-même les Taïtok.

— Mais non, dit Wattignies.

— Mais si! dit Saganne. Soyez logique jusqu'au bout.

Wattignies pose sa pipe. Il en choisit une autre dans le râtelier, la bourre avec le pouce. Les yeux au plafond, il bat des paupières comme s'il cherchait à retrouver un argument oublié. Il revient à Saganne, souriant, patelin :

— Si vous persistez dans votre décision, il va falloir réfléchir à la façon dont vous présenterez ça à Dubreuilh. Il vous a couvert; votre départ le mettra en porte à faux : il n'aime pas ça... D'un autre côté, comme on l'a mis en garde contre vous à Paris, pour les raisons que vous savez, peut-être ne sera-t-il pas mécontent d'être débarrassé de vous.

Saganne dresse la tête :

— Je ne comprends pas! Qui a mis le colonel en garde contre moi? Pourquoi?

Sa voix vit à nouveau.

— Vous n'êtes pas au courant?

— Non.

Wattignies a enfin sorti Saganne de son retranchement. Il marque son avantage par une pause. Il verse du café dans son quart de métal puis, montrant la cafetière :

— Vous n'en voulez vraiment pas?

Saganne n'accepte ni ne refuse. Wattignies se lève, va prendre un quart, le pose sur la table, le remplit. Cet entracte, la lenteur des gestes du capitaine, relancent la fureur de Saganne. Il y a un instant., il ne calculait pas : par sa démission, il retirait toute la mise; il ne voulait ni gagner, ni rien prouver. Maintenant, tout s'inverse : les paroles de Wattignies lui font soupçonner que sa démission faisait aussi partie du jeu; cette porte par laquelle il avait cru échapper à la crapulerie était le piège où les crapules voulaient qu'il se prenne. Une colère d'homme berné le gagne. Au point que lui qui, il y a moins d'une minute, devait se concentrer pour extraire de sa gorge des mots audibles, est forcé au contraire de maîtriser sa véhémence pour demeurer compréhensible :

— Qui a mis le colonel en garde contre moi? Vous devez tout me dire! Tout, immédiatement!

· — Buvez votre café, dit Wattignies.

Avec le dos de la main, Saganne envoie valser le quart de zinc.

Wattignies va s'accoter contre la fenêtre. Les bords et les angles découpent dans l'azur, pour son crâne de paysan de l'Escaut, une auréole rectangulaire. Le quart dans une main, la pipe dans l'autre, il tâte alternativement du café et du tabac.

« Mon cher, vous avez, à Djelfa, séduit une petite cousine du président de la République. Si vous l'aviez compromise de telle sorte qu'on n'eût pu faire autrement que de vous la donner en mariage, toute la machine se serait mise en branle en faveur de votre carrière. Mais vous êtes resté à mi-chemin de la besogne : tout joue contre vous.

Saganne n'attendait pas le coup de ce côté-là. Sur sa chaise, il reste tout déferré. Wattignies observe un instant l'effet de sa mauvaise confidence puis, poussant sa comédie, fait mine de se remettre à ses papiers. A un moment, il brandit son lorgnon :

« Ah! écoutez ça, lieutenant. Lorsque vous êtes entré, je prenais connaissance d'une note de Dubreuilh. Dans le dernier paragraphe, il demande que je vous envoie le rejoindre. Il est à Biskra avec le gouverneur général. Partez donc pour Biskra! Vous vous expliquerez avec Dubreuilh; vous tirerez tout ça au clair. Moi, j'ai essayé de vous aider, n'est-ce pas?

Enfermé dans l'édicule de planches où l'eau coule, molle et tiède, sur son crâne, son visage, ses épaules, Saganne s'étrangle avec des bouts de phrase : « Ah, ils ont voulu m'éliminer! Ah, ils ont cru qu'ils se débarrasseraient de moi! Eh bien, ils vont voir Je vais leur montrer!... » Il est toujours cotonneux de fatigue. Comme tout à l'heure son dégoût, sa résolution se propage sur ce fond d'épuisement. Bien qu'il soit passé en quelques minutes de la volonté de démissionner à celle de faire face, il n'a pas le sentiment d'une volte-face : il a viré par imprégnation, sans rupture. Il était tendu vers la démission, il est orienté au pôle contraire, vers la lutte. Mais il n'a pas changé. Il est ce corps efflanqué, forcé au-delà de ses limites, et qui a tenu.

Après la douche, il remonte à sa chambre. Courette l'attend, assis de biais sur son lit étroit à couverture grise; il se force à sourire, mais sa gaieté n'éclaire rien.

— Alors, dit-il, comment ça va, l'Ariégeois?

— Et toi? demande Saganne. As-tu examiné Takarit?

— Je l'ai vu. Tu as fait du beau travail. Je n'aurais pas fait mieux. En fait, je crois bien que je n'aurais rien fait du tout.

— On dit ça de loin. Sur le moment, on n'a pas le choix.

Il va poser sur le dos de la chaise la serviette avec laquelle il s'est essuyé. Il est calme, maintenant. En contemplant par la fenêtre la Koudia, bleue et brune, inhumaine, il pense à la petite Sainte-Ilette. La pensée que, pendant qu'il la possédait en rêve, les parents Sainte-Ilette le possédaient, lui, pour de bon, cette coïncidence qui n'en est pas une, ne l'amuse pas. Il se retourne vers Courette :

« Et ici? demande-t-il. Quoi de neuf?

— Les Hoggar sont rentrés; nous aussi. Ils attendent; nous aussi. Moi, j'ai mes vieilles qui viennent me montrer leurs bobos : je badigeonne à la teinture d'iode. Wattignies s'est remis au balisage des pistes. Il a profité de ton absence pour envoyer Vulpi sur un des chantiers. Le pauvre vieux est en train d'y laisser ses os. L'étalon Marguerite a achevé d'estropier sa femme, et songe à en acheter une autre. Ton ami le caïd Baba prospère. Foucauld tanne Wattignies pour qu'il soit destitué, mais notre capitaine fait semblant de ne pas comprendre... Et puis, on a beaucoup parlé de toi, comme tu peux l'imaginer. Que t'a dit Wattignies ? Que vas-tu faire ?

— Je pars pour Biskra, voir Dubreuilh.

— Tu reviendras ?

— Je ne sais pas... Tiens, tu donneras à Foucauld les notes que j'ai prises pour lui.

— Tu les lui donneras toi-même. Il est rentré de l'Asekrem ; il est là. Tu le verras.

— Je n'ai envie de voir personne... Et maintenant, tu m'excuseras ; j'ai sommeil.

Il dort douze heures, sans rêve, malgré les mouches, la chaleur, l'éclatante lumière. Quand il se réveille, il fait nuit. Il s'habille.

Dans la grande cuisine, Demla, accroupie au pied d'une armoire, compte des paquets de riz à la lueur de deux bougies posées par terre. Elle tourne la tête quand il entre, puis se remet à sa besogne.

— J'ai faim, dit-il en tamahek.

Comme elle ne répond pas, il répète :

« J'ai faim. Donne-moi à manger.

Elle se redresse et lui fait face. Un trousseau de clés pend à sa taille. Elle a grossi.

— C'est trop tard pour manger, dit-elle.

Il s'approche :

— Tu me reconnais, Demla ? Tu sais qui je suis ?

Elle le contemple avec un regard inerte. Souvent, face aux indigènes, même ceux qui sont les plus proches de lui, Saganne a cette impression d'appartenir à un autre ordre qu'eux, presque à une autre espèce. Il déteste ça.

— Le fourneau est éteint, dit Demla. Marguerite dort.

— Tu pourrais me donner quelque chose, toi ?

— Moi, je fais pas la cuisine. Moi, je suis « l'intendante ».

Elle a dit le mot en français, en posant la main sur le trousseau de clés.

Il traverse la cour du bordj. Dehors, les hommes sont réunis autour des feux. Ils ne bougent pas, ne parlent pas. Il y en a un qui chante, bouche close. Saganne s'assied près d'Anini :

— Comment va Takarit ?

— Le toubib l'a pris. Il lui fait des piqûres. Mais Takarit, il s'ennuie là-bas, couché. Il veut pas rester.

— On verra... Anini, tu n'as pas quelque chose à manger?

— De la galette et du café, mon lieutenant.

— Donne.

Ce qu'il voudrait savoir, c'est jusqu'où Dubreuilh a donné dans les manœuvres Sainte-Ilette. C'est une pensée froide : le dégoût, l'indignation, la tristesse sont devant lui. Il en mesure les ramifications et la tonalité, pourrait-on dire. Mais il n'y entre pas. Enveloppé dans l'odeur de bouc d'Anini, mâchant la galette, il se sent, pour la première fois peut-être, mortel.

CHAPITRE VIII

Les bougainvillées ont des fleurs sèches, friables comme des papillons morts; dans les plates-bandes la terre s'est écaillée et se rétracte : l'eau coule rarement dans les jardins de l'hôtel Royal à Biskra. Au bout de l'allée qui longe le tennis, autour d'une table à thé en rotin, trois Anglaises — corpulence et raideur du dos victoriennes; pour le vêtement, Stanley — émiettent des toasts aux moineaux.

Saganne vient de les dépasser quand la balle le frappe dans le dos. Il se retourne : Madeleine de Sainte-Ilette s'est jetée contre le grillage, bouche ouverte, asphyxiée par la surprise, le corps plaqué aux mailles de fer.

Depuis qu'il a quitté Djelfa, Madeleine n'a pas vécu une heure sans penser à Charles. Caressée sans cesse et sans espoir, l'image s'est affadie. A la fin, ce qu'elle chérissait, c'était une sorte de lavis. L'apparition de Saganne en chair et en os a pulvérisé ces fadeurs; séisme dont les ondes sont de chaleur et de vide : feu des joues, moiteur des paumes, reins qui cèdent, genoux qui ploient. Quinze mètres entre son amour et elle. Dans dix secondes, avec sa main, il la touchera. Elle peuple cet espace et ce temps de tous les espoirs, de tous les tremblements.

Saganne a enlevé sa veste. Campé sur ses jambes haut fendues, il époussette les parcelles de brique laissées par la balle de tennis. Puis il réendosse sa veste, ébauche, de la tête et du buste, un vague salut, et poursuit son chemin.

Madeleine suffoque, ses jambes fléchissent. Son index, accroché au grillage, reçoit, à la jointure, le poids de tout son corps. La peau se fend, la rouille y entre. De l'autre côté du filet, Gabriel Barroux, qui mène sur son service quarante-quinze, et qui, concentré sur ses pieds, n'a rien vu, lève sa raquette.

— Je ne joue plus, crie Madeleine; je me suis blessée.

Elle est blessée. Les larmes, dans ses yeux, font vaciller le monde.

Le pataud s'empresse, prétend désinfecter lui-même la plaie. Elle le rabroue par un insultant :

« Allez vous occuper de vos affaires d'alfa! Laissez-moi!

Dans le hall de l'hôtel, les personnalités civiles et militaires que le gouverneur général vient de libérer de la quotidienne séance de travail jacassent par groupes. Saganne, le képi sous le bras, contourne les paquets d'uniformes. Il repère M. de Sainte-Ilette, en conversation avec un pékin à bésicles, et détourne la tête pour n'être pas reconnu. Mais, au moment où il pose le pied sur la première marche de l'escalier, la main de l'inspecteur général se pose sur son épaule :

— Cher jeune ami, du diable si je m'attendais à vous trouver à Biskra!... Mais, après tout, non, c'est logique : votre expédition à Tombouctou fait sensation! On ne parle que de vous. Vous avez, je vous l'affirme, de chauds défenseurs...

Il rentre le ventre pour une petite courbette :

« Votre serviteur, tout le premier. Vous me raconterez ça, n'est-ce pas? Ça a dû être épatant! Avez-vous vu Madeleine? Elle m'a accompagné. Elle n'a pas tant de distractions à Djelfa... Nous avons fait route avec le jeune Barroux. Vous vous souvenez de lui? La Compagnie franco-algérienne de l'alfa. Comme les concessions d'alfa sont renouvelables l'année prochaine, il a préféré venir : toutes les autorités sont ici.

Il reprend Saganne par le coude :

« Vous êtes superbe! Le désert vous réussit! Vraiment superbe!...

M. de Sainte-Ilette a épuisé le stock d'interjections constitué par l'imprévu de la rencontre : Saganne va devoir, d'une façon ou d'une autre, répondre. Il est sauvé par l'officier d'ordonnance qui, à cet instant, le hèle du haut de l'escalier :

— Le colonel vous attend dans sa chambre.

— Je m'excuse, dit Saganne à l'inspecteur général.

Le discours qu'il va servir à Dubreuilh, il le répète depuis qu'il a quitté Tamanrasset. De version en version, c'est devenu un ultimatum en trois points : premièrement, c'est Baculard d'Arnaud ou moi; deuxièmement, j'exige toute la vérité sur le complot Sainte-Ilette; troisièmement, si je n'ai pas satisfaction, je démissionne. Il a ça serré dans la gorge, tranchant.

Dubreuilh est affalé sur le dos, en travers du lit. Cramponné des deux mains aux barreaux de cuivre, il pousse avec le pied, dans le derrière de Mabrouk qui chevauche son autre jambe, à l'envers. Les deux hommes lâchent, à l'unisson, un dernier « ahan », et Mabrouk part en avant avec la botte. Délivré, Dubreuilh saute sur le parquet, en chaussettes.

— Alors, Saganne, qu'est-ce qu'on raconte à Tombouctou ?

Saganne s'est retranché dans le garde-à-vous. On ne l'aura pas à la gouaille.

— Mon colonel, le commandant Baculard d'Arnaud a massacré de sang-froid la tribu taïtok dont j'avais la charge. C'est inadmissble. En arrivant à Tamanrasset, j'ai fait part au capitaine Wattignies...

— Je sais, Saganne, je sais...

Dubreuilh s'est approché de son bureau. Il se retourne, tend une lettre :

« Lisez ça !

Comme Saganne reste raide, il répète, agacé :

« Eh bien, prenez ! Je ne vais pas garder un quart d'heure le bras tendu !

C'est une lettre manuscrite, sur du papier à en-tête du ministère de la Guerre, estampillé, en haut à gauche : « *Cabinet du chef d'état-major général.* »

Cher vieux,

L'ordre de mutation du commandant Baculard d'Arnaud a été signé hier. Délai record. On l'envoie méditer à Châteauroux. Tombouctou en recevra notification à la date où tu recevras ce mot. J'ai obtenu qu'Alger et toi soyez informés officiellement. Fin, donc, de cette affaire. J'espère que tu es satisfait !

Ton imbécile de filleul a trouvé le moyen de se casser le bras hier dans la cour du collège. Les bons Pères nous l'ont renvoyé en fiacre, tout pantelant. On l'a plâtré. Ce ne sera rien.

Préviens-moi des dates de ton prochain congé. J'organiserai une battue à La Roche-Boullaye. Les fermiers m'assassinent de lettres pour que je vienne les débarrasser des sangliers.

Sous un « *Fidèlement à toi* », la signature est illisible.

Saganne rend la lettre. Il ne s'est pas détendu. Le point un est réglé; il reprend son discours au point deux :

— Mon colonel, lors de mon entretien avec le capitaine Wattignies, celui-ci m'a appris qu'une machination...

Dubreuilh marche sur lui, se colle contre lui, face à face. De près, ses paupières paraissent cornées, ses yeux ont la fixité malveillante de ceux des perroquets. Il martèle rapidement les mots, en virtuose du maniement d'hommes :

— Question, Saganne : regrettez-vous que je vous aie tiré de ce trou de Djelfa quatre mois avant la fin réglementaire de votre stage ? Autre question, Saganne : me croyez-vous capable d'une bassesse ? Le président de la République et sa parentèle, Saganne, je sais d'où ça sort, même quand ça s'appelle « de Sainte-Ilette », et que c'est à pot et à rôt avec de mauvais prêtres. Les francsmaçons ont la bonne habitude de se passer de moi pour leurs saletés. Tant que vous êtes sous mes ordres, vous êtes intouchable.

Il se recule, mesure l'effet de ses paroles sur Saganne ; le juge bon ; l'exploite aussitôt :

« Vous démissionnez, ou pas ? Répondez.

— Non.

— Vous faites bien, dit Dubreuilh, sévère.

Mais, quand il retourne vers son bureau, il sautille un peu, comme un gamin qui a gagné aux billes. Il est toujours en chaussettes, sa veste d'uniforme déboutonnée.

« J'ai eu peur pour vous, mon petit... Aviez-vous pensé à votre famille ? C'est vous qui faites bouillir la marmite, non ?

— J'y avais pensé, dit Saganne.

Il a ouvert ses poings. Il est conscient d'avoir été manœuvré, mais il ne peut s'empêcher d'être très heureux. Heureux comme un enfant, lui aussi, d'un bonheur qui l'allège : il reste officier ; il reste au Sahara ; tout est sauf. Il est soulagé et il n'en a pas honte.

Dubreuilh s'étale dans le fauteuil, jambes tendues, chevilles croisées :

— Puisque vous êtes décidément intelligent, j'ai une mission pour vous. Je n'ai pas le temps de vous en parler maintenant Il est possible d'ailleurs que l'entretien que j'aurai tout à l'heure avec le gouverneur général rende la chose inutile. Soyez ici demain matin à sept heures. D'ici là, amusez-vous ; Biskra est plein d'Anglaises... Bonsoir, mon cher.

Saganne quitte l'hôtel Royal, en évitant le tennis. Il dîne dans un bouge, à l'enseigne du *Jardin d'Allah*. Pour fêter sa non-démission, il commande une bouteille de champagne. Il n'y en a pas; le garçon lui apporte une bouteille d'épais vin rouge : il la vide en mangeant. Il mâche et avale avec une hâte absurde, comme si une tâche urgente l'attendait. Une demi-heure après, il est dans la rue, toujours seul, toujours pressé par la fébrilité. Il erre dans Biskra. Les êtres qu'il croise, indigènes et Européens, louvoient en quête d'échanges : voluptés orientales contre écus d'Occident. Sur la place, un gamin le harponne et l'escorte en piaulant : « Tu veux une danseuse; viens, commandant, viens. Tu as confiance : garantie propre. » Il finit par le suivre à travers les ruelles. Une bougie dans un Cataphote et un écriteau : *Maison honnête*, signalent le bordel. Il écarte le rideau de perles, voit la cave noire de crasse, deux Hollandais qui suent, chacun assis sur un petit banc, un vieillard aveugle qui souffle dans son pipeau, un gamin qui caresse un tambourin, les yeux noyés par le kif, et, sur la scène, entre deux quinquets qui fument, une Salomé quinquagénaire, atteinte d'un tournis de l'estomac. Il s'en va. Il se retrouve devant l'annexe de l'hôtel Royal, où il loge.

En lui tendant sa clé, le portier en chéchia rouge lui dit :

— Une jeune fille vous attend devant le tennis.

Par le mot « tennis », Saganne sait, sans réfléchir, qu'il s'agit de Madeleine. Dans le même mouvement, il pense : « Elle peut toujours attendre. » Deux minutes plus tard, il entre dans sa chambre, dernière porte à gauche au fond du couloir. Il allume la lampe à pétrole, souffle la bougie avec laquelle il a monté l'escalier, commence à jeter ses vêtements sur le lit.

Madeleine est posée au bord du banc depuis une heure et quart. Le visage tourné vers l'allée obscure qui mène à l'annexe, elle tressaille à chaque bruit, à chaque mouvement des palmes ou des ombres.

Dès qu'elle a été débarrassée de Gabriel Barroux, tout à l'heure, elle a couru dans sa chambre, a tiré les targettes des deux portes : celle du couloir, celle qui ouvre sur l'appartement de son père, puis, debout au milieu de la pièce, serrant contre elle la raquette, paupières crispées, elle a attendu que les larmes jaillissent. Rien n'est venu : peine perdue. Elle a rouvert les yeux, s'est approchée de la toilette à miroir ovale, en quête de son reflet de malheureuse. Sur l'eau du broc de faïence, une araignée minuscule pagayait des huit pattes. Madeleine a plongé dans l'eau, jusqu'au poignet, sa main blessée : la morsure du froid sur sa plaie a décidé de toute sa conduite. A partir de ce moment-là, elle a agi sans une hésitation.

D'abord, elle a commandé un bain au garçon d'étage. Puis, elle, si maladroite en coquetterie, si prompte, quand elle veut se faire belle, à se travestir, a réussi à faire paraître, sur son visage et sa personne, sa vraie nature, dans le plus grand éclat. Pendant le dîner, qu'elle a pris entre son père et Gabriel Barroux, un masque de petite fille modèle, une conversation et un comportement où alternaient, ni plus ni moins qu'à l'ordinaire, naïvetés, impertinences, rires, avec ces périodes d'absence pendant lesquelles elle rêve, le nez au plafond.

Mais ce soir, chaque regard étudié, chaque battement de paupières contrôlé, chaque intonation de voix travaillée, avec une maîtrise telle que, si son père avait pu lire ses pensées, l'hypocrisie de sa petite fille l'aurait suffoqué.

Sur la terrasse où, après le repas, on a pris des liqueurs et des rafraîchissements en compagnie d'une dizaine de messieurs en uniforme et de dames alanguies par la douceur du soir, elle a manœuvré si discrètement pour glisser jusqu'au fauteuil paternel, murmurer « Papa, je vais me coucher ; j'ai un peu de migraine », s'éloigner à reculons du cercle de fauteuils, que personne ne s'est rendu compte qu'elle s'était éloignée, pas même Barroux.

Ensuite, la traversée du hall, désinvolte, le « merci » poli au concierge qui lui a donné sa clé, le détour vers le fumoir, comme si elle cherchait quelqu'un, puis, lorsqu'elle a été sûre que personne ne la regardait, l'accélération brusque de tous les gestes, la porte cintrée qui l'a absorbée. Elle s'est retrouvée au milieu des casiers de bouteilles, a suivi le couloir de briques, a bifurqué deux fois, guidée par les relents de cuisine, a souri à un marmiton arabe qui, caché dans une encoignure, finissait une casserole de lentilles, a aperçu le rideau de perles derrière lequel régnaient la nuit, les étoiles, l'odeur des verveines, a couru vers cette issue. Course poursuivie, au large de la terrasse, par les allées obscures, jusqu'à l'annexe. Elle a décrit Saganne au portier en chéchia avec une précision d'entomologiste, trouvant toujours un détail à ajouter. Elle a fait glisser de sa manche la pièce préparée à cet effet, l'a poussée sur le comptoir jusqu'à la main de l'homme, comme si acheter la complaisance des domestiques lui était un exercice aussi familier que faire la révérence aux dames.

Retour ensuite jusqu'au tennis, à pas lents, pour calmer les mouvements de son cœur. Enfin, le banc, l'immobilité, l'attente. Soixante-quinze minutes de station et d'alerte. Soixante-quinze fois le temps de revivre, dans l'ordre et dans la confusion, l'apparition de Saganne derrière le grillage, le choc qu'elle a reçu — cette renaissance violente par déchirement; Saganne frappé à son tour dans le dos, qui se retourne, dont le regard l'annule, qui époussette sa veste, la remet, s'en va.

Où est-il, maintenant? Que fait-il? Pourquoi ne vient-il pas? Au début du dîner, son père a dit : « Savez-vous qui j'ai rencontré tout à l'heure? Le lieutenant Saganne. Il montait chez le colonel Dubreuilh. Je ne l'ai pas retenu, d'autant qu'il avait la tête du monsieur qui s'apprête à se faire frotter les oreilles. Vous êtes au courant, Barroux, de son affaire de Tombouctou? »

Gabriel a bredouillé elle ne sait quoi. Elle l'a interrompu :
— Le lieutenant Saganne! Oh, ce que j'aimerais le revoir! Tu te souviens, papa, du jour où j'ai voulu monter son cheval? Maman était furieuse. Après j'ai ri, mais, sur le moment, j'étais affreusement vexée. Je crois bien que j'ai pleuré. Ce que je pouvais être bête, il y a un an!...

Elle s'est arrêtée; elle allait en faire trop. Et, comme elle n'était pas sûre de pouvoir donner le change si on continuait à parler de son amour, elle a, en mimant un fou rire contenu, orienté l'attention de son père et de Gabriel vers l'épouse du gouverneur général qui, à deux tables de là, s'étranglait opportunément avec ses lentilles.

Sur le banc, Madeleine tient par l'immobilité. C'est devenu une superstition : « Si je ne bouge pas, il viendra. » Un sabbat de chats qui éclate dans les buissons la fait sursauter; la coque de tension qui la protégeait se brise; elle constate son malheur : il est onze heures et Saganne n'est pas là. Attendre encore, c'est accepter ce malheur. Qu'elle puisse remonter dans sa chambre, elle n'y songe pas. Elle se lève. Elle ira jusqu'au bout, par l'allée obscure.

Le portier dort assis, la chéchia sur les sourcils. Il répond à Madeleine sans tout à fait quitter son rêve :
— Oui mademoiselle, il est monté. Le 6, à gauche.

Le numéro est peint en crème sur le fond marron, au milieu du panneau, juste à la hauteur des yeux de Madeleine. Plusieurs secondes, elle reste interdite devant la porte, le poing serré, prêt à frapper. Le scandale, si quelqu'un de connaissance, débouchant de l'escalier, la surprend où elle est, la colère de son père, celle de sa mère, plus tard, elle les imagine lucidement. Ce n'est pas cette crainte qui la décide, ni aucun vertige. C'est pur courage : elle frappe deux coups.

Allongé dans le noir, Saganne ne pense plus depuis longtemps au rendez-vous que lui a donné Mlle de Sainte-Ilette. Il remâche son entrevue avec Dubreuilh, sa non-démission, à chaque instant trouve une nouvelle raison qui conforte sa conduite sage. Quand pointe, au travers de la trame de satisfaction qu'il se fabrique, le remords de n'avoir pas été conséquent avec son premier dégoût. il s'en détourne. Puisque son parti est pris, pas d'état d'âme. Pas de sommeil non plus, bien qu'il s'y exhorte.

— Qui est là? demande-t-il.

Pour réponse, reviennent les deux coups nets. Il se hisse contre l'oreiller, allume la mèche de la lampe.

« Eh bien, entrez!

Il a pensé à une erreur, au portier, à Dubreuilh qui le faisait chercher. Quand il voit Madeleine dans l'entrebâillement de la porte, il réagit mal, heurté d'abord par l'inconvenance de cette intrusion :

« Il ne faut pas que vous restiez là, dit-il en remontant le drap sur les poils de sa poitrine.

Au regard qu'elle attache sur lui, il oppose un visage buté, des yeux qui papillonnent dans la lumière. Il ne doute pas que la porte va se refermer et que prendra fin, sans avoir commencé, cet intermède incongru. Cependant, Madeleine avance, repousse le battant derrière elle :

— Pourquoi n'êtes-vous pas venu au tennis? dit-elle en tremblant. Je vous ai attendu.

S'il n'était pas nu sous le drap, il se lèverait, prendrait la jeune fille aux épaules, la pousserait dans le couloir.

— Écoutez, dit-il, vous vous conduisez en écervelée.

— Pourquoi faites-vous semblant de ne pas me voir? Pourquoi êtes-vous si...

Des larmes affleurent entre ses mots, les espacent. Elle balbutie encore : « Pourquoi.... Pourquoi.... », puis laisse retomber ses mains contre sa robe et se tait.

Saganne est contrarié : la jeune fille commence à l'émouvoir. Il pourrait, si c'était sa fantaisie, prendre là, sur la carpette, la petite Sainte-Ilette. Après tout, elle s'offre... Bon coup contre la mère : « Vous vouliez me casser les reins? Eh bien, voyez où ils fonctionnent, qui les caresse, mes reins de paysan! » Les rêves faits au désert, dont Madeleine était la souple héroïne, lui reviennent, par saccades : tussor troussé, chair qui s'écrase contre le grillage; lui accroché des deux mains aux mailles de fer, planté profondément, qui secoue, avec la fille, toute la cage.

Il tranche par un brutal :

— Madeleine, je ne peux rien pour vous. Partez!

La tête de Madeleine s'affaisse sur sa poitrine; mais elle ne part pas. Que pourrait-il dire maintenant?

A tout hasard, il commence par de la douceur :

« Ne pleurez pas, Madeleine. Cela n'en vaut pas la peine...

Très vite, il dérape vers la leçon de bon sens. C'est lui, autant qu'elle, qu'il tente de ramener à la raison :

« Si je vous demande de partir, c'est que votre présence dans ma chambre ne peut que vous compromettre. Si vous vouliez bien réfléchir, vous-même...

Elle coupe le prêche, visage relevé, intense :

— Moi, je vous aime!

Ce qui anime sa voix, c'est la passion; c'est aussi du mépris pour la pusillanimité de l'homme. Vibrante, elle répète son défi :

« Moi, je vous aime!

Il la contemple, le drap toujours pudiquement tiré sur la poitrine. Qu'est-ce qui le retient d'avancer la main, de la tirer vers lui? La bienséance? Mais qu'a-t-il à faire de la bienséance? Il la désire, elle est là, consentante, mieux que consentante. Dans dix secondes, il ne résistera plus. Il lance :

— Moi, je ne peux pas vous aimer. Sortez!

Elle couvre son visage avec ses deux mains : geste de nonne, comme si elle se retirait du monde. Tandis qu'elle marche en aveugle vers la porte, il ajoute :

« Nous nous reverrons, Madeleine.

Cette banalité — qui, pour lui, n'en est pas une à cet instant —
est le viatique avec lequel Madeleine quitte la chambre. Dans le
couloir, dans l'escalier, à travers le jardin silencieux, elle se répète :
« Je le reverrai. »

Le lendemain matin, Saganne se réveille allègre. La scène de
la nuit agit sur lui comme un de ces rêves dont chaque épisode
n'a rien de plaisant et qui laissent pourtant une impression agréable :
il a été bien ridicule, il a fait souffrir une petite fille par pure bêtise,
mais enfin, il a la certitude d'être aimé. Tandis qu'il se savonne
les aisselles, puis les pieds, il joue avec l'idée qu'il pourrait aller
jusqu'à être amoureux de Mlle de Sainte-Ilette. Perspective charmante, enthousiasmante même, par à-coups, et cependant qu'il
ne sait où caser, qui flotte encore en lui. Il essaie de l'ancrer par
des images de Madeleine enceinte se promenant dans le parc de
la maison de Daillou, près de son père. Devant la glace, les joues
barbouillées de mousse, le rasoir sur la gorge, il se rit au nez à la
pensée qu'il pourrait appeler l'abominable Sainte-Ilette « ma
mère ».

Il se présente chez Dubreuilh l'esprit aiguisé par une gaieté
moqueuse. Le colonel fait les cent pas, sanglé jusqu'au col. Sa
manière, ce matin, c'est la sérénité abrupte du chef qui a tranché.
Il attaque sans préalable :
— Lieutenant, vous allez prendre un congé et partir pour Paris.
Ça vous va ?
Saganne ne bronche pas.
« Partir pour Paris, reprend Dubreuilh, et y remplir une mission
dont dépend l'avenir de la France au Sahara.
Saganne fait une drôle de moue : que Dubreuilh l'éloigne après
ce qui s'est passé, il l'admet. Mais cette façon grandiloquente
de lui dorer la pilule est de trop.
Le colonel passe outre. Penché sur son bureau, il déroule une
carte :
« Venez là, lieutenant... Savez-vous où est Ghât ?
— En bordure du Tassili des Ajjer, derrière la frontière tripo-
litaine.
— Exactement, dit Dubreuilh.

Il pointe son index sur la carte :

« Exactement là.

Il étale sa main sur la zone hachurée qui représente les territoires sous suzeraineté turque, dont Ghât est le centre. Puis, redressé, guettant la réaction de Saganne, il lâche solennellement :

« Je vais prendre Ghât.

Si Saganne est surpris, il n'en montre rien. Si le colonel est dépité de voir son effet manqué, il n'en montre rien non plus. Concentrant sa voix, il poursuit :

« Oui, prendre Ghât, et l'occuper définitivement. Cela pour une raison simple : tant que nous ne tiendrons pas Ghât, nous n'aurons pas la paix au Tassili.

Il frappe la carte du plat de la paume :

« C'est à partir de Ghât que les sénoussistes lancent contre nous leurs menées fanatiques. C'est à Ghât, sous la protection des Turcs, encouragés en sous-main par l'Allemagne, qu'a trouvé refuge Sultan Ahmoud et, avec lui, le ramassis de tous les chefs de bandes et de tous les irréductibles. C'est là qu'Ahmoud rassemble les hommes, les armes, les bêtes avec lesquels, un jour ou l'autre, il fondra sur le Tassili... Faire flotter notre drapeau sur la citadelle de Ghât est un acte nécessaire.

Il cesse de marteler la table :

« Vous voulez boire quelque chose, Saganne?

— Volontiers, mon colonel.

Dubreuilh claque des mains, provoquant l'apparition du grand Noir silencieux :

— Mabrouk, du thé.

Il contourne son bureau, s'assied, les pouces dans les poches de sa veste :

« Ça fait un an que j'en ai envie, et maintenant le moment est venu... Sans ordre, bien sûr.

Saganne fronce les lèvres, plus amusé que surpris.

« Ne sursautez pas, Saganne. Asseyez-vous. Bien... Imaginez que je transmette mon plan à Paris. Que se passera-t-il? Le Quai d'Orsay télégraphiera dans nos légations à Londres, à Constantinople, à Rome. Nos braves ambassadeurs passeront la nuit à rédiger des notes fiévreuses pour faire valoir que, si nous manifestons l'ombre d'une intention un peu ferme en Tripolitaine, la Sublime Porte qui y exerce sa souveraineté, l'Italie qui médite de s'y tailler un bout d'empire, le Cabinet anglais, qui voit rouge dès que la France bouge en Afrique, et aussi bien le Kaiser, le tsar, la reine des Zoulous et le roi de Thulé vont rouler de gros vilains yeux, bref, que l'échiquier diplomatique international sera dangereusement perturbé. On me convoquera et un professeur de lycée quelconque, qui se trouvera être ministre à ce moment-là, me fera comprendre que, si je ne me tiens pas tranquille, un centre de remonte attend justement un directeur en Bas-Poitou. Aussi n'ai-je rien demandé à Paris, et ne demanderai-je rien. Quand Ghât sera pris, ils applaudiront. Nos ambassadeurs expliqueront que rien, mieux que ce geste ferme, ne pouvait arrêter la dégradation d'une situation diplomatique dangereusement floue.

Dubreuilh boit une gorgée de thé et reprend :

« ... Cependant, si, officiellement, je ne demande rien, j'ai besoin, pour que l'opération réussisse, d'abord de moyens pour l'entreprendre, ensuite de certaines compréhensions pour qu'elle ne soit pas torpillée aussitôt que lancée. Je m'y suis employé par différents contacts lors de mon dernier séjour à Paris. Hier soir j'ai, disons, neutralisé notre brave homme de gouverneur général...

Il se redresse dans son siège :

« Et maintenant, Saganne, ça va être à vous de jouer... A Paris vous irez rue Saint-Dominique, où vous demanderez le colonel de La Boullaye — c'est le signataire de la lettre que vous avez lue hier. Vous lui direz de ma part que je marcherai dans quatre mois. Quatre mois, c'est le temps qu'il me faut pour occuper le Tassili des Ajjer avec Moussa Ag Amastane, et m'assurer ainsi des arrières solides, et c'est le délai qui devra suffire aux bureaux parisiens pour mettre en route le dispositif convenu : dégagement des crédits, acheminement du matériel, etc. C'est clair ?

— Parfaitement clair, mon colonel.

— Bien ! Votre mission aura un autre volet... Pour ce genre d'opération, obtenir l'appui préalable de quelques bureaux est indispensable. Mais préparer les esprits qui nous soutiendront à la Chambre, au Sénat, dans la presse, dans les salons et dans les antichambres ne l'est pas moins. Dès votre arrivée à Paris, vous vous mettrez en contact avec M. Remi Lorédan, secrétaire général de la Société de géographie. Le bonhomme est un enragé de l'expansion coloniale. C'est la mode, chez les géographes : ça les grise, ces territoires qu'ils colorient en bleu, blanc, rouge, sans jamais y mettre les pieds. Lorédan vous organisera une conférence. Je lui expédierai dès ce soir une lettre, pour lui expliquer ce que j'attends de lui.

Il est déjà au courant de votre expédition soudanaise et sera enchanté de présenter à ses ouailles le héros de Tombouctou. Laissez-le faire les invitations. Assurez-vous seulement que le sénateur Bertozza, président du Cercle des Amitiés coloniales, sera là. Devant ces messieurs, vous commencerez votre causerie par un récit pittoresque de votre expédition. Vous terminerez par un tableau alarmant de la situation au Tassili en mettant en relief que c'est à Ghât que se montent tous les complots, que c'est à Ghât que se préparent tous les rezzous, que c'est à Ghât que Sultan Ahmoud s'est réfugié et reprend force pour nous attaquer. Répétez le nom de Ghât aussi souvent que vous le pourrez. N'allez pas jusqu'à dire que tant que nous n'aurons pas pris Ghât nous ne serons pas tranquilles; arrêtez-vous juste avant. Voilà... Pensez-vous que vous serez à la hauteur?

Saganne ne répond pas tout de suite. Cette mission lui déplaît. Enfin, il dit :

— Non, mon colonel.

— Eh bien! Vous grandirez, Saganne.

Il caresse ses moustaches :

« La tâche dont je vous charge est peu plaisante mais, croyez-moi, elle est très utile.

Il sort sa montre de son gilet, y jette un coup d'œil :

« Il est 7 heures 30... Votre train est à 8 heures 12. Bonne chance, mon petit.

CHAPITRE IX

Une mascarade coupée d'entractes sombres : tel est le souvenir que Saganne devait garder de la première partie de son séjour à Paris. D'un côté, dans des décors d'opérette, l'opéra bouffe dont Dubreuilh avait machiné les ressorts : l'antre à paperasses de Remi Lorédan, Faust clownesque, les dorures poussiéreuses de la salle de conférences, à la Société de géographie, le cabinet particulier du président Bertozza. Il y paraissait, tantôt dans le rôle du héros valeureux, tantôt dans celui de l'émissaire secret; dans tous les cas conscient de jouer les comparses et, dès le début, convaincu que les pitreries auxquelles il se livrait resteraient sans conséquence sur le dénouement. Au mieux, il y gagnerait une réputation de malin; au pire, il serait catalogué balourd : pour ce qui l'intéressait, enjeu nul.

Mais, après chaque épisode, il disparaissait dans la coulisse et retrouvait, de l'autre côté, la tragédie nue, sans décor et presque sans mot, de son frère. Plus d'artifices, alors; s'il conservait un masque, et très rigide, c'était le sien. Cet enjeu-là était ce qui, au monde, lui tenait le plus à cœur : le sort de Lucien, l'avenir des Saganne. A la fin, il avait tranché. Jusqu'à la mort, il porterait cette croix.

De ces quatre jours, où il n'avait ainsi cessé de courir d'un tréteau à l'autre, puis, seul dans sa chambre, d'attendre Lucien en se torturant l'âme, il devait garder une seule image sur laquelle se reposer.

C'était un matin, avant la visite décisive au colonel de La Boullaye. Il avait quitté son hôtel au point du jour et avait erré, attendant l'heure où les bureaux ouvrent. Pour se distraire de ce qu'il avait résolu d'accomplir, il évoquait le plus léger en lui : Madeleine. Ça ne faisait pas encore beaucoup de poids, Madeleine : une promesse qu'il apprivoisait sans y croire.

Avant le pont de la Concorde, sur la berge du fleuve, une équipe de batteurs de pieux dressait un palan. Ils étaient sept, torse nu, pantalon serré aux reins par une large ceinture de tissu bleu vif et rouge. Couché, inerte, énorme, le palan ne bougeait pas. Cependant ils tiraient, leurs dos pénétrés par des cordes, les sept visages réduits au même schéma par les moustaches, les feutres au bord rabattu, la contraction des muscles.

Il s'en était fallu de rien qu'il ne dépouille et pose sur le parapet, pour les rejoindre, son burnous, sa veste trop cintrée, son képi, toute la panoplie. Attelé au palan, flanc à flanc avec les batteurs de pieux, il aurait été heureux.

A l'arrivée du PLM, gare de Lyon, Lucien l'attendait sur le quai, en uniforme. Lorsque Charles le vit, attentif, réservé, inflexible sous le casoar, il eut, jusqu'aux larmes, un accès de fierté tendre. Ils tombèrent dans les bras l'un de l'autre.

Saganne avait décidé qu'il ne dirait rien à Lucien de ses mésaventures. S'il avait démissionné, il se serait expliqué, sûr d'être approuvé : il avait toujours prêté à son cadet une conscience plus fine et plus exigeante que la sienne. Mais il n'avait pas démissionné; son indignation avait joué à blanc. Donc, silence.

Ils parlèrent d'Alice. Lucien allait la visiter un dimanche par mois dans sa pension de Versailles.

— Travaille-t-elle? demanda Saganne. Je n'ai pas reçu son dernier bulletin.

— Elle n'a pas osé te l'envoyer. Elle craint tes réactions. Il ne faut pas être trop exigeant. Sa vie n'est pas gaie, et elle a si peu confiance en elle.

— J'essaierai d'aller la voir, dit Saganne. Et toi? As-tu eu les résultats de tes épreuves? D'après ta dernière lettre, il te restait la trigonométrie et l'histoire.

Lucien détailla Saint-Cyr. Ses notes, qui étaient bonnes; ses professeurs, ses camarades. Charles nota chez son frère une application inhabituelle à se montrer sous son meilleur jour, à s'étendre sur ce qu'il savait lui faire plaisir. On eût dit que Lucien cherchait à se le concilier, comme si cela n'était pas acquis.

Charles paya les cafés qu'ils avaient bus, debout au comptoir, et passa son bras sous celui de Lucien :

« As-tu le temps de m'accompagner à mon hôtel? J'ai réservé une chambre rue de Lille pour être près du ministère de la Guerre, où j'aurai à faire.

Lucien ne demanda pas de quelle sorte d'affaires il s'agissait; il ne posait pas de questions à son aîné.

Ils prirent un fiacre. Le temps était gris. Charles était venu deux fois dans la capitale : le spectacle ne le surprenait pas. De toute façon, il n'était pas là pour se donner des impressions. Ils s'étaient assis côte à côte sur la banquette de cuir craquelé. Leurs genoux, leurs épaules se touchaient. Ils avaient la même odeur, et chacun la respirait sur l'autre. Ils parlèrent encore un peu, surtout de la maison de Daillou. Le sujet ne passionnait guère Lucien. Charles dut avouer que, depuis que la maison était achetée, il y pensait moins. Puis le silence s'installa. Une certaine contrainte pesait entre eux, depuis l'accolade sur le quai, que Charles ne savait comment dissiper sans manquer au naturel.

Quand la voiture s'engagea boulevard Saint-Germain, il glissa une pièce dans la main de Lucien :

« Tu n'auras qu'à garder le fiacre. Tu seras plus vite à Saint-Lazare.

Après un dernier virage, qui les jeta l'un contre l'autre, le cheval s'arrêta.

— On est rendus, mes princes! cria le cocher.

Au lieu d'ouvrir la portière, Lucien remonta la vitre à glissières et se carra au fond du siège. Charles était trop proche de son cadet pour ne pas percevoir aussitôt sa tension et se mettre au diapason.

— Charles, il y a une chose que je m'étais promis de vous annoncer à Papa et à toi, dès que nous serions réunis. Mais l'occasion ne se présentera pas avant le prochain congé de Papa, et je ne peux plus attendre... Je vais me marier.

Il avait parlé bas. Cela permit à Saganne de demander, comme s'il avait mal entendu :

— Tu vas, ou tu veux?

Il était hérissé par la surprise, comme une mère qui n'a rien pressenti. Tout se dressait en lui pour refuser cette nouvelle.

— Je vais me marier aussitôt que je serai sorti de Saint-Cyr et que j'aurai reçu ma première affectation.

Serré sur la banquette, Saganne ne pouvait pas donner mouvement à sa nervosité. Il coiffa son képi, l'enleva aussitôt.

— Puis-je savoir avec qui?

Sur le capiton rouge sang du fiacre, le profil de Lucien se découpait, pâle.

— Elle s'appelle Marthe Vallin. Elle est institutrice. C'est la cousine de mon camarade Ruissoud dont je t'ai parlé. Je l'ai connue chez lui, à Noël... Charles, ma décision est prise. Ni Papa ni toi ne me dissuaderaient. Je te jure que Marthe vous plaira.

— Je ne doute pas qu'elle soit bien, puisque tu l'as choisie, dit Saganne sourdement. Mais conviens que c'est un rude coup. Tu as vingt ans, ta carrière...

— Vingt et un dans deux mois, dit Lucien.

Il leva l'index et sourit, comme un ange du Jugement :

« Pas de sermon, s'il te plaît. Tout ce que tu pourrais m'objecter, je le sais.

Saganne se retrouva sur le trottoir, planté devant sa valise, avec dans la tête quatre ou cinq bouts de pensées rigides qui ne s'emboîtaient pas. En montant l'escalier de l'hôtel, son hébétude fit place à un emportement fiévreux : il fallait agir, jeter un barrage entre Lucien et la catastrophe. Sitôt dans la chambre, il se précipita vers la table et noircit trois pages d'objurgations, de promesses et de menaces. Finalement, il déchira tout, et écrivit :

Mon Lucien,
Je peux comprendre une folie. Je ne peux pas l'approuver. Je n'approuve pas. Je n'approuverai jamais. Tu feras ce mariage contre moi ; il faut que tu le saches bien. Je serai à l'hôtel tous les soirs. Je t'attendrai. Je t'embrasse,

Charles

Il sonna le garçon, lui tendit l'enveloppe et une pièce :

— Courez à la poste. Affranchissez par exprès.

Avant de se lever, il respira profondément : il chassait l'inquiétude, aspirait l'assurance. Maintenant qu'il avait usé le désordre de ses pensées en le crachant sur le papier, maintenant que Lucien était loin et qu'il pouvait le considérer à nouveau comme il l'avait toujours considéré : un autre lui-même mais plus doué, il était sûr de gagner. Il empêcherait ce mariage imbécile. Toute autre hypothèse était absurde.

Le premier épisode de la mascarade eut lieu le même jour, en début d'après-midi, à la Société de géographie.

Remi Lorédan est un grotesque grand format. A chaque moulinet de ses bras une pile de papiers chancelle, qu'il abat en la

176

rattrapant. Une couperose tressée gros, que partage en deux un nez blanc comme un fromage, plaque haut les joues. Sa pétulance tient assise sur une barbe d'Assyrien, carrée, toute noire. Il parle comme un ver à soie dégoise son fil : sans arrêt, avec un mouvement latéral de la bouche pour suivre le suintement des mots. Pardessous, sa lavallière montre des mouchetures de jaune d'œuf qui ne sont pas du jour.

— Lyautey m'a tout expliqué...

Comme Saganne tique, il rectifie sans respirer :

« Dubreuilh, lettre admirable, la concision du grand César, que dis-je, peint à la Tacite, le style c'est l'homme; je rêve pour ces généraux d'Afrique de triomphes romains, le char de l'*imperator*, sur le Champ-de-Mars, imaginez la grandeur : les chameaux, les nègres, les houris sanglotantes, toute la smalah des sultans, l'or, l'encens, la myrrhe, l'Orient qui s'agenouille, fier, devant son vainqueur. France, mère des arts, des armes et des lois... J'ai tout compris, remué ciel et terre : billet à droite, billet à gauche, de ma tanière, tout. Après demain, le 10 donc, non, le 11, mercredi enfin, à dix-sept heures... Je vous introduirai de trois phrases, j'improviserai, les Dieux m'inspireront : en avant! Pour Dieu et pour le roi! Montjoie Saint-Denis! *Évohé!* Une salle superbe, le gratin du parti colonial, le dessus du panier, tous les gros crabes; le président Bertozza à la tête de sa valeureuse cohorte parlementaire. On les mettra au premier rang, un fauteuil pour le président, je sais les prendre, les élus du peuple, à la caresse, tout miel, tout beurre, ils me connaissent, ils se laissent faire. Pour la presse, tous les titulaires de tribunes qu'on lit, qui portent à droite, qui portent à gauche. Qui n'a pas compris qu'à notre époque la presse peut tout n'a rien compris, c'est une chose bien profonde que je vous confie là, jeune héros, méditez! Comme disent mes congénères francs-comtois dans leur jargon si particulier : « On n'attrape pas les mouches avec du vinaigre »; en d'autres termes, et en d'autres lieux, il ne suffit pas de faire, il faut savoir faire et faire savoir. On prend les géographes pour des ahuris. Mais, holà! je vous administre la preuve par neuf qu'il y en a de dégourdis. Et devinez qui nous avons? Je vous le donne en mille, je vous le donne en cent, jetez-vous votre langue aux chiens, mon bon? Accrochez-vous aux accoudoirs, je le lâche : Louise Tissot, la grande Tissot, la fabuleuse Louise, la romancière dont chaque œuvre met les salons à feu et à sang, à cor et à cri, l'héritière de la grande George, que dis-je, l'héritière, Tissot est plus féconde que Sand, elle n'a pas le goût des pipes, elle pond deux romans par an. Ah, femmes, femmes, que vous êtes jolies; votre génie jamais n'empêchera nos folies! Superbe, Tissot! Vous la verrez : une peau, des cheveux d'Andalouse, des yeux, des appas pas négligeables! On ne croirait jamais qu'elle est intelligente. De méchantes langues prétendent qu'elle est pour femme; ces susurrements vipérins, je les repousse du pied et je m'assois dessus. Pour après la causerie, j'ai commandé des rafraîchissements et du solide : ça creuse, l'épopée. Et chez qui? Vlan, chez Poiré-Blanche, le traiteur des duchesses. Leur cerisette est un nectar, leurs petite, madeleines donnent de l'esprit à qui les offre, et de la mémoire à qui les croque. Comme j'y vais, hein, je n'en reviens pas! Mais qui veut le fin du fin veut les grands moyens. A propos, un détail mesquin : nous ne sommes pas riches, à la Société de géographie, est-ce que vous ne pourriez pas trouver un détour au terme duquel ce seraient les Armées qui prendraient en charge la petite note de Poiré-Blanche?

Sur l'argent, Lorédan s'arrête enfin.

— Ça me paraît difficile, dit Saganne.

Lorédan s'est levé. Il tamponne sa bouche à petits coups, comme il ferait d'une blessure.

— C'est bien ennuyeux, murmure-t-il, en raccompagnant le lieutenant à travers le labyrinthe de livres.

A la porte, il relance sa pétulance d'un grand coup d'épaule : « Allons! Plaie d'argent n'est pas mortelle! A propos, notre grand Dubreuilh m'a glissé que vous aviez scié une jambe d'indigène! On se bat et on soigne! Ah! mânes de Vicq d'Azyr et de Du Guesclin! Au proche revoir, jeune héros, et, n'oubliez pas : le gratin, une salle d'opéra! Si votre éloquence égale votre bravoure, ça fera une journée à marquer d'une pierre blanche, d'une pierre deux coups. Adieu! Ménagez votre organe, et prenez garde à la dernière marche de l'escalier : elle branle.

Saganne rentre droit à l'hôtel et n'en sort plus. Il travaille à sa conférence. Lucien ne peut pas avoir reçu sa lettre et ne sait donc pas qu'il l'attend. Il l'attend tout de même. Du moins, il veille, à la place qu'il s'est lui-même assignée. Il n'a pas regardé sa chambre, il ne saurait dire la couleur des rideaux. Il veille, traversé par des rafales de doutes. Une seule certitude, plus ancrée chaque minute : ce mariage est une folie. Il écrit trois phrases de son récit, revient

à Lucien, s'accuse d'aveuglement, de négligence, essaie de reprendre
son bon sens, s'égare à nouveau dans les souvenirs et les remords,
puis cogne du front contre ce mur : le projet de Lucien est une folie.
Il ne descend pas dîner, se couche à dix heures, raide dans le noir,
les mains sur la poitrine, les yeux ouverts : il empêchera cette folie
coûte que coûte.

Le lendemain, au ministère de la Guerre, le colonel de La Boullaye
lui fit l'accueil le plus cordial. Hobereau, encore tout près de la
terre, il cultive le parler de son terroir et manie, en personne très
bien née, l'art de traiter chacun en égal. Saganne se laisse prendre
à ces bonnes façons, sans abandon cependant. Le rôle de messager
secret qu'il s'efforce de tenir depuis le départ de Djelfa lui va trop
mal pour qu'il ose, même un instant, baisser la garde. D'ailleurs,
le bureau est intimidant : noyer, velours cloqué, plafond à caissons.
Le colonel le traverse en biais, saisit derrière un panneau de la
boiserie une bouteille à col de cire, désigne un fauteuil près de la
cheminée :
— Assoyez-vous, lieutenant. Vous prendrez bien une rincette
de calvados ?
Tout en mâchonnant l'alcool jaune, il promène sur Saganne un
œil plissé par la bienveillance. Mais le maquignon n'est pas loin.
« Je suis content de vous avoir en face de moi. Vous savez
que Dubreuilh m'a fait faire des acrobaties pour vous sauver la
mise. Maintenant que je vous vois, je le comprends... Et puis,
ç'a été l'occasion de faire sauter cet animal de Baculard. Il y a
parmi nos coloniaux d'Afrique quelques zèbres qui ont besoin
de l'étrille. En faire gicler un de temps à autre calme les fièvres
des autres... Le plus difficile à assoupir, dans votre affaire, ç'a
été la plainte pour exercice illégal de la médecine. Tout le monde
s'en est mêlé. La capacité qu'ont les bureaux d'enterrer l'important
et de gonfler les broutilles me stupéfie chaque jour.
Il avance sa main rougeaude jusqu'au genou de Saganne qu'il
tapote familièrement :
« Un conseil d'ancien : ne faites plus parler de vous avant
deux ans !
Puis il se penche pour tisonner le feu :
« Avez-vous déjà vu Lorédan ? demande-t-il, son gros derrière cordial tendu au bord du fauteuil.

— Hier, dit Saganne. La conférence a lieu demain, à dix-sept heures.

— Ça je sais, dit La Boullaye, en soufflant sur ses doigts pour chasser la suie. Et quand notre bon Dubreuilh a-t-il l'intention de marcher sur Ghât?

Saganne délivre mot à mot le message de son chef.

« Dans quatre mois! dit La Boullaye. Pour nous, ça ira, mais, au ministère des Colonies, on va trouver ça précipité. A propos des Colonies, Dubreuilh vous a-t-il chargé de voir quelqu'un là-bas?

— Non, mon colonel. Mais, si vous estimez que c'est nécessaire...

La Boullaye, qui a obtenu le renseignement qu'il voulait, élude :

— On verra, dit-il... Le chiendent avec Dubreuilh, c'est que quand il a chambré une heure durant le directeur de cabinet d'un ministre, et qu'il n'a pas récolté un « non » formel, il s'imagine que la place est prise. Pour son affaire, le terrain est moins bon qu'il ne le croit. Et puis, quoi, dans les circonstances actuelles, un rien peut embraser l'Europe. Alors, Ghât...

Il se lève, les mains aux reins :

« Où puis-je vous joindre en cas de besoin, lieutenant?

Saganne indique l'adresse de son hôtel.

« Parfait, dit La Boullaye. De votre côté, si vous avez besoin de me consulter, n'hésitez pas. Vous verrez beaucoup de monde demain soir, à la Société de géographie : soyez prudent. Ne vous lancez dans aucune démarche sans m'en parler auparavant : ce sera mieux... Au revoir, lieutenant... Votre visite m'a rafraîchi. Mon Sahara à moi, ç'a été l'Indochine, avec Gallieni et Lyautey.

Il écarte les bras pour désigner la pièce solennelle :

« Et voyez comme on finit!

Saganne sort du bureau à peu près convaincu que La Boullaye ne soutiendra pas Dubreuilh. Il ne s'en offusque pas, ni ne s'en inquiète : le siège de Ghât, il se fera sans La Boullaye.

Le soleil qui filtre à travers le bariolage en losange des fenêtres, sur un piédestal doré, un haut vase où des grappes de lilas se nécrosent, fleur à fleur, font du hall de l'hôtel une chapelle de village, au lendemain d'une noce. Le concierge est absent. Sur le comptoir, un timbre en cuivre et un carton : « *Sonnez en cas de besoin.* » Saganne voit la lettre dans le casier, sous sa clé. Il déchire le coin de l'enveloppe, l'éventre avec l'index. Il y a trois lignes, en haut de la feuille, comme si Lucien avait eu l'intention d'écrire longuement, et n'avait pas pu :

Je suis lâche. Je n'ai pas osé te dire de vive voix que Marthe a un petit garçon de deux ans, auquel je suis décidé à donner notre nom. Je te demande pardon, et à Papa.

Saganne recule, comme giflé, et va donner du coude sur la sonnette. Au tintement, la patronne écarte une portière de tapisserie :

— Vous désirez quelque chose? demande-t-elle, grasse et languide, en réépinglant son chignon à deux mains.

— Non, dit Saganne. C'est une erreur.

Il a froissé la lettre dans sa main. Il se dirige vers la sortie, le papier dans le poing, sur le trottoir tourne à gauche, au hasard. Il voit Lucien perdu, aussi perdu que s'il s'était tiré une balle dans la tempe. Qui ressuscite les morts? Il s'arrête, près de la Bastille, dans un restaurant de chauffeurs, lape du bœuf en sauce à une table de marbre, en face d'un ouvrier en casquette. A deux heures il est de retour à l'hôtel. Il suspend sa veste au dos de la chaise; la lettre de Lucien est dans la poche droite. Sa chambre est devenue le quartier général de sa défaite. Il s'allonge.

Quand on frappe à la porte, il tire sa montre d'acier. Il lit sept heures et demie, crie : « Entre! »

Lucien est en civil, col dur et serge râpée. Il fait trois pas et se bloque, tête baissée. Son humilité touche Saganne au plus sensible, mais l'élan de compassion reflue aussitôt et se fige en exaspération.

— J'ai reçu ton mot ce matin, dit Lucien.

Sa voix est naturelle, sans pathétique, comme s'il tablait sur leur ancienne complicité, comme s'il ne se rendait pas compte que sa décision d'épouser une fille mère a déchiré son aîné et leurs liens.

— Moi aussi, dit Saganne, toujours allongé.

— Je n'ai pas pu avoir de permission. J'ai fait le mur.

— En pékin, dit Saganne; je vois.

Silence, puis Lucien fait trois pas encore, et s'assied au pied du lit.

— Charles, que Marthe ait un enfant ne change rien...

— Tais-toi, dit Saganne.

Il voit le genou de son frère, modelé maigre sous le tissu luisant, le nez trop long, un peu dévié, cette partie entre l'oreille et la nuque qui est d'un enfant et qui attire la main, calotte ou caresse.

Combien de temps tiendra le barrage d'incompréhension derrière lequel il s'est retranché? S'il cède, que restera-t-il? Il y a d'un côté, de plus en plus abstraite, de moins en moins pressante, la certitude que son devoir est de sauver Lucien de sa folie; de l'autre, le sentiment que tout est dit, que le plus précieux est rompu, son impuissance. Il doit se hâter. Il se lève et va se camper devant la fenêtre :

« Si tu épouses cette jeune femme, ta carrière est brisée, et ta vie aussi. Tu te perds sans la sauver. Elle restera une fille flétrie qui s'est fait épouser, et toi celui qui l'a recueillie avec son bâtard.

Lucien est resté sur le lit, face à la porte. Saganne reçoit sa réponse répercutée par le mur :

— Tu n'as pas le droit de dire ça, Charlie, pas toi. D'abord, c'est faux...

Saganne coupe :

— Je n'ai pas l'intention de discuter. Je te somme de renoncer à ce mariage.

— Tu me demandes l'impossible, Charles. Je suis engagé.

— C'est ton dernier mot?

— Oui.

— Dans ce cas, je ferai tout ce qui est en mon pouvoir pour empêcher cette folie.

Cette fois, Lucien se retourne pour jeter :

— C'est-à-dire?

— Je ne sais pas encore. Maintenant, il vaut mieux que tu t'en ailles.

— J'attendais autre chose de toi! crie Lucien.

Sa voix vibre et s'étrangle dans sa gorge.

— Moi aussi, dit Charles.

Au bout d'un moment, comme Lucien ne bouge pas, il sort. Dans le hall, l'hôtelière soulève, branche à branche, les lilas fanés, et les couche dans son bras. Elle le suit d'un long sourire. Dehors, il pleut. Les gouttes lui tombent dans les yeux.

Il se présente au ministère de la Guerre à huit heures le lendemain matin, fait passer sa carte à La Boullaye. Il attend dans un couloir, sur une chaise. Des officiers traversent d'un bureau à l'autre, par deux ou trois, bavards, gais. Enfin, un planton vient lui dire que La Boullaye est prêt à le recevoir. Il pousse la porte capitonnée, claque les talons devant le grand bureau. Le colonel signe des lettres : un paraphe de la main droite, un coup de tampon buvard de la gauche.

— Vous avez du nouveau, Saganne ?

— Non, mon colonel. Je viens vous demander un service personnel.

— De quoi s'agit-il ? dit La Boullaye sans lever les yeux.

— Mon frère est élève officier à Saint-Cyr. Il m'a annoncé son intention de se marier dès sa sortie de l'école. Je souhaite que l'autorité militaire refuse l'autorisation qu'il sollicitera.

— Vous avez des motifs sérieux de vous opposer à ce mariage ?

— Très sérieux, mon colonel.

— Il serait malséant de vous demander lesquels ?

— En effet, mon colonel.

La Boullaye referme le parapheur. Il pointe l'index sur son sous-main ouvragé à la feuille d'or.

— Depuis que je suis à cette place, il ne se passe pas de mois qu'on ne vienne me demander ce que vous demandez. Ce sont les pères, d'ordinaire.

— Mon père est à Madagascar, dit Saganne. Je me porte garant de son accord.

Le colonel le dévisage un moment; il ouvre les lèvres pour poser une nouvelle question, se reprend :

— Je vous fais confiance, lieutenant. Comment s'appelle la jeune fille ?

— Marthe Vallin.

— Et le prénom de votre frère ?

— Lucien.

La Boullaye prend note.

— Je ferai le nécessaire... C'est tout ce que vous aviez à me dire ?

— Oui, mon colonel.

— Alors, à ce soir, chez Lorédan. Si j'ai le temps de venir.

Saganne traverse le boulevard et entre dans la brasserie en face du ministère. Au garçon qui s'approche, traînant les pieds sous son grand tablier, il commande un bock, une plume et du papier. Il attend à nouveau sur la banquette de velours cerise, les mains à plat sur le guéridon. Quand le garçon a déposé devant lui, à droite le bock sur un rond de liège, à gauche l'encrier de métal, au milieu trois feuilles de papier à en-tête de la brasserie, *Les Trois Marronniers*, il se débarrasse de son burnous et écrit, de son écriture nette :

> *Paris, le mercredi 11 juillet 1912.*
> *Mon petit,*
> *Je sors du ministère de la Guerre, où j'ai demandé que ton futur chef de corps refuse son autorisation à ton mariage. Ma démarche a été reçue.*
> *Mon intention est de ne rien dire à Papa de cette affaire, ni maintenant, ni jamais.*
> *Je quitterai Paris demain, ou après-demain au plus tard. Adieu.*
>   *Ton frère, Charles Saganne.*

Il lèche l'enveloppe et va porter la lettre au coin de la rue de Varenne. A partir de l'instant où l'enveloppe bascule dans la fente en cuivre, tout son effort tend à ceci : oublier Lucien, faire le noir sur lui. Il retrouve les réflexes qu'il s'est forgés à Saint-Hippolyte-du-Fort quand il avait décidé de rayer son père de ses pensées et de sa vie. Son père était le bourreau, alors, et lui la victime. Aujourd'hui, le bourreau, c'est lui. Il le sait : ce qu'il vient de faire reproduit ce qu'il a subi à seize ans. Mais, pour résister, c'est le même processus : se retrancher sur sa plus grande dureté.

Il rentre à l'hôtel préparer sa conférence.

Ancien ministre de l'Instruction publique, vice-président du parti radical-socialiste, vice-président du Sénat, vénérable de la Grande Loge de France, président du Cercle des Amitiés coloniales, sénateur d'Oran, où un boulevard porte le nom de son père, Amédée Bertozza dort.

La matière dont il est fait s'échappe du gilet gris sur ses genoux, vers des guêtres, grises aussi. Il a posé son haut-de-forme entre ses souliers, fond au sol, comme s'il attendait qu'on y jette des pièces.

Il faudrait autre chose que l'assoupissement de ce vieillard pour défriser Saganne. Derrière Bertozza, cinquante bustes, posés sur des chaises dorées, vivent de ce que leur dit sa voix. Depuis trois quarts d'heure, Charles manœuvre à son gré ces immobilités. Le don d'orateur est le seul qu'un homme se découvre inopinément. Trente secondes après qu'il a commencé à parler, il a su qu'il était le maître de ces gens : il pourrait dire n'importe quoi, ils le suivraient. Cette certitude est de l'espèce grisante : il comprend pourquoi les comédiens veulent mourir en scène.

Avant de venir, il a ciré ses bottes. Étalé le cirage, frotté avec un soin maniaque, comme s'il y avait un rapport entre sa démarche auprès de La Boullaye et ce beau cuir : quelque chose à effacer ou, au contraire, à faire reluire. Il essayait, le plus froidement possible, d'imaginer la réaction de Lucien : fureur qui brise tout, démission de Saint-Cyr, fuite avec la fille; ou ressentiment qu'on ravale et qui vous donne toutes les patiences pour toutes les revanches; ou alors la soumission : rupture avec cette Marthe, retour à l'ordre. Aucune de ces hypothèses ne lui paraissait probable, et aucune souhaitable, même pas, étrangement, la dernière. Il espérait de Lucien il ne savait quoi d'imprévu et de grand qui effacerait d'un coup ces jours sombres.

Il est arrivé à la Société de géographie le bout des doigts imprégné de cirage. Lorédan, gonflé d'importance et bruissant comme un bourdon, l'a pris sous sa houlette. Planté à la porte pour accueillir les invités, il a serré des mains, tendu l'oreille pour saisir les noms que lui soufflait Lorédan. Bertozza lui a donné, par habitude, une accolade républicaine : « Bravo, mon cher, la France a besoin d'hommes comme vous », avant de s'asseoir au premier rang et d'aussitôt fermer les paupières. Vieux crocodile parlementaire qui, du matin au soir, sans compter les séances de nuit, honore de son importance réunions et colloques, commissions et conférences, bureaux élargis et comités restreints, il crèverait d'ennui s'il devait tout écouter. Un infaillible instinct le réveille dès que ça devient important.

La fameuse Louise Tissot est arrivée en retard, alors que Lorédan, rebondissant de citations latines en proverbes francs-comtois, peinait à conclure son introduction. Tunique grège, turban parme d'une simplicité provocante, grands yeux noirs, voilà ce que Saganne a vu de son estrade. Elle s'est glissée jusqu'au milieu du dernier rang et s'est posée sur la chaise libre avec une discrétion qui a fait se retourner toutes les têtes. Elle est la seule femme.

C'est sans doute pourquoi, depuis le début, elle est le seul auditeur qu'il distingue dans le troupeau suspendu à ses lèvres. Il ne la regarde pas, mais il sent son regard sur lui, précisément sur sa gorge et sur sa bouche.

Il a préludé par la Koudia, Tamanrasset, centre de travaux et de culture ; il a évoqué Foucauld, mais pas Vulpi, ni Sanchez ; longuement décrit le campement des Hoggar et son chef, le noble Moussa ; enlevé vivement l'attaque du rezzou beraber ; glissé, modeste, sur la libération des esclaves ; sauté tout à fait Baculard ; embelli Tombouctou, le fleuve Niger, les fêtes nègres ; omis les gaillardes soudanaises offertes et prises, les amours tortueuses de Geindroz et du gentil Sama ; raconté sans détail, et comme s'il n'en avait été que le témoin, l'amputation de Takarit ; salué le retour à Tamanrasset, la joie des Chaambas ; oublié, bien sûr, la scène dans le bureau de Wattignies ; enfin, rendu hommage à ses hommes et à ses chefs.

Il cesse de parler, lève les yeux vers les assomptions de nudités qui ornent le plafond. Il faut conclure sur Ghât. Il est là pour ça. Comme, depuis un moment, il se dégoûte un peu de faire gober si facilement des vérités tronquées à tous ces assis, il attaque abruptement :

— La situation au Sahara central est mauvaise. A Ghât, derrière la frontière tripolitaine, le chef rebelle Sultan Ahmoud, puissamment soutenu par les Turcs...

Au nom de Ghât, le président Bertozza ouvre les yeux. Chaque fois que Saganne le répète — vingt fois, d'une voix martelée —, il frappe son accoudoir.

Soudain, Saganne se tait. L'assistance attend. Alors il annonce à mi-voix, avec un sourire : « J'ai fini. »

« Bravo ! », « Ah, bravo ! » crie Lorédan, vif à donner la note du plus haut enthousiasme. Il saisit la main de Saganne et la brandit comme un trophée. Chacun, délivré, applaudit. Sauf Bertozza, qui tapote légèrement son haut-de-forme : il s'apprête à tirer la couverture à lui par une improvisation finale, et ne veut pas en faire trop. Saganne remercie : hochements de tête et sourires niais convenables dans ces occasions. Enfin, après quelques faux arrêts, les applaudissements cessent. Un raclement de gorge annonce que Lorédan va prendre la parole. C'est un coup qu'on ne fait pas à Bertozza. Avant que le malheureux Lorédan ait le temps de comprendre ce qu'il lui arrive, le président est debout bras dressés, l'attention de la salle fixée sur lui : il suscite et tout aussitôt apaise une dernière vague d'applaudissements avec la bonhomie péremptoire du professionnel :

— Mes amis, je suis sûr de me faire l'interprète fidèle de toutes les personnalités qui ont eu le bonheur d'être ici ce soir, et de vivre, oui, de véritablement vivre, l'épopée...

Le langage de Bertozza fleurit à toute heure. Après avoir roulé Saganne dans les hommages, il lâche une gerbe d'estime pour l'ardente jeunesse, puis dépose quelques pensées sur les officiers qui sacrifient leur vie en terres lointaines, pour l'Empire et contre la barbarie. Il conclut par une phrase troussée sur le pays de la soif où les a entraînés l'orateur et les rafraîchissements qui attendent à côté.

A cet appel, tous se lèvent et s'égaillent dans un remuement de chaises. Lorédan crie qu'il va dire un mot, juste un mot, mais sa peine se perd dans le brouhaha. Dans la bibliothèque, où le buffet est dressé, des rouleaux de cartes, des paquets de revues ficelées ont été repoussés dans les coins. Lorédan a songé à tout, sauf à l'époussetage et au balayage. Remis de sa déconvenue, il court d'un groupe à l'autre, remorquant après lui Saganne qu'il tient ferme par le gras du bras, jetant, comme un coq de bruyère ses cris de pavane, des « cher ami », « cher président ». Quand on congratule sa vedette, il avance la barbe et répond à sa place. Saganne finit par se dégager et va se faire servir une coupe de champagne. Comme il se retire avec son verre, un septuagénaire à visage de poupon (mais le regard dément toute bonté et les lèvres pendent comme de la viande crue) lui barre le passage et s'impose, goujat mielleux :

— Je connais bien le Sahara, lieutenant : Biskra, Touggourt. C'est Henri Ghéon qui m'a initié. Vous connaissez l'ami Ghéon ? Non ? Vous devriez; c'est une forte nature... Un esprit délicieux.

Il caresse, d'une main alourdie par les bagues, son gilet brodé, puis la manche de Saganne.

« A propos de littérature, je suis preneur d'un article pour ma revue quand vous voudrez. Des pages d'authenticité brute... Quelque chose de gentil...

A cet instant, Bertozza fond sur eux, élimine, comme une quille, l'homme de lettres, pousse Saganne contre la cheminée :

— Ne vous laissez pas compromettre par des individus tarés, lieutenant, dit-il en riant.

Puis, sérieux :

« Il faut que nous causions tranquillement, monsieur Saganne. Etes-vous libre à déjeuner demain?

— Oui.

— Alors, demain, à mon cercle, à midi. Rue de Vaugirard, numéro 38. Je vous laisse; on m'attend.

Il fait deux pas, revient :

« Vous avez été très bien, tout à l'heure. Très bien.

Il cligne de l'œil, ajoute :

« Dubreuilh peut être content de vous!

En repartant, il heurte Lorédan, qui accourt reprendre possession de Saganne. Il s'en débarrasse en lui jetant à bout portant :

« Mon cher, il faut absolument que nous nous voyions. Je vous ferai signe. Maintenant, le président du Conseil m'attend. Je file.

— Un grand homme d'État! dit Lorédan à Saganne. Mais vous! Allons! Cessez de faire la violette dans votre trou. On vous réclame à cor et à cri, à hue et à dia. Venez, venez, il faut battre le fer pendant qu'il est chaud.

Saganne, que l'allusion à Dubreuilh faite par Bertozza a laissé perplexe, se laisse entraîner à travers un chenal de sourires.

« Je vous amène le jeune héros! crie Lorédan. Champagne pour le jeune héros! Ah, chère Louise Tissot, dites-moi votre avis bien franc! Les aventures de ce jeune homme ne font-elles pas pâlir tous les romans?... Sauf les vôtres, bien sûr, sauf les vôtres... Suis-je étourdi!

La romancière abandonne un instant le directeur de revue à bouche saignante et dit, avec une inflexion de cou vers Saganne :

— Certainement. Et les miens aussi.

Puis, à Lorédan :

« Vous me pardonnerez de partir : j'ai ma chronique du *Matin* à remettre.

Lorédan s'incline bas :

— Si c'est pour besogner, madame, je vous excuse des deux mains! Quel genre de bijou nous avez-vous brodé cette semaine?

— Je n'en ai pas écrit une ligne, dit-elle. Je me laisse prendre par le temps chaque fois, comme un mauvais écolier.

Sa voix est comme sa personne : sans affectation. Son charme est tout entier dans ce naturel. Elle ne fait étalage de rien, et il semble qu'elle ne dissimule rien.

Elle tend sa main à Saganne :

« Bonsoir, lieutenant. Votre conférence m'a intéressée, et je serais heureuse de vous revoir.

Aucune trace, ni entre ses mots, ni sur son visage qui sourit, de politesse obligée ou de coquetterie. La limpidité va bien à Saganne. Il répond, précis et sincère :

— Merci. Moi aussi.

Elle s'éloigne, escortée du vieux marcheur. Son départ crée un silence que Lorédan s'empresse de saccager :

— Mon cher, vous avez plu! Croyez-moi, croix de bois, croix de fer, en matière de femmes j'ai des antennes qui se dressent.

Le dernier quart d'heure est pénible. Lorédan s'est mis en faction devant la porte pour éviter la débandade, et happe chaque partant :

« Vous n'allez pas lâcher maintenant! Voulez-vous une coupe? Voulez-vous une madeleine? Elles sont de chez Poiré-Blanche, le traiteur des duchesses...

Quand Saganne prend congé à son tour, il se tord les mains :

« Pas vous, pas vous! Ne me laissez pas seul. Je vous emmènerai dîner, nous irons au spectacle, chez les filles si vous voulez; j'ai une adresse épatante; je suis veuf.

Il s'accroche tout au long de l'escalier. Sur le perron, Saganne doit le bousculer pour qu'il lâche sa manche.

Dehors, il fait déjà nuit. Le rideau tombe une nouvelle fois sur la mascarade. Saganne s'éloigne le long des façades du boulevard Saint-Germain. Ces immeubles de pierre sont des citadelles qu'on ne prend pas. Il ne tient qu'à lui de se sentir apprenti grand homme. Il a de quoi : son succès d'orateur, les caresses qu'il a reçues, le déjeuner du lendemain avec le puissant Bertozza. Mais il ne monte pas cette mousse, même par manière de distraction : il y a trop de charlatanerie dans tout ça.

Dès que son esprit retombe sur Lucien, il se reprend, se fouette, se lance ailleurs. Ailleurs, c'est un rêve que d'ordinaire il maintient dans les limbes et qu'aujourd'hui il polit comme possible : planter là l'armée, la famille, la France, l'Europe, briser les harnais, se faire libre, responsable de lui seul : colon au Maroc. Une mule, une pioche, une gandoura : du lever au coucher du soleil défricher la terre, creuser le puits, planter. Le soir se reposer, attentif au soir. Manger quand il a faim, auprès d'une petite fille silencieuse. Approcher le sommeil. Y tomber.

Personne ne l'attend. Pourtant, il marche vite. Par une porte cochère ouverte à deux battants, il aperçoit une cour, ses beaux pavés, des orangers dans des bacs, une verrière déployée, deux torchères dorées dont le gaz siffle, de hautes fenêtres, opalisées par des rideaux à baigneuses, des lustres, des silhouettes d'élégants qui valsent. Il ne ralentit pas.

Dans une brasserie, il commande du homard froid, parce qu'il n'en a jamais mangé, et de la bière, parce qu'il en a envie. Chaque fois qu'il lève la tête, il voit, dans le miroir gravé, son visage émergeant d'une frise de nénuphars et de hérons. Il a un air de loup qu'il accentue, lèvres serrées.

Le cercle de Bertozza est une copie de l'anglais. L'acajou reflète une lumière aubérisée et les bruits meurent dans le damas. Un maître d'hôtel déférent qui se déplace de biais, comme un crabe, précède Saganne dans une galerie bordée tout au long de bibliothèques grillagées. Sur les banquettes à capitons, des cercleux cuvent leur vie, monocle en travers du gilet. D'autres, debout, feuillettent de haut les journaux éparpillés sur une table juponnée. Bertozza n'est pas arrivé, mais le salon particulier qu'il a retenu est prêt. Le maître d'hôtel pousse la porte, s'incline devant Saganne, s'enquiert de ses désirs, et, comme le lieutenant n'en a pas, se retire. La table est dressée simplement. Une bouteille d'eau minérale entamée marque la place du président. Sur la cheminée, un pied en l'air, Orphée pince sa lyre. Saganne a une vacance de cinq minutes pour, les mains dans le dos, admirer le jardin, sa grotte en ciment, ses nymphes surprises sur piédestal.

Dès que Bertozza pousse la porte, il s'approprie les lieux, casse le calme, sature l'atmosphère d'une débonnaireté brutale.

— Vous avez sûrement faim, lieutenant. Prenez place, je vous prie.

Il s'assied, déploie sa serviette, pose sa patte sur l'avant-bras du maître d'hôtel qui a glissé dans son sillage.

« Armand, vous servirez à notre ami du foie gras de Strasbourg, et ensuite vos bécassines. Avec ça, une carafe de vin de champagne plat. Pour moi, merlan poché.

Il libère le vieux serviteur et, vers Saganne :

« Je suis devenu un adepte de la science diététique. J'ai trouvé ça chez les Anciens : on est ce qu'on mange. Mais je n'impose rien ; tolérance d'abord.

Il a des sourcils de diable, l'œil comme de la chair d'huître, des mains couvertes de fourrure noire jusqu'à la troisième phalange.

Saganne tient globalement les politiciens en mépris. Il n'a retenu de Bertozza que sa péroraison fleurie de la veille et l'allusion ironique à Dubreuilh. Il attendait des manières enveloppantes, un retors à grosses ficelles. Il découvre une brute, qui charge sans feinte :

« D'abord ceci, lieutenant : l'opération sur Ghât ne se fera pas. C'est l'année dernière qu'il fallait faire le coup : Dubreuilh aurait eu alors et Ghât, et ses deux étoiles. A présent, c'est trop tard.

Pour répliquer, Saganne pose ses couverts :

— Si nous ne prenons pas Ghât, monsieur le Ministre, le Tassili tombera, puis le Hoggar. Notre œuvre sera balayée. Les populations qui se sont rangées sous le drapeau français seront massacrées...

Bertozza, qui l'a regardé parler, la lippe amusée, l'interrompt :

— Monsieur Saganne, ça vous intéresse vraiment ces kilomètres carrés de cailloux et cette poignée de nomades ?

Ce cynisme fait à Saganne l'effet d'un crachat lâché à ses pieds. Il recule violemment le buste.

« Tout doux, lieutenant, reprend Bertozza. Je vous ai jugé hier : vous ne me ferez pas croire que vous êtes de ces militaires qui refusent de raisonner. Vous vous souciez du Tassili ? c'est légitime dans votre position. Moi — sa voix se fait ample —, c'est à l'Empire que je pense ; à l'Empire, et aux intérêts supérieurs du pays. Demain, pour faire face à la guerre qui menace, la France aura besoin de toutes ses ressources. C'est le devoir d'un patriote de le comprendre : le temps des aventures est passé. Ce qu'il faut aujourd'hui, c'est assurer nos bonnes prises pour mieux les exploiter.

— Que voulez-vous dire ? demande Saganne. Nous abandonnons le Sahara ?

— Non, dit Bertozza, avec la sérénité de celui qui a envisagé l'hypothèse et l'a, réflexion faite, écartée. Mais, si l'on m'écoute, nous cesserons d'investir efforts et hommes dans ce désert. Pour ce qu'il nous sert, nous en avons assez fait. Dubreuilh est un soldat valeureux, dans la bonne tradition française. Mais l'ère des Dubreuilh est close... Je vous choque, lieutenant ? La vérité est choquante.

Il se lève et va s'accoter contre la cheminée, les pouces en pince dans le gilet. Saganne reste seul, le nez sur ses bécasses.

« Lieutenant, j'ai une proposition pour vous. La Compagnie franco-algérienne de l'alfa, que mon beau-frère préside, étend chaque jour ses activités. Nous avons besoin, pour lui donner toute l'ampleur souhaitable, d'un directeur entreprenant, qui soit également à son aise sur le terrain et dans les bureaux...

La mesure est comble : Saganne repousse sa chaise. Il n'écoutera pas plus longtemps les élucubrations insultantes de ce sanglier. Bertozza prévoit sa réaction, bras tendu, main en arrêt :

« Ne répondez pas maintenant. Je vous offre une position de dix mille francs. Vous êtes intelligent. Vous avez là de quoi réfléchir!

C'est tellement indécent, bête, aussi, que Saganne oublie l'outrage, et rit. Cette insolence ne trouble pas Bertozza, il accompagne l'éclat de Saganne : sa bouche s'ouvre et sa panse tressaute. Il rit jusqu'au moment où il s'aperçoit que le lieutenant marche vers la porte. Alors il lâche :

« Lieutenant, ne partez pas sans jeter un coup d'œil au journal que j'ai apporté à votre intention.

Il saisit sur le manteau de la cheminée *le Matin*, qu'il a posé en entrant, et l'agite comme on fait d'une friandise, pour ramener l'enfant buté :

« Louise Tissot vous consacre son rez-de-chaussée. C'est un honneur rare. Voyez le titre : « L'archange libérateur. »

Saganne a la main sur la poignée. Il se retourne :

— Je le lirai ailleurs. Au revoir, monsieur.

Au premier kiosque, il achète le quotidien, accroche aussitôt l'encadré en première page, commence à lire, planté sous le marronnier. Il lit attentivement d'abord, puis de plus en plus vite, boulant les mots, les phrases : « C'est un officier français. Un de ces êtres ardents qui a choisi l'Afrique pour y dépenser le surcroît de ses jeunes forces. Un rire franc montrant des dents robustes; une moustache en vacances; des yeux de grande clarté, pâlis par la lumière du désert, et que rien désormais ne saurait faire ciller. Je dirai son nom : il s'appelle Charles Saganne. Pour chacun de ceux qui ont assisté à la conférence qu'il a prononcée sous l'égide de la Société de géographie, ce nom sera comme un défi aux doutes, aux lâches consentements, à tous les affaissements... Il nous a conté, ainsi que vous feriez d'une promenade au Bois, comment, au cœur du Sahara, marchant à la tête d'une poignée d'indigènes fidèles, il a arraisonné une caravane d'esclaves. Il était seul, égaré dans ces territoires immenses où nul Européen... On était au bout des réserves de vivres; l'eau, la précieuse eau, croupissait. La raison commandait qu'on reprenne le chemin... Les hommes, les femmes, les enfants qu'il venait de délivrer, tremblant encore de peur, et déjà de reconnaissance, tendaient vers lui... Alors notre lieutenant n'hésita pas. Ces pauvres êtres avaient été arrachés à leur brousse soudanaise; il les ramènerait. Négligeant les périls, les fatigues, étouffant en lui la voix de la prudence pour mieux écouter son âme... Tombouctou... Qu'est-ce que mille kilomètres de désert, quand on est comptable de la liberté... Je l'affirme, ce jeune homme est un héros... Les ruptures, les espaces où les autres se perdent, mais que le héros assemble et parcourt, comme aussi fait le poète... Héroïsme et poésie ont les mêmes sources : croyance en l'être, tension contre les forces du néant... Charles Saganne, symbole ô combien vivant de ce que le génie français a de plus haut. »

Saganne tombe assis sur un banc, écrasé par ce déballage auquel est associé, en pleine lettre, en première page, son nom. La fureur le prendra dans une minute ou deux. Pour l'instant, ce qui l'accable c'est ceci : Bertozza l'a traité en putain qu'on achète; Louise Tissot en putain qu'on maquille à sa fantaisie. Il ne peut être innocent de ces traitements; une part de lui les a mérités.

CHAPITRE X

En arrivant devant le grand immeuble à verrières grises qui abrite les bureaux du *Matin*, sur le boulevard, au-delà de l'Opéra, Saganne était chaud d'indignation, à point pour servir à la dame Tissot ce qu'il pense de ses façons. Il s'est heurté à l'insolence d'un grouillot qui se curait les ongles derrière un comptoir de bois déverni. Saisi au col, le singe, plus goguenard du tout, a balbutié : « Mlle Tissot ne vient jamais au journal ; elle écrit ses chroniques chez elle et les envoie par porteur. » Rejeté sur sa chaise, il a lâché l'adresse : rue Jacob, numéro 18.

Sous la voûte de l'immeuble, une espèce de paysan distribue des épluchures à ses lapins. Dans les sabots, ses pieds puent par rafales. Saganne s'enquiert de l'appartement de Louise Tissot.

— Elle vous recevra pas, dit le bonhomme, et il referme le clapier.

Du cercle de Bertozza aux bureaux du *Matin*, des bureaux du *Matin* jusqu'à la rue Jacob, Saganne marche depuis deux heures. A cette promenade, la colère qui l'a pris après la lecture de l'article s'est émoussée : il règne sur Paris une lumière dorée et comme intelligente, qui a déteint sur son humeur. Cependant, il n'a pas renoncé à dire son fait à l'impudente et, maintenant qu'il est à pied d'œuvre, ce n'est pas ce cerbère en bourgeron qui l'éconduira.

— Je te demande où est l'appartement de Mme Tissot, répète-t-il.

— Etes-vous têtu ! dit l'homme. Je vous dis qu'à c't'heure Mademoiselle est à sa besogne. On la dérange pas : c'est la consigne.

A la fin de sa phrase, pourtant, voyant l'air menaçant du lieutenant, il esquisse un geste par-dessus son épaule pour désigner la cour.

Saganne s'enfonce sous la voûte. Il débouche sur un parc. Au pied d'un hêtre, une chèvre pacage l'herbe. Le soleil fait des effets à travers la charmille. La maison est parodiquement XVIIIe : naïades dans des niches, toit à pans complexes, gouttières de plomb. Le travail en auréoles de l'humidité a adouci le clinquant de ce Trianon pour parfumeur. Les volets sont demi-clos. Il tire la chaîne de la petite cloche. Aussitôt, comme si elle veillait derrière la porte, une fermière à grosse charpente, travestie en soubrette, lui ouvre, un doigt sur la bouche.

— C'est vous, le militaire que le journal a annoncé par le téléphone?

— Je ne sais pas s'ils m'ont annoncé, mais je viens effectivement du *Matin*. Je voudrais voir Mlle Tissot.

— Si c'est vous, suivez-moi. Mais faites doucement.

Dans l'entrée, il y a des livres partout : en lignes dans la partie haute des deux gros buffets, en piles instables sur les chaises cannées, par terre en piles effondrées. Les murs sont tapissés jusqu'au plafond de caricatures et de pochades, presque toutes dédicacées, accrochées au hasard des envois.

Portant à nouveau son doigt à ses lèvres, la matrone ouvre une porte, s'efface devant Saganne et referme le battant sur lui.

D'abord, il ne distingue rien. La seule lumière, celle du jour, tombe sur lui, épaissie par les rideaux de faille. Il fait trois pas sans sortir de cette clarté : le faisceau crémeux semble le suivre. Le fond de la chambre est le domaine de masses indistinctes, ourlées de pourpre. Qu'on le mystifie par cet accueil, c'est sûr. Ça ne l'irrite pas, au contraire. Il toussote puis, sans réponse, avance encore.

Quand il la voit, il est encore à moitié dans la lumière. Elle repose en biais sur le haut lit provincial, enfoncée dans l'édredon, la flaque noire de ses cheveux posée à côté de sa tête, un bras en travers de la poitrine, la main mourant sur l'aine au bout de l'autre bras, un pied au sol, le sexe fendu. Elle est nue. Elle dort.

Elle dort vraiment. Il en a la preuve en restant là, interdit : personne ne feint pendant tant de minutes un sommeil si tranquille.

Elle se réveille avec le même naturel, sans essayer de faire croire qu'elle ne le voit pas, et sans mimer non plus la surprise. Elle ouvre les yeux, le contemple avec ce regard atone par lequel on se réaccommode à la réalité. Sa jambe qui tombait remonte, puis sa main tâtonne à la recherche du couvre-lit. Son premier mouvement conscient est pour interrompre ce réflexe pudique.

— Je me suis endormie, dit-elle. J'avais préparé une mise en scène pour vous recevoir, et je me suis endormie.

Elle n'a pas couvert son corps, sa voix n'est pas troublée. Apparemment, rien ne lui est plus familier que de recevoir nue des

inconnus. Pourtant, Saganne a la certitude que la situation est chargée pour elle, autant qu'elle l'est pour lui, d'une nouveauté provocante. Elle improvise son impudeur. C'est réussi mais c'est un jeu, un défi qu'elle prolonge contre elle-même seconde après seconde. Lui ravale un peu plus difficilement chaque fois les grondements de sa gorge. Il a l'impression de haleter aussi bruyamment qu'un chien mort de soif.

« Voulez-vous rester tout de même ? demande-t-elle enfin.

A sa voix, on dirait qu'elle doute de la réponse.

Il arrache ses vêtements à grands traits, le pantalon, puis les souliers qui bloquent, la cape, qui s'abat sur l'ombre d'une chaise comme une chauve-souris géante, les boutons du dolman, un à un, jusqu'au col, les chaussettes au passage, la chemise aux basques flottantes qu'on dépouille par la tête. Nu, il est sombre. C'est la femme qui reçoit la clarté, maintenant. Avant de commettre quelque chose comme un plongeon qui le projetterait sur elle, il se demande comment le soleil a pu tourner si vite. Elle lui prend la main :

« J'ai écrit l'article pour vous faire venir, dit-elle. Mais je ne savais pas si vous viendriez.

Il voit les fins sillons qui cerclent son cou, comme si des cordelettes avaient pénétré la chair. Elle est plus âgée que lui mais, dès qu'elle sourit, elle rajeunit avec une soudaineté extraordinaire. Il pose un genou au bord du lit, s'enfonce dans le matelas, en éprouve l'enveloppante mollesse. Elle a levé une main, et lui caresse le visage à l'aveugle, du front au menton.

« Soyez gentil, dit-elle, parce que j'ai très peur.

Dans l'amour, Louise sait ce qu'elle veut. Ce qu'elle veut est doux, lent, presque chaste. Elle n'a aucune idée, aucun respect, en tout cas, des devoirs d'une femme au lit. Charles, ce qu'il veut, c'est simple : pénétrer le sexe devant lequel il est resté à l'arrêt, comme un braque, pendant dix minutes. Ils luttent. Lui, avec une obstination massive, chevilles arquées, tout dans les reins ; elle, glissante, avec des effleurements, des baisers patauds. Il n'est pas gai. Elle, oui. Il est dissocié : la bête en piste, l'ange en coulisses, paupières closes. Elle est transportée entière, sans une parcelle de conscience à la traîne. Il grogne, supplie, menace : qu'elle s'ouvre. Elle lui confie, dans l'oreille, d'exaspérants petits cadeaux retardataires :

« Je veux te regarder. Tu es beau. Ton corps est encore plus beau que ton visage.

Elle ne cède pas, et il finit par se répandre contre son flanc, furieux

d'abord, puis illuminé par la décharge, enfin honteux, et bien tranquille.

Le combat cesse. Il ne reprend pas. Quand Charles revient de sa dérive, il est beaucoup moins bête. Au lieu de préparer un nouvel assaut, il se laisse glisser dans le courant de Louise. Il est récompensé de cet abandon. Une étreinte réussie, c'est une histoire sous-marine : milieu où la rupture n'a pas cours. Ajoutez l'odeur d'oursin, les mouvements de houle, les abîmes entr'aperçus. Rien de plus vivifiant. On sort de ce bain par le sommeil et ses plages.

Charles s'est éveillé bienheureux, relié au bonheur par la pesée légère du drap sur sa poitrine : inusable lin onctueux. Louise est assise à son bureau, vêtue d'un kimono où les dragons d'or s'écaillent. Il voit son coude qui s'éloigne de son buste, revient brusquement, s'éloigne à nouveau. Elle travaille, penchée sur son manuscrit comme le savetier sur son sabot. Quand elle détourne un peu le visage, une mèche se balance en travers de sa joue. Dans le contre-jour, il a de sa beauté une vision d'aquarelle : plans sombres et clairs en diffusion. Il ne la possède pas, il la cerne. Elle ne l'a pas changé, elle l'a admis.

Dans la chambre, les meubles couleur de miel sont couverts d'un désordre de roulotte : opalines, pots de fard débouchés, coupelles débordant de rubans, d'épingles, de crayons, fleurs séchées, galets, cristaux, revues ouvertes, cartons d'invitation, gants dépareillés, châles jetés au hasard. Il devrait détester cette bohème sur fond bourgeois. Or, c'est peu de dire qu'il s'en accommode : elle l'émerveille.

Au premier geste qu'il fait — glisser une main sous sa nuque —, elle se retourne. L'amour l'a rajeunie et marquée : des nuances claires circulent sous sa peau, sauf autour des yeux, cernés de bistre. Elle désigne une collation et une carafe posées sur un plateau de laque devant ses papiers :

« Avez-vous faim ?

Il bascule les jambes et se penche pour attraper son pantalon.

« Je préférerais que vous restiez nu, dit-elle. A moins que ça ne vous gêne ?

Il avance, nu. Il embrasse ses cheveux. Elle enlace sa taille et lui tend une aile de poulet. Il mord le blanc froid. Après l'aile, il fait disparaître une cuisse, deux grands verres de vin, une pomme. Louise le couve sur deux faces : une main aux lombes, la joue contre son ventre : les bouchées qu'il avale glissent jusqu'à son oreille.

S'il est vrai qu'on entre dans un amour sur décision prise, c'est en ces secondes qu'il franchit le pas. Il le fait avec gravité, conscient que c'est fou.

Elle s'est un peu détachée et lui sourit :

« Nous sommes gentils, comme ça, tous les deux. Nous sommes amusants, vous ne trouvez pas ?

Il se rend compte, il ne sait pas à quoi, peut-être simplement à la façon dont ses lèvres restent entrouvertes, qu'elle tremble de peur. Il a adoré qu'elle lui résiste, adoré qu'elle se remette à son travail sitôt qu'il s'est endormi, adoré que sa première phrase soit pour lui demander s'il avait faim. Maintenant, il adore qu'elle soit faible et qu'elle le laisse paraître. Tout ce qui vient d'elle trouve chemin en lui.

« Qu'allez-vous faire ? demande-t-elle.

— Je reste avec toi.

Lui aussi a peur, d'une curieuse peur cérébrale, qui le concerne à peine. Et, liée à cette peur, il y a sa lucidité. Sa vie entière, tout ce qu'il a fait, ce qu'il est, il a l'impression de le tenir devant lui, comme on tient une carte à jouer avant de l'abattre.

— Je vais prendre mes affaires à l'hôtel et, dans une heure, je suis là, dit-il.

— Pour combien de temps ?

Il ne répond pas. Elle délace son bras de ses reins, cesse de le regarder, revient à son manuscrit, qu'elle feuillette.

Elle a cessé de le toucher, et tout paraît soudain à Saganne irréel, incroyable : la chambre aux clairs-obscurs, cette femme qui l'attendait, offerte, son képi qui traîne sur le tapis à côté d'une bottine délacée, sa propre nudité. Il recule d'un pas, marche vers le lit.

« Où vas-tu ?

Elle a crié ; cri bref, sans vibration.

— M'habiller, dit-il.

— Et après, tu partiras ?

Il s'est retourné et la regarde, jambes légèrement écartées, bras pendants.

— Je ferai ce que tu voudras, dit-il.

Ils se recouchent.

Saganne rentre à l'hôtel en somnambule. A peine a-t-il poussé la porte que la patronne surgit de derrière son rideau et lui met dans

la main une enveloppe brune cachetée à la cire. Un doigt coquette-
ment au travail dans les frisures de sa nuque, elle lui explique que
c'est un militaire qui a apporté le pli, en recommandant qu'il soit
remis en main propre. Saganne regarde sans voir, écoute sans
entendre, fait sauter mécaniquement le cachet et lit, sans comprendre : « Je n'avais guère d'espoir ; je n'en ai plus aucun... »

Il cesse de lire, manipule la lettre, l'enveloppe, puis, à peu près
revenu au monde, demande à la femme :

— Qu'est-ce que vous venez de me dire ?

Elle répète, avec la voix articulée qu'on prend pour convaincre
un ivrogne.

« Bien, dit-il. Merci.

Il revient au papier, glisse à la signature, déchiffre L. B., interprète « La Boullaye », pense « Ce n'est pas Lucien, donc c'est
Ghât », sourit à la belle personne qui le regarde, se replace au début
de la lettre :

*Je n'avais guère d'espoir. Je n'en ai plus aucun. Non seulement
l'affaire ne se fera pas, sauf miracle, mais elle sert de prétexte à certains pour exiger le déplacement de notre ami. Je lutte pour parer ce
coup. Regagnez vos bases. Inutile de passer me voir : je ne pourrais
pas vous en dire plus, et votre visite serait interprétée dans un sens
défavorable aux intérêts de notre ami.*

L. B.

Un instant, il reste comme partagé entre l'odeur de Louise, dont
ses doigts sont imprégnés, et la signification du mot qu'il tient. Il
ne pense pas, il peste : « Merde, merde, merde ! » Quand il a épuisé
ça, il prend : « Les salauds, les salauds, les salauds ! » C'est à
Dubreuilh qu'il en veut le plus. Les autres, Bertozza, La Boullaye,
la clique de ceux qui, au milieu d'autres soucis, presque indifférents,
contribuent à ruiner la cause du Sahara, il les a toujours considérés
comme des pantins. Mais, en Dubreuilh, il a cru. Du moins, il a
voulu croire en son personnage de chef qui sait utiliser les hommes
et les situations et, à travers les voies tortueuses, avancer ses pions.
Et maintenant, il a la preuve que Dubreuilh est un naïf, une pauvre culotte de peau incapable d'ajuster ses desseins à la réalité, un
être tout de prétention et d'apparence, un mythomane, une bête. Il
ne lui pardonne pas de l'avoir lancé dans cette pantalonnade baptisée mission, en lui faisant croire, en croyant lui-même que le fruit

était mûr, alors qu'il est pourri. Quand on fait le chef, on gagne ; sinon, à la trappe.

La patronne de l'hôtel interrompt le cours de ses fulminations en lui demandant :

— Vous avez reçu de mauvaises nouvelles ?

Appuyée au comptoir, les bras en corbeille autour des seins, elle lui fait l'œil de chatte. Voilà au moins un être qui ne triche pas. Décidément, il préfère les femmes aux hommes.

— Préparez ma note, dit-il. Je m'en vais. S'il arrivait des lettres pour moi, je vous serais obligé de les faire porter au 18 de la rue Jacob.

— Lieutenant, j'ai du champagne dans la glace. Si ça vous disait de partager ma dînette, ce serait de bon cœur !

Il a déjà remarqué qu'il ne retient jamais tant l'intérêt des dames que lorsqu'il sort d'en prendre.

— Je vous remercie, dit-il. Je suis engagé ailleurs.

La nuit est douce. Ghât est à des milliers de kilomètres. Lucien est dans un autre monde. Rue Jacob, sous le hêtre, il n'y a plus de chèvre. Saganne entre dans la chambre de Louise par la fenêtre : pure gaieté d'homme amoureux.

Elle est encore à son bureau. Elle lui défend d'approcher, et déclare qu'elle doit achever son chapitre. Le barrage ne tient pas. Au bout de cinq minutes, elle pose son porte-plume, traverse la chambre, disparaît par la porte du fond avec un laconique : « Je reviens. »

Il se couche. Immobile dans le lit, il découvre la passion comme affût tenu simultanément en mille points. Il entend, de l'autre côté de la paroi, l'eau qu'on transvase, puis qui ruisselle de l'éponge sur la peau : motif de délices pour l'attente.

L'ondine reparaît, court, se cache contre lui, fraîche par endroits et ailleurs chaude. Ils se surprennent encore, se heurtent, cette fois par excès de délicatesse, chacun devinant mal les désirs de l'autre. Ces minuscules mécomptes enchaînés forment entre eux un lien âpre, mémorable : connaissance et reconnaissance.

Louise s'endort la première. Il la contemple, soulevé sur un coude, puis pose sa tête symétriquement à la sienne, de profil. Quand il se réveille, la chambre, volets clos, est obscure. Assise contre l'oreiller, Louise tient à deux mains, tout près de ses yeux, une pendulette. Elle la repose, écarte le drap pour se lever. Il étend le bras, l'envoie peser sur elle, à mi-corps, comme une barre.

— Reste, dit-il.

Sa voix est empâtée de sommeil. S'y étale, tout brut, l'instinct du propriétaire : bonne foi du bonhomme qui a bonifié une bonne chose par le bon usage qu'il en a fait.

Elle réagit comme un renard pris au piège :

— Lâche-moi ! siffle-t-elle.

Elle roule, glisse et, dans sa rage de se libérer, tombe à demi du lit. Elle se relève, allume une lampe, se met à vaquer à travers la chambre. Lui demeure vautré sur le ventre, la tête dans l'oreiller. Sa tâche, c'est d'empêcher que s'éparpille le bonheur. Maintenant qu'elle a déserté, il en est le seul dépositaire. Les yeux fermés, pesant, tiède, il couve leur amour.

Quand, complètement réveillé, il se redresse et appuie son torse au panneau marqueté du lit, Louise, déhanchée contre la cheminée, penchée sur la glace, est en train de maquiller ses yeux. Elle accroche son regard et dit, sans interrompre son minutieux travail :

« J'ai un rendez-vous à dix heures.

— N'y va pas, dit-il.

Elle ne répond pas. Lorsqu'elle en a fini avec ses yeux, elle s'assied sur une chauffeuse, le kimono aux dragons serré autour de ses jambes, et commence à brosser ses cheveux, tête penchée à droite, puis à gauche, exaspérante comme un métronome.

Il se venge en essayant de fabriquer une version sordide de leur histoire. Au rythme des coups de brosse il se répète : « Une romancière — entre deux âges — qui voulait changer — de paysage — m'a levé — comme une poule — je l'ai distraite — bonsoir. »

Elle pose la brosse ; il saute du lit :

« Tu permets que je me lave ?

Il se sent souple et fort, harmonieux dans l'espace. Cette fatuité physique fait butoir à l'espèce de tristesse méchante qui pèse sur lui depuis un moment. Dans la salle de bains, un broc d'eau tiédit sur le poêle de faïence. Sous une verrière en demi-voûte, la baignoire de cuivre est accroupie sur ses pieds griffus. Il saisit le broc, enjambe la baignoire, s'asperge, debout. Quand Louise paraît à la porte, les cheveux flottants, avec sur le visage, l'expression de désespoir béant qu'on voit aux masques de tragédie, il continue ses ablutions. Puis il rafle une serviette sur le porte-serviettes en bambou, se sèche vigoureusement et marche vers la chambre.

— Vous allez partir ? demande-t-elle.

Il passe devant elle, prend ses vêtements d'une brassée sur la chaise, les pose sur le lit. Il s'assied et saisit une chaussette. La seconde suivante, Louise est prosternée devant lui et lui baise les pieds, littéralement.

Saganne a des bornes dans la tête. Malgré les heures qu'il vient de vivre, et qui l'ont remué profondément, sans qu'il le sache encore, beaucoup de ce qui est humain lui est étranger. L'acte de Louise le glace, comme hors normes. Il la saisit en étau aux épaules, crie :

— Ah non ! Non !

Elle lui échappe vers le bas, s'accroche à ses chevilles. Comme il ne peut pas la relever, il essaie de l'enjamber. Elle le tient bien : il bascule sur elle, cogne, dans sa chute, son dos à deux genoux, l'écrase, puis, dans ses efforts pour la soulager de son poids, la heurte encore, la piétine.

Remis en équilibre, penaud, benêt, il s'inquiète :

« Je ne t'ai pas fait mal?

Louise est assise par terre, les jambes allongées, les bras en étai. Elle ne prend pas la main qu'il tend, se relève seule, avec des gestes dont elle ne cherche pas à escamoter la disgrâce.

Nu toujours, mais son corps, maintenant, ne lui est plus une aide, il revient au lit et se remet à ses chaussettes. Louise s'habille de son côté, allant et venant à travers la chambre. Il est prêt avant elle et va se planter devant la fenêtre. Son uniforme sent vaguement la chambrée. Dans quelques minutes ils vont sortir, retrouver la rue, le monde. Ce sera fini : cela paraît à Saganne logique et absurde.

— Tu sais, dit-elle, si tu n'étais pas venu, c'est moi qui aurais été à ton hôtel. J'avais téléphoné à Lorédan pour lui demander l'adresse.

La voix est douce. Cependant, il ne se retourne pas. Au bout d'un moment, il sent sur son épaule la main de Louise.

« Que dois-je faire, que dois-je dire pour que tu ne sois plus fâché? demande-t-elle.

— Je ne suis pas fâché. Je ne comprends rien à tes façons.

— Comprendre quoi? J'ai trente-neuf ans, et tu repars dans deux jours.

Elle vient se placer devant lui, sous lui, qui la domine d'une tête. Elle est extrêmement belle, les cheveux torsadés, son visage émergeant de la robe rouge sombre.

— Ne va pas à ce rendez-vous, dit-il.

— Si j'arrête ma vie pour toi, comment vivrai-je dans deux jours?

— Ça, ce sont des mots, dit-il.

Puis :

« Et moi, comment vivrai-je?

— Tu as le Sahara...

— Le Sahara, ça n'est pas la Trappe : on en sort, on en revient.

Elle renverse un peu le buste pour le contempler mieux, sourit :

— Tu es un bon jeune homme, dit-elle. Presque aussi bon que beau.

Ce ton de douairière nostalgique sort Saganne de son retranchement :

— Ecoute Louise, nous avons deux jours, peut-être trois. Nous les prendrons. Nous les prendrons, tu entends ! Va à ton rendez-vous. Vas-y donc ! Moi, j'attends. J'attends.

Ils vécurent deux jours comme des chatons au fond du panier. Quand Louise se mettait à sa table de travail, il furetait à travers la chambre, ou restait couché à la regarder. Sauf l'amour, il ne faisait rien. Il s'ennuyait parfois, mais sa conscience demeurait paisible. Chaque minute, il apprenait quelque chose. Ceci, entre autres : l'abandon au bonheur est une vertu qui se cultive, comme les autres, et n'est pas moins ardue.

La servante déposait devant leur porte des plateaux de victuailles et venait reprendre les restes, avec la copie noircie par Louise, qu'elle apportait à la dactylographe. Quand le téléphone sonnait, elle répondait — ils entendaient sa voix rogue — que Mademoiselle était retenue à la chambre par un refroidissement. Chaque fois, ils étaient pris d'un fou rire idiot, qu'ils étouffaient dans les draps.

Au matin du troisième jour, Saganne décida que le Sahara l'attendrait encore deux jours. Etant donné la durée et les aléas du voyage Paris-Tamanrasset, quatre jours de plus ou de moins ne comptaient pas. Mais, à la fin de l'après-midi, la servante frappa à la porte :

— On a apporté une lettre pour le monsieur, souffla-t-elle à travers le panneau. Qu'est-ce que je fais?

Il enfila le peignoir de Louise, ouvrit et prit le pli. C'était l'écriture de Lucien. Son cœur se mit à battre. Avant d'ouvrir l'enveloppe, il alla s'asseoir dans le fauteuil qui faisait face à la cheminée.

Comme dans la première lettre, il y a deux lignes serrées tout en haut de la feuille : « *J'avais mis Marthe au courant de ta démarche.*

Elle s'est noyée hier. Je ne te le pardonnerai jamais. » La lettre glisse de ses doigts, tombe sur ses genoux.

Louise s'est approchée sans qu'il s'en rende compte. Il voit son doigt qui s'appuie sur le papier ; il l'entend demander : « Qu'est-ce que c'est? », puis, d'une voix altérée : « Mais qu'est-ce que tu as? Qu'est-ce que tu as? » Il s'entend répondre : « Laisse-moi seul. Je vais être lamentable pendant un moment. Je préfère être seul. »

Elle s'assied sur l'accoudoir :

— Je t'embrasse d'abord.

Avec ce mélange d'application et de maladresse qui rend son comportement amoureux si déroutant, elle prend dans ses mains le visage de Saganne et y promène ses lèvres, parfois le bout de sa langue et ses dents, ne s'arrêtant pas plus longtemps à la bouche qu'elle ne s'arrête aux paupières, aux narines, aux tempes. Il se laisse faire. Elle lèche les larmes qui ont commencé à couler sur ses joues, se lève :

« Ce serait mieux que tu pleures devant moi, dit-elle.

Il essuie ses yeux du dos de la main, très vite :

— Mieux pour qui?

— Mieux, c'est tout... Je te laisse. Appelle-moi quand tu voudras.

Les deux heures suivantes sont atroces pour Saganne. Il ne trouve aucun recours contre la souffrance. Elle le pénètre plus profondément et plus complètement chaque minute, déployant son dispositif ramifié comme une armée très forte et très bien renseignée qui fait tomber l'un après l'autre tous ses bastions, emporte ses lignes de résistance, s'empare de ses défenses, les fait siennes et les retourne contre lui aussitôt, gagnant, et finissant par tenir tous les territoires de son âme. Le suicide de cette jeune fille qu'il n'a jamais vue le ravage comme rien ne l'a ravagé jusqu'alors, même pas la mort de sa mère, quand il avait douze ans. Il est coupable, irrémédiablement. Il a fait le mal absolu, celui pour lequel il n'y a ni excuse ni pardon. C'est une abomination et, par cette abomination, par cette douleur qui l'infeste tout entier, il mesure combien sa rencontre avec Louise l'a changé. Il se sent dépouillé de la cuirasse d'homme solide dont, depuis l'enfance, il s'était entouré. Une momie sans bandelettes, une larve que tout pénètre, une loque.

Il ne trouve de soulagement qu'à la nuit, quand Louise l'a rejoint. Accroché à elle, il gémit, sanglote, hoquette, sans pudeur et sans honte, ni pour cet abandon si peu viril, ni pour les bruits et les larmes qu'il écrase contre le cou de celle qui l'accueille tel qu'il est, dans sa misère et dans son abjection.

Louise ne lui demande pas d'explication. Il finit par s'endormir, reniflant, replié sur lui-même. Lorsqu'il se réveille, vers quatre heures du matin, le sommeil a réduit en pâte molle sa douleur. Louise ne dort pas. Il lui raconte tout. C'est piteux, mais ça pourrait être pis. Il a retrouvé certains réflexes : il s'en tient aux faits, coupe dès qu'il glisse vers les digressions psychologiques.

Lorsqu'il a fini, Louise se lève, enfile son peignoir, gagne la salle de bains.

Il est seul. La douleur de la veille recommence à sourdre. Il attend. Il n'y a rien à faire. Il n'entend pas Louise. Au bout d'un temps qu'il n'évalue pas, il se lève à son tour, ouvre la porte de la salle de bains.

Elle est assise sur le bord de la baignoire, les deux mains serrées entre les genoux. Elle lève la tête, le regarde :

— Tu es blanc comme un mort, dit-elle.

Elle s'approche du miroir, s'y penche, passe plusieurs fois le bout de ses doigts sur ses joues :

« Moi, dans ces cas-là, je jaunis.

Elle revient à la baignoire, s'assied, remet ses mains jointes entre ses genoux. Il est à la porte. Il attend. Le visage un peu penché sur l'épaule, complètement neutre, elle le regarde à nouveau.

Enfin, elle dit :

« Il ne fallait pas faire ce que tu as fait. En tout cas, il ne fallait pas me le dire. Maintenant, va-t'en.

Il lui obéit.

CHAPITRE XI

Inféléleh, le 9 décembre 1912.

Hier, l'oued a tout emporté : mes jardins où les fèves commençaient à germer sous les treillis de palmes, les rigoles d'irrigation, dix zéribas au moins sur la trentaine qu'avaient construites mes *haratins*. La façade est de mon fortin et la plus grande partie du bâtiment annexe, où j'entreposais les semences et le matériel, se sont effondrées. Cinq mois de travail partis en boue. Les chèvres noyées par dizaines. Les trois vaches que j'avais fait venir du Niger disparues avec leurs veaux. Les chameaux s'en sont tirés, sauf quatre ou cinq jeunes que j'ai vus, en montant, échoués contre les troncs des tamaris, cous tordus, ventres gonflés. Pas de pertes humaines, sauf une gamine qui gardait les chèvres au pied du plateau quand la cataracte a déboulé. Elle a eu la tête fracassée contre un rocher. Son père l'a apportée dans ses bras et l'a posée devant moi, sur le sable, au moment où je montais à chameau. Comme si j'étais responsable de cette mort ! Il n'avait pas l'air autrement affecté. Il me faisait du théâtre, avec ce sens qu'ils ont de la comédie comme de la tragédie. C'est le quatrième ou le cinquième enfant qu'il perd ; il lui en reste huit vivants. Tout de même, je n'étais pas fier devant ce cadavre maigre, serré dans la robe mouillée. La petite Fatiha était la seule fille de la bande de gavroches qui venaient jouer sur la terrasse du fort à la tombée du jour. Quand Embarek préparait le thé, ils glissaient leurs mains par le trou du mur pour chiper du sucre. Embarek les chassait à coups de savate ; cinq minutes après, ils étaient de nouveau là. J'entendais leurs murmures, leurs rires.

L'oued a tout emporté, et je ne recommencerai pas. Je réparerai le fortin : il le faut bien. Pour le reste, les choses en resteront où la marée de boue les a laissées. Ce n'est pas découragement. Maintenant que tout est détruit, je vois clairement que mon idée de faire naître un îlot de prospérité dans le trou à rats où on m'a cantonné était une idée de roumi, c'est-à-dire une connerie. Si le Tassili était un pays pour la culture, il y a beau temps que les indigènes s'y seraient mis, sans m'attendre. Certes, l'esprit d'entreprise n'est pas leur fort. Mais quelle présomption, et quelle naïveté de penser qu'il fallait que j'arrive pour leur donner l'idée qu'en irriguant le sable on peut faire pousser des fèves et de l'orge, et vivre près de son champ sans bouger. L'oued a prouvé que ce n'est pas possible. Le Tassili est fait pour la nomadisation, point à la ligne.

D'ailleurs, si l'oued n'avait pas tout emporté, quel sens auraient eu mes deux hectares et demi de verdure, alors qu'à trois cents kilomètres à la ronde on ne trouve que du sable, du caillou, des tamaris, de l'herbe à chameaux, quelques acacias et quelques palmiers?

La vérité, c'est que j'ai lancé ces travaux pour me distraire. Dans l'état d'esprit où j'étais en débarquant ici, si je ne m'étais pas lancé dans une tâche, je serais devenu fou. N'importe quoi plutôt que l'inactivité.

Et pourtant, quelle énergie j'ai déployée ! Comme j'y ai cru, à mon affaire ! Lorsque j'ai commencé à réfléchir au tracé des canaux d'irrigation, j'en rêvais la nuit. Je me relevais pour aller vérifier une cote sur mes courbes de niveau, je crayonnais jusqu'au jour. Et que de calculs de haute politique pour répartir les jardins entre les familles ! Pour attribuer un rectangle de sable de deux mètres sur trois, je négociais comme Metternich à Vienne... J'imaginais, dans un an, dans deux ans, cent zéribas, un vrai village, une école, un marché, le centre vers lequel convergeraient les caravanes du Niger, de l'Aïr, de la Tripolitaine. Pauvre type !

Après la catastrophe, j'ai pris ma Winchester, une mule pour l'eau, un âne pour la provision de bois, et je suis monté sur le plateau avec Embarek. Vulpi voulait venir. Mais ses bavardages d'ivrogne abstinent me cassent les oreilles. De toute façon, il a le mur du fortin à retaper.

En arrivant au bivouac tout à l'heure, j'ai tué un bouquetin. Quand nous sommes entrés dans le cañon, il pacageait. En six bonds, il a atteint le sommet d'un piton et s'est campé, découpé sur le ciel. L'écho de la détonation s'est propagé de vallée en vallée, répercuté par les murailles ocres et noires. Embarek a fait cuire les deux filets dans le sable, sous la braise, avec la galette. Nous avons mangé en silence. Trois de ces oiseaux noirs, à tête et queue blanches, que les Touareg appellent « moula-moula » sont venus quémander des miettes, comme ils le font toujours. Puis la nuit est tombée, d'un coup, comme d'habitude. Maintenant Embarek dort en paquet dans sa couverture, la tête sur une pierre, et moi j'écris à la lueur de la lune, la plante des pieds contre la chaleur des cendres.

Tenir un journal est absurde. Mais ça m'est égal. Occuper mes mains à noircir du papier est, à tout prendre, moins sot que de jouer les Haussmann à Inféléleh.

Je ne ferai pas de rapport à Wattignies sur l'inondation. Ce qui arrive ici, il s'en moque. Et le gros Peyremard qui, depuis qu'il a pris la succession de Dubreuilh, n'a pas quitté In-Salah, s'en moque encore plus que lui. La politique de ces messieurs se résume à ceci : il est urgent de surseoir. A propos du général Peyremard, même les Chaambas le désignent par le doux surnom de « Jambes de laine ». Ça doit être Vulpi qui a répandu ça. Il n'a pas digéré l'éviction de Dubreuilh. Il considère Peyremard, qu'il n'a jamais vu, comme un incapable et un misérable.

Il est trois heures. La lune a disparu, et les étoiles brillent avec l'intensité particulière qu'elles ont avant le lever du jour. Leur scintillement vert semble se rapprocher, puis s'éloigner, pour se rapprocher à nouveau. Les nuits du Hoggar sont plus belles que celles du Tassili. Pourtant, c'est le Tassili que je préfère : il y a autant de pierres et, sur le plateau, des étendues sinistres où même le sable est noir. Mais il y a aussi la coulée de sable blanc de l'oued Tafassasset, bordé, tout du long, de tamaris bleus.

J'ai rêvé de Louise. Depuis que j'ai quitté Paris, il y a six mois, je rêve d'elle une nuit sur quatre à peu près. Curieusement, ça n'est jamais sexuel, même si, le plus souvent, c'est nue qu'elle m'apparaît. Les rêves gaillards, je les réserve à la petite Sainte-Ilette. Ce n'est plus le tennis qui est maintenant le lieu de nos ébats. Ça se passe presque toujours après une promenade à cheval, ou, en tout cas, dans la proximité de chevaux. Embarek m'a raconté un soir que, pour les Arabes, rêver qu'on monte un cheval ou qu'on chevauche une femme a la même signification : c'est de la puissance et du bonheur en perspective. *Inch' Allah !*

Cette nuit, Louise arrivait à Inféléleh en automobile, en compagnie du directeur de revue à allure équivoque que j'ai aperçu à la Société de Géographie. Lucien conduisait la limousine, en grand uniforme de saint-cyrien. Louise venait d'épouser le vieux beau et étalait une joie vulgaire de parvenue. Ils s'arrêtaient devant le fort. Lucien descendait, prenait le cadavre de la petite Fatiha et le jetait sur les genoux de Louise en criant : « Gardez la noyée ! » Louise n'était aucunement troublée : elle continuait à rire et à désigner le cirque de montagnes avec des gestes de mondaine. Ceux qui ont la fantaisie d'interpréter les songes n'auraient pas grande subtilité à déployer pour décrypter les miens. J'ai remarqué que, lorsque je dors dans le désert, mes rêves sont toujours simples. Ici, les grandes fantasmagories, c'est éveillé qu'elles vous visitent.

J'avais le projet de rester sur le plateau plusieurs jours. Mais je rentrerai demain. Je ne peux pas laisser mes *haratins* patauger seuls dans le désastre.

En ce moment, j'aurais besoin d'un ami très sûr, très fort et très intelligent. Je n'ai que moi. Pas une lettre de qui que ce soit depuis cinq mois. Depuis cinq mois, pas un contact avec un Européen, sauf Vulpi. Ma dernière conversation, c'est celle que j'ai eue avec Wattignies le lendemain de mon retour à Tamanrasset. Je connaissais déjà la mutation de Dubreuilh, comme tout le monde. Mais Wattignies ne s'est pas privé du plaisir de m'en faire part officiellement, postillonnant sa mauvaise joie dans sa barbe. Et quel air il a pris, pour m'annoncer qu'il m'envoyait à Inféléleh, « reprendre en douceur contact avec les tribus ajjer » : un chapon à qui un miracle a rendu ses testicules ! « Et surtout, Saganne, pas un mouvement sans mon autorisation préalable. J'insiste sur le mot " préalable ", et je crois utile de souligner que c'est là un ordre qui ne saurait souffrir d'exception. Voyez-vous, mon cher, pendant que vous vous promeniez dans les salles de rédaction parisiennes, les choses ont changé ici. Je dirais même qu'elles ont, Dieu merci, radicalement changé. Le temps des coups de tête c'est fini ! Peyremard a eu l'intelligence de comprendre, dès son arrivée, que le seul moyen d'avoir la paix sur les confins tripolitains est de travailler à une réconciliation entre les Touareg Hoggar et les Touareg Ajjer. Plus question de provoquer un nouveau Fachoda en allant forcer Sultan Ahmoud dans Ghât. Il s'agit d'amener Sultan Ahmoud à sortir de Ghât pour chercher à s'entendre avec Moussa Ag Amastane. Votre tâche à Inféléleh sera simple : vous vous installez au puits, vous ne bougez pas, vous observez, et vous me rendez compte chaque mois. Nous aviserons en fonction de vos rapports et des renseignements que nous obtiendrons par ailleurs. Ça vous plaira, j'en suis sûr. On vous dit très doué, outre les talents divers que vous avez montrés à Tombouctou, pour les missions diplomatiques. »

Je n'ai pas réagi. Il était normal qu'il prenne sa revanche, le vilain gnome. D'ailleurs Wattignies m'inspire de la pitié plus que de l'antipathie. Il y a en lui une plaie, je ne sais laquelle, qui ne lui laisse pas de repos. Il a dû commettre, dans un de ces accès d'emportement dont il m'a donné une fois le spectacle, un acte dont le souvenir le poursuit. Peut-être quelque chose avec sa femme. Cela fait trois ans qu'il n'a pas pris de congé.

Si je n'ai pas réagi, c'est surtout parce que j'étais heureux de partir pour Inféléleh. Il me semblait que je n'aurais jamais assez de solitude.

Naturellement, j'ai eu droit aux Chaambas les moins aguerris, et à tous les chameaux boiteux. La seule chose que j'ai obtenue, ç'a été d'emmener Vulpi avec moi. Encore a-t-il fallu l'intervention de Courette, puis celle de Foucauld, pour faire céder Wattignies. Quand j'ai été récupérer mon Vulpi sur la piste d'Ouargla, où il cassait des cailloux depuis quatre mois, j'ai trouvé un cadavre aux mains tremblantes, que les nègres nourrissaient à la cuillère. Il a refait du gras depuis qu'il est ici, et a retrouvé sa faconde. Ses mains tremblent toujours : il n'y a pas d'absinthe à Inféléleh.

Je ne vois pas encore le soleil, mais il fait grand jour. Embarek ouvre un œil. Je lui dis de se lever pour préparer le café. Il marmonne : « A ba-ba ! » C'est une expression qu'il a empruntée aux indigènes d'ici, et dont il se sert à toute occasion. Les moula-moula sont revenus et piaillent pour avoir de la galette. Au-dessus du cañon, un rapace tourne, sans un battement d'ailes : il attend notre départ. Une fourmi couleur de mercure escalade mon orteil. J'ai froid. Je vais allumer le feu. Finalement, je n'attendrai pas demain pour redescendre à Inféléleh. Plus tôt j'y serai, mieux ce sera.

Inféléleh, huit jours plus tard.

Un voyageur débarquant aujourd'hui ne se rendrait compte de rien. Le mur du fortin est réparé et déjà presque sec. Vulpi m'a cochonné ça à l'artiste : il a incrusté dans la terre des arabesques de silex. Il en est fier comme Michel-Ange de la Sixtine. Les zéribas sont remontées : ç'a été l'affaire de trois jours ; le temps de ramasser des joncs, de les tresser, d'abattre et de débiter cinq palmiers pour dresser les armatures. Les femmes et les enfants ont entassé tous les débris de bois laissés par le torrent : ils ont des réserves pour six mois. Onze familles sont parties, avec bétail et bagages, pour aller s'installer à Essendilène ou Djanet. Je n'ai rien fait pour les retenir. Le désert gorgé d'eau s'est couvert de graminées. Ça commence à fleurir. Naturellement, il n'y a plus de champs. Mais qui les voyait, hors moi ?

Finalement, mes *haratins* considèrent la crue de l'oued plus comme un bienfait que comme une catastrophe : ils ont perdu quelques animaux, mais qu'est-ce que ça fait puisque le désert sera vert pendant cinq à six mois et que ceux qui restent vont grossir et croître ? Surtout, ils savent que, même s'il ne pleut plus pendant plusieurs années, les puits ne seront pas à sec. Quant à reconstruire les cases, cela ne coûte rien, et, en nomades qu'ils sont, cela leur semble la chose la plus naturelle. Aux cultures, aux travaux d'irrigation, avaient-ils jamais cru ?

Moi, j'y croyais. Ils le savent. Ils me consolent : c'est un sourire quand je passe, une chèvre qu'on attrape par la patte et dont on presse le pis pour me montrer combien le lait est abondant, une réflexion : « Regarde ce vert ; même au Niger, ils n'ont pas ça ! » Le Niger, pour eux, c'est Capoue : c'est de là-bas que viennent les plus beaux chameaux, les moutons tachetés à longues pattes, les tissus chatoyants, sans compter des femmes dont tous les hommes rêvent. Quand je suis arrivé à Inféléleh, Chir Ahmed, qui fait figure de chef parce qu'il est vieux, pieux, et qu'il a voyagé (en fait ce n'est, comme mes autres gars, qu'un serf, fils d'esclaves, que les Touareg Ajjer ont laissé courir et qu'ils dépouilleront le jour où ça leur chantera), Chir Ahmed, donc, m'a dit : « Toi, tu es riche ; tu devrais acheter une femme au Niger. Si tu veux, je t'arrange tout avec les caravaniers. » Et, hier soir, le père de Fatiha est venu m'annoncer, rayonnant, qu'il avait retrouvé sa vache, qu'on croyait perdue : « Maintenant, je la fais beaucoup grossir avec l'herbe et, quand elle est grosse, je la vends et j'achète une femme au Niger. » On a enterré Fatiha : un petit amas de pierres, parmi les autres.

Inféléleh, trois jours plus tard.

Fièvre. Suées. Nausée. Ça me prend vers cinq ou six heures de l'après-midi et ça passe au milieu de la nuit. Impossible de trouver une cause à ces crises périodiques. Au reste, elles sont à peine incommodantes. Ça me rend silencieux, et avide de silence : j'envoie Vulpi se faire entendre ailleurs, et me voilà tranquille dans mon cocon.

Inféléleh, cinq jours plus tard.

Depuis deux jours, pensées obsessionnelles : Lucien, Louise. Manège d'images, qui se déclenche au réveil et tourne jusqu'au soir. Impossible à arrêter. Rien ne me distrait : ni l'exercice physique (ce que j'ai pu transporter de tonnes de pierres !), ni la lecture, ni l'application intellectuelle : en vain j'apprends par cœur des versets du Coran. C'est périodique, comme les fièvres, mais beaucoup plus pénible.

Lucien, dans la chambre d'hôtel, la dernière fois que nous nous sommes vus. Ses oreilles d'orphelin ; ses poignets ; son cou, son torse plat. La pomme d'Adam, les omoplates, les clavicules saillent (j'ai failli écrire « crient ». Elles crient, en effet : « Je ne veux pas être un homme, et je suis un homme » ; « Ayez pitié de moi et prenez garde à vous »). Ses yeux trop petits, rapprochés, enfoncés. Leur expression dans la colère : on dirait que les iris se fendillent, comme des billes de verre soumises à une terrible pression. Cet air d'animal bâti pour la fuite, qui, contraint de faire face, tient tête. Je sais tout de lui. Nous pouvons être séparés vingt ans : à la seconde où je le reverrai, au plus insignifiant de ses gestes, je saurai où il en est. Je le saurai d'une science inarticulée mais complète et sûre. Lucien est le seul être pour qui j'ai de l'amour. Je m'exprime mal. Ce que je veux dire, c'est que c'est par rapport à lui, et à lui seul, que je mesure ce que peut être la douleur de l'amour : s'approcher au plus près d'un être, et refermer les bras sur le vide. L'amour heureux, c'est celui qui reste les bras ouverts : l'attente ; l'humilité. Oui, l'humble attente, bras ouverts. Mais ça n'est pas pour moi. Moi, je suis travaillé par le besoin de posséder. Je suis anthropophage. Je me repais de ceux pour qui je donnerais ma vie, et ma faim n'est jamais assouvie.

Suffit !

Les images de Louise, ce sont celles de sa chambre. Trois choses, précisément : le kimono aux dragons, le montant du lit incrusté de nacre, la baignoire aux pieds griffus. Ces trois objets ont plus d'importance dans mon histoire (ma vraie histoire, celle qui court sous ce que je montre et sous ce que je fais) que mon entrée à Saint-Maixent. Voilà qui est bien absurde !

Et puis, bien sûr, la chair de Louise, son odeur. Je devrais dire « ses chairs », « ses odeurs » : cou, épaules, ventre, cuisses, reins, genoux. Et surtout la façon, impossible à rendre par des mots, dont, après m'avoir doucement soumis à ses caprices, elle se renversait, s'ouvrait pour m'accueillir.

Suffit !

Tout à l'heure, en servant le déjeuner (en fait, Vulpi, lui et moi mangeons ensemble, accroupis autour des gamelles), Embarek m'a demandé sérieusement si les éléphants avaient des os. Je l'ai rassuré. Il a lâché un « Aye-oua » dubitatif. Plus tard, je lui ai demandé qui lui avait raconté ce bobard. « Ce sont les caravaniers du Niger qui disent ça » ; et, aussitôt après :

« Et les cochons, mon lieutenant, ils ont des os ?

Je l'ai à nouveau rassuré.

« Comme les chèvres, alors ?

— Oui.

— Mais c'est des cochons quand même ?

— Oui.

— Aye-oua...

Inféléleh, trois jours plus tard.

J'aime le Tassili parce que je lui ressemble : un plateau minéral, avec ses parties dressées et ses parties ruinées ; de grandes étendues sablonneuses et stériles, qui changent de couleur en fonction du temps (le temps qu'il fait, et le temps qui passe) ; des gorges verdoyantes dont l'entrée est difficile à trouver, que rien n'annonce, qui s'enfoncent profondément dans la montagne, et qui s'arrêtent abruptement. Des changements de température violents. Des sécheresses persistantes et, de temps à autre, des cataractes.

Je me vante : je ne suis ni aussi beau, ni aussi intéressant que le Tassili des Ajjer. Je suis un lieutenant qu'on a mis en pénitence dans un trou et qui s'emmerde.

Pas de lettres. Pas de caravanes. Rien. Rien. Rien. Merde.

C'est au point que j'ai recommencé à creuser des rigoles d'irrigation. Tout seul, avec une bêche. Je suis décidément un sale roumi indécrottable.

Inféléleh, le 29 décembre 1912.

Ennui. J'ai flanqué mon poing dans la gueule et quinze jours de cachot à un Chaamba qui avait pris des œufs à un *haratin* et refusait de le payer. La *chicaya* avait duré trois heures, avec Embarek et Vulpi intervenant tantôt en avocats, tantôt en procureurs.

Ces différends permanents entre mes soldats et les *haratins* pour des queues de prune m'exaspèrent. Ce ne sont pas toujours les Chaambas qui sont dans leur tort. Les autres les cherchent, surtout les femmes. Ce serait pareil dans un village français, je suppose.

Demain, je pars en manœuvre. Tant pis pour les consignes de Wattignies. Si je n'occupe pas un peu mes Chaambas, je vais finir par avoir de vilaines histoires. Ils ont beau avoir une capacité admirable pour ne rien faire, depuis cinq mois que ça dure, les cervelles s'échauffent. Et les couilles.

Inféléleh, dix jours plus tard.

Je reviens rafraîchi de mes dix jours de manœuvres. Nous avons été à Essendilène, profonde vallée pleine d'arbres, de lauriers-roses, de fleurs, d'oiseaux et de petites marmottes que les indigènes appellent « talous ». Un morceau du Paradis terrestre avant la faute.

J'ai mangé des figues. J'ai chassé le mouflon à l'affût : douze pièces, dont un mâle impressionnant. J'ai pêché des poissons-chats, dans ces trous d'eau qu'on appelle *gueltas*.

Au retour, nous avons croisé, très au large, une caravane qui remontait sur Djanet. Au moins soixante-dix bêtes et une trentaine d'hommes. Ni femmes ni enfants. D'après mon pisteur, c'étaient des Imenan, c'est-à-dire des gens de la tribu de Sultan Ahmoud. Voilà de quoi nourrir mon rapport mensuel pour Wattignies.

Vulpi vient de m'apprendre que, pendant mon absence, six Touareg sont venus à Inféléleh. Cela prouve, s'il en était besoin, qu'ils nous observent ou qu'on les renseigne. Ils n'auraient certainement pas risqué le coup s'ils n'avaient pas su que j'étais parti avec les Chaambas. Ils sont restés trois heures, ont fait de l'eau, ont raflé des chèvres et de l'orge.

J'ai interrogé Chir Ahmed, pas trop bavard. Il a fini pourtant par me dire que c'était des Kel Azellouaz, des vassaux des Imenan. Il les connaît et n'a pas l'air de les craindre. Il m'a répété, au moins dix fois : « Ce sont des hommes de paix. »

Inféléleh, trois jours plus tard.

Louise. Lucien. Marthe noyée. (Comme je n'ai jamais vu le visage de cette jeune fille dont j'ai causé la mort, je lui prête celui de Fatiha. Je mêle tout.) Pour me distraire, j'imagine que je soumets la demoiselle Sainte-Ilette à des traitements innommables. C'est pitoyable.

Vers quatre heures, je pars seul à pied dans l'oued. Je choisis les passages de sable meuble pour me fatiguer plus vite. Mais les bouquets de tamaris, les pics dressés sur le ciel, la courbe des dunes, tout me renvoie à mes sales pensées, ou, plutôt, ce sont elles qui polluent le paysage.

S'il y avait une femme libre à Inféléleh, ce serait la solution. De toute façon, ce n'est pas à coups de reins que je me débarrasserais de mes remords. Et, avec tout ça, je ne suis pas réellement accablé. Je sens, par-derrière, les petites flammes d'une espèce de gaieté. Curieuse machine !

Inféléleh, le lendemain.

C'est incroyable. Je me suis aperçu ce matin — parce qu'il l'a bien voulu — que vivait ici, depuis un temps indéterminé, un vieux Targui de pure race. Il est venu droit sur le fortin, vers huit heures, toutes voiles déployées, de cette belle démarche qui part des hanches et qui, donnant une impression de lenteur, est pourtant impossible à suivre sans trottiner. J'étais sur la terrasse. Il m'a salué en arabe et s'est accroupi en face de moi. Bavardage anodin sur le temps, le bétail, les petites nouvelles locales. Au vrai, pas si anodin : il s'agissait de me montrer qu'il était là depuis longtemps et au fait de tout. Je lui ai demandé son nom, ce qu'il faisait ici, ce qu'il me voulait. Il m'a donné son nom (Khaoudi), pour le reste a éludé avec de grands éclats de rire.

Inféléleh, dix jours plus tard.

Khaoudi vient me voir tous les jours. Nous avons pris nos habitudes : nous nous installons derrière le fort, sous un acacia. Il allume le feu, prépare le thé : il lui faut deux théières, deux verres, du sucre en abondance. Il hume, mesure au creux de la main les feuilles et le sucre, joue de l'eau chaude et de l'eau froide, transvase la décoction au moins vingt-cinq fois entre les théières et les verres, enfin goûte avec de grands bruits de langue, remplit les verres de très haut, sans rien laisser échapper, et me tend le mien, plein à ras bord d'un liquide mousseux et ambré comme de l'urine. Il m'a dit : « Le thé, c'est l'absinthe des Touareg », façon de me faire savoir qu'il connaît les mœurs des Français.

Il a visiblement décidé de m'inspirer confiance et répond sans réticence à mes questions : position des campements ajjer, nombre d'hommes et de bêtes que compte chaque tribu, oasis où ils se ravitaillent. Cependant, dès que j'essaie d'aller plus loin, pour aborder la « politique » (que pense-t-on de la présence des Français ? Quels sont les rapports avec Ghât ? Avec les Turcs ? Quelle est l'influence de la sénoussia ? Comment voit-il dans l'avenir les rapports entre Hoggar et Ajjer ? Que pense-t-il de Moussa Ag Amastane ?), il répond à côté, comme s'il ne saisissait pas la portée de la question. Par exemple, chaque fois que j'aborde le sujet sénoussia, il répond : « Les sénouss sont des hommes très pieux, de vrais musulmans. » Quand je lui parle de Moussa : « Ça, c'est les affaires du Hoggar. Ici, on connaît pas ce qui se passe là-bas. »

Il est intarissable sur les liens de famille qui unissent les membres de chaque tribu, et les tribus entre elles. Il me déroule la généalogie de chaque guerrier, en l'agrémentant d'anecdotes, non seulement sur le personnage principal, mais encore sur chaque ancêtre, frère, cousin et fils qu'il nomme à son propos. Je suis tombé sur le Saint-Simon du Tassili ! Ce qui rend les choses difficiles à suivre, c'est qu'il désigne souvent du nom de père et le père naturel et les oncles maternels. De même, le mot frère désigne souvent un cousin du côté maternel. Car ici, comme au Hoggar, c'est par les femmes que se font les filiations. Quand je lui demande de préciser (car naturellement je prends force notes et je voudrais que ce soit aussi clair que possible), il me regarde comme un *minus habens*. Mais il ne faut pas le pousser beaucoup pour qu'il reparte dans d'infinies histoires de tantes communes, de veuves qui ont épousé leur beau-frère, de répudiation, d'adoption, etc. J'ai tracé des arbres généalogiques et, chaque soir, je passe au moins deux heures à les compléter.

Hier, j'ai montré mon travail à Khaoudi. Il y a jeté un coup d'œil. Visiblement, il s'en moque. Ce qu'il aime, c'est raconter des histoires. Qu'on essaie de fixer ça est hors de sa sphère d'intérêt.

La question reste : pourquoi Khaoudi est-il à Inféléleh ? Pourquoi s'est-il longtemps caché ? Pourquoi s'est-il soudain montré ? L'a-t-on envoyé pour surveiller les Français, comme on m'y a envoyé pour surveiller les Ajjer ? Mais qui l'aurait envoyé ? Sultan Ahmoud ? Dans ce cas, pourquoi me renseigne-t-il si facilement ? Est-ce imprudence d'impénitent bavard ?

Peut-être suis-je trop méfiant. A tout bien considérer, Khaoudi m'aide, et sans réticence.

Les *haratins* le traitent sans respect particulier. On s'en moquerait plutôt, gentiment, comme on ferait en France d'un vieil oncle un peu raseur. Il ne va jamais aux tentes des Chaambas mais, lorsqu'il en rencontre un, il s'arrête pour causer. Quand j'interroge l'homme sur ce que Khaoudi lui a raconté, il répond : « Il m'a parlé de ses voyages », ou « il m'a parlé de ses chasses ».

Inféléleh, deux jours plus tard.

Miracle ! Les événements se précipitent ! Geindroz est arrivé hier soir. Quand je l'ai reconnu, à la tête de la colonne, je n'en croyais pas mes yeux. Je l'ai embrassé et nous nous sommes étreints, et tapoté le dos, et claqué les épaules, pendant cinq grosses minutes. A la fin, nous avions tous les deux les larmes aux yeux : une vraie « bergerie » ! Comme nous ne pouvions pas continuer sur ce pied et qu'en même temps nous n'oubliions pas notre abandon, nous voilà tout empruntés l'un et l'autre : des fiancés sages qui auraient fauté ! C'est tordant.

Geindroz a sorti de ses fontes six lettres. Ma foi, quand j'ai vu les six enveloppes, je l'ai réembrassé. Je les porte sur moi ; je ne m'en défais plus.

Celle de mon père, postée à Madagascar il y a quatre mois et demi. Ça a l'air d'aller. Pas de projet insolite.

Celle de Foucauld, chaleureuse et un peu bénisseuse. Il m'apprend que Dubreuilh est à Nancy, qu'on lui a donné ses deux étoiles et que le moral ne semble pas trop mauvais. Il m'invite à lui écrire.

Le mot de Courette : ton farceur, fond amer. Plus je relis ces vingt lignes, plus j'ai mauvaise impression : mon Courette est en train de flancher. Même son écriture a changé.

La longue lettre d'Hazan qui, au terme d'une impeccable analyse, prédit la guerre en Europe dans les deux ans qui viennent et, après cette guerre, dont le vainqueur, quel qu'il soit, sortira aussi épuisé que le vaincu, un recul de l'expansion coloniale française : « *Les Anglais nous remplaceront partout, jusqu'au jour où eux aussi devront se retirer. La colonisation porte en germe sa propre fin. La seule façon d'assurer la pérennité des empires serait de convertir les peuples à la religion chrétienne. Tâche impossible : on ne fait pas reculer l'Islam.* » A part ça, Hazan a été nommé à Djelfa : Dieu le garde !

Cinq lignes de Flammarin, pleines de fautes d'orthographe. Il m'annonce qu'il va démissionner et qu'il compte, d'ici à un an, « partir colon » au Maroc. Ça se termine par : « *Une bonne poignée de main.* »

Enfin, plus qu'inattendue, la lettre de Madeleine. Une lettre de pensionnaire à son frère. Ecrite et expédiée en cachette, c'est sûr, mais dont pas un mot ne pourrait donner du soupçon à la plus sévères des mères supérieures. Elle me dit qu'elle parle souvent de moi avec « *M. Hazan, dont la conversation est intéressante mais qui, malheureusement, ne sait pas jouer au tennis* ». Avant de m'assurer de son « *fidèle et bien amical souvenir* », elle m'apprend qu'elle s'est mise à l'étude du grec avec son père, « *pour se désennuyer* ». Si elle savait ce que je fais d'elle, en imagination, « pour me désennuyer » ! Peut-être qu'elle serait très contente, après tout ! Je lui répondrai par l'entremise d'Hazan. Il faut que je surveille ma plume.

Autant l'avouer : c'est la lettre de Madeleine qui m'a ému le plus, jusque dans sa niaiserie. Cette gauche application à la réserve me remet en mémoire, par contraste, sa conduite folle de Biskra. Folle et sublime.

Je n'espérais rien de Lucien, ni de Louise. Je n'ai rien eu. Pourtant mon réflexe, quand Geindroz m'a remis les lettres, a été de chercher leur écriture sur les enveloppes.

Laissons les affaires privées. Geindroz n'est pas venu à Inféléleh pour m'apporter le courrier et me fournir un peu de compagnie civilisée : il est chargé d'instructions par Wattignies.

L'affaire se présente de la façon suivante : dans quelques jours, Takarit nous rejoindra. Il s'agira de lui faire prendre langue avec Sultan Ahmoud (qui, d'après des renseignements venus d'In-Salah, serait à Djanet depuis deux mois). Objet de cette entrevue : préparer une rencontre Sultan Ahmoud-Moussa Ag Amastane, qui scellerait une réconciliation entre les deux confédérations touareg. Si on a choisi Takarit pour cette mission, c'est d'abord parce qu'il est sûr, du point de vue français, ensuite parce qu'il est le chef des Taïtok, tribu qui, comme il me l'a expliqué dans l'Adrar, a des liens tant du côté ajjer que du côté hoggar. Takarit lui-même est ce que les Touareg appellent un « faiseur de paix », c'est-à-dire le fruit de mariages croisés entre adversaires : sa mère est hoggar, sa femme est la nièce de Moussa, mais son père était un Ajjer de la tribu d'Ahmoud.

Je dois avouer que, moi qui pensais que le plan élaboré par Peyremard, tel que me l'avait vaguement exposé Wattignies à Tamanrasset, était un alibi pour ne rien faire, le simple contre-pied des projets qui ont conduit à l'élimination de Dubreuilh, je commence à y croire. A cause de la présence de Takarit, surtout. L'avoir choisi est très intelligent. Si quelqu'un est capable de réussir, c'est lui. Et puis, Takarit est mon ami. Sa présence m'associe à l'affaire, me la fait considérer comme un peu mienne. Wattignies a dû calculer ça, aussi.

Notre capitaine est décidément quelqu'un qu'il convient de ne pas juger trop vite. Je ne sais où tout cela mènera. Mais, pour l'instant, c'est bien joué.

Inféléleh, le lendemain.

Ce que nous avons vécu côte à côte, Geindroz et moi, pendant l'expédition à Tombouctou, a créé entre nous des liens que je ne soupçonnais pas, et qui reparaissent aujourd'hui, effaçant la disparate de nos tempéraments.

Dès ce matin, la gêne d'hier a disparu et nous voilà francs camarades. Comme il est servi par un Chaamba qui a aussi peu que possible le genre « bougre », je lui ai demandé des nouvelles de Sama. Il m'a répondu en souriant que le Soudanais avait quitté Tamanrasset depuis longtemps et que, aux dernières nouvelles, il s'était attaché aux pas d'un botaniste allemand qui erre du côté d'Ouargla. Geindroz a failli ajouter quelque chose, s'est tu, et a fini par partir d'un rire tout à fait dégagé. Un bon point pour lui, ce rire.

Je lui ai aussi demandé des nouvelles de Courette. « Toujours le même », m'a dit Geindroz. « Du moins en apparence. Il s'est beaucoup rapproché de Foucauld, ce qui n'a pas amélioré ses rapports avec Wattignies. Pendant près de trois mois, ils se sont obstinés l'un et l'autre à ne pas s'adresser la parole. Tu peux te figurer comme c'était plaisant pour moi, surtout pendant les repas ! Un soir je leur ai dit qu'ils feraient mieux de se battre une bonne fois plutôt que de persister dans une attitude dont c'était moi qui faisais les frais. Eh bien, mon cher, ils l'ont fait. Ils se sont enfermés dans le bureau de Wattignies et se sont colletés comme des charretiers ! Le lendemain, quand je suis descendu, j'ai aperçu, dans l'infirmerie, Courette qui recousait l'arcade sourcilière de Wattignies. Depuis, ça va à peu près ! »

— Et toi, ai-je demandé ; comment te portes-tu ?

— Comme tu vois, a-t-il répondu avec son beau rire neuf. Tout s'est éclairé d'un coup à notre retour de Tombouctou. Et toi ?

— Moi, c'est l'inverse. Tout s'est obscurci.

Il a ri derechef :

— Tu ne feras jamais croire ça à personne !

Inféléleh, trois jours plus tard.

Takarit a surgi de l'erg à la tombée du jour, magnifiquement paré et monté (une chamelle noire, chaussée de blanc jusqu'aux genoux : la bête la plus racée que j'aie vue), escorté de deux nègres, armés chacun d'une carabine à répétition neuve et de quatre chameaux de bât. Courette lui a fabriqué une prothèse pour remplacer sa jambe. Sous les robes et la djellaba, on ne voit rien. Il claudique à peine en marchant (ou plutôt, il ne claudique pas, il chaloupe un peu plus que ses coreligionnaires) et réussit à s'accroupir dans ses voiles sans que paraisse le pilon. Il faut savoir qu'il lui manque une jambe — et Dieu sait si je le sais — pour remarquer certaines lenteurs et certaines raideurs.

Après avoir mis pied à terre, Takarit, pendant une demi-heure, nous a fait du théâtre : instructions à ses nègres, jetées d'une voix impériale ; regard d'aigle sur les curieux accourus pour admirer son équipage. Avec Geindroz et moi, grandes manières distantes. J'avais prévu son coucher au fortin. Il a hautement refusé. Puis, le naturel targui est revenu au galop : dès avant le dîner, allongé sur mes tapis, le coude moelleusement calé sur le baluchon de superbes couvertures qu'il a apportées avec lui, il papotait, riait, se curait le nez sous le litham, et crachait son jus de chique dans une boîte en fer-blanc avec le sans-façon habituel.

Une nouveauté dans son comportement : il affecte une grande piété. Avant et après le repas, il nous a abandonnés pour aller dire sa prière sur la terrasse. Et pas des prières expédiées, comme font, si souvent, les Touareg. Le grand rituel, les appels à Allah lancés vers La Mecque à haute voix, chaque prosternation soigneusement accomplie, malgré le pilon. La seconde fois, quelques Chaambas, quelques *haratins*, et Khaoudi sont venus se joindre à lui. Ils ont psalmodié, se sont agenouillés et relevés en cadence, tous sur la même ligne.

Je suis curieux de voir les rapports qui vont s'établir entre Takarit et Khaoudi.

Finalement, Takarit est resté coucher au fort comme si cela avait toujours été entendu. Entortillés dans nos couvertures, l'un près de l'autre, nous avons encore longuement bavardé. Il ne me pardonnerait probablement pas d'évoquer, devant des tiers, le massacre de sa tribu et son amputation qu'il doit considérer comme d'infamantes défaites. Mais, dès que nous avons été seuls, c'est lui qui est parti sur ces souvenirs. Il m'en a fait, à mi-voix, le conte, presque le poème. Dans sa version, il s'est battu corps à corps avec les Sénégalais, en a tué plus de dix — il décrit celui qu'il a égorgé, celui qu'il a étripé, celui qui criait pitié comme une femme —, n'a été vaincu à la fin que par la traîtrise de quelques-uns de ses guerriers qui ont fui, parce qu'ils n'étaient pas de bonne race, qu'ils avaient du sang d'esclave. Ces félons, il promet de les retrouver, de les châtrer, et voue leur descendance à des sorts abominables et fantastiques : « Qu'ils deviennent les chiens des koufars ; qu'ils soient transformés en chacals... » Quant à lui, se traînant sur le dos dans le désert, il attribue son salut à des esprits qui l'abreuvaient et le soignaient lorsqu'il perdait conscience. Plutôt que de mettre en avant le prodigieux courage qu'il a montré en se recousant le ventre, il trouve plus beau de chanter une main mystérieuse qui a agi à son insu. Il hausse son épopée jusqu'au mythe en affirmant que, s'il n'est pas mort, c'est qu'il était redevenu lézard. Le lézard, sans être à proprement parler sacré (à l'occasion, ils en mangent), tient le rôle principal dans le bestiaire divin des Touareg. Ils l'appellent « notre grand-oncle maternel », et en font l'ancêtre de leur race.

Tout décollé de la réalité qu'il fût, le récit de Takarit était truffé de détails très prosaïques : le calibre et la portée des carabines, le nombre des guerbas d'eau qui restaient aux Taïtok quand Baculard-le-porc les a encerclés ; plus tard : « je ne chiais plus », etc.

Avant que nous nous endormions, Takarit m'a montré la cicatrice de son ventre. Or, c'est peu de dire que les Touareg sont pudiques. Leur répugnance à dénuder le moindre centimètre carré de peau est invincible. Ce furtif déshabillage, à la lueur de la bougie, c'était comme s'il m'avait rappelé que, entre nous, c'est à la vie, à la mort.

Inféléleh, le lendemain.
Je me demandais comment nous prendrions contact avec Sultan Ahmoud.

Envoyer Takarit seul à Djanet, même accompagné de ses deux nègres armés, c'était lui faire courir un risque incalculable, au sens propre du mot. Car si Peyremard veut la paix, Ahmoud reste, jusqu'à plus ample informé, l'homme qui, depuis deux ans, prépare la guerre à partir de Ghât. Takarit, d'ailleurs, qui n'est pas fou, a déclaré qu'il n'irait pas seul à Djanet.

L'accompagner avec les Chaambas, c'était une provocation qui ruinait les chances de sa mission pacifique.

Finalement, tout s'est arrangé avec une facilité que je trouve d'ailleurs suspecte.

Comme je sondais discrètement Khaoudi, il s'est, tout à trac, proposé pour aller à Djanet et revenir nous dire si Ahmoud était prêt à nous rencontrer et où. Il demande, pour ce faire, deux chameaux et un fusil. Après avoir consulté Takarit, qui a trouvé l'offre de Khaoudi très naturelle, j'ai accepté.

Khaoudi agit-il de son propre chef ou sur ordre? Takarit m'a dit : « Te casse pas la tête avec ce vieux. Pour avoir deux chameaux et un fusil, il va jusqu'à Tombouctou si tu lui demandes. » La thèse de Takarit, c'est que Khaoudi est un bonhomme sans importance qui s'est réfugié à Inféléleh parce que sa femme l'avait quitté en emportant ses chèvres et ses chameaux.

— Mais pourquoi à Inféléleh?

— Il est bien là. Il y a de l'eau. Les *haratins* lui donnent beaucoup à manger. Il parle avec toi.

— Et pourquoi s'est-il caché si longtemps?

— Il te connaissait pas. Il regardait si tu étais un homme de paix ou un homme de guerre. Ici, tu as jamais confiance tout de suite !

Takarit a craché son jus de chique, s'est essuyé le visage avec le bout de son litham et a conclu :

« Qu'est-ce qu'il peut faire, Khaoudi, à Djanet? Dire à Ahmoud combien tu as de fusils, combien tu as de chameaux, combien tu as de Chaambas. Alors? Tu crois qu'il le sait pas, ça, Sultan Ahmoud? A Djanet, les enfants ils le savent, les chèvres elles le savent. Et à Ghât, pareil ! Te casse pas la tête, mon frère ! »

Inféléleh, dix jours plus tard.

Khaoudi est parti depuis dix jours. S'il a bien marché, il est arrivé à Djanet hier. Reviendra-t-il? Si oui, je crois que je pourrai décidément compter sur lui. Geindroz recommence à m'agacer Pendant l'expédition à Tombouctou, chaque fois que nos regards se croisaient, je craignais qu'il ne m'attire dans les dédales d'une conscience toute en courbes et en replis. Maintenant, c'est sa réserve qui m'impatiente. Il est comme caparaçonné dans une délicatesse jamais en défaut : toujours approbatif, toujours d'exquise humeur, sans autre désir que celui de précéder les miens. Il ferait une épouse (ou un mari, ne soyons pas méchant) parfaite. En camarade, il manque de répondant.

Nous faisons tout de même de bonnes parties d'échecs. Qu'il

s'arrange toujours pour perdre, l'animal, alors qu'il est bien meilleur que moi !

Il m'a apporté deux bouteilles de cognac. Je les avais cachées. Mais cache-t-on de l'alcool à un ivrogne ? Vulpi s'est mis dans un sale état hier soir : vomissements, délire. Rien ne m'est plus étranger que cette rage d'autodestruction. C'est trop simple ou trop compliqué pour moi.

Vulpi est bien bas, d'ailleurs. Je m'en aperçois depuis que Geindroz est là. Seul avec lui, j'avais fini par m'habituer. Il radote toujours les mêmes histoires. Le moindre événement qui le sort de son train-train l'affole : il invective contre le monde entier. Heureusement que les Chaambas l'aiment bien et ne se formalisent pas de ses coups de gueule et de ses provocations.

Inféléleh, treize jours plus tard.

J'espérais que la présence de Geindroz et de Takarit m'aurait, sinon guéri, du moins mis à l'abri des crises. Eh bien non ! Le manège est reparti, et tourne. On lutte contre des idées, contre des sentiments. Contre des images, rien à faire. Si j'étais accablé de remords, il me semble qu'avec du temps je m'en accommoderais. Mais ce dérèglement qui fait que l'imagination, au lieu de vagabonder, se fixe, est incontrôlable, donc intolérable. Mes crises ne sont pas psychologiques. Elles sont pathologiques.

J'exècre la pensée du suicide, mais, si je deviens fou, je me tue.

Inféléleh, deux jours plus tard.

Ça n'allait décidément pas fort. J'ai passé deux jours à dormir, du moins à sommeiller. Embarek est parfait dans ces cas-là. Il m'apporte à manger et n'ouvre pas le bec.

Ce n'est pas le mal que j'ai fait à Marthe et à Lucien qui me ronge. Ce qui me tue, c'est de m'être coupé d'un coup des deux seuls êtres que j'aime. Si un miracle me rendait Louise et Lucien, le suicide de Marthe serait, dans trois ans, un gros point noir à peu près insensible au fond de ma conscience.

Est-ce assez monstrueux, messieurs les moralistes ?

Inféléleh, le lendemain.

Khaoudi est rentré de Djanet. J'avais besoin d'une preuve de sa loyauté : je l'ai. Le rendez-vous avec Ahmoud est fixé à Iherir dans une semaine. Ahmoud a demandé que j'accompagne Takarit, mais vêtu en Targui. Il doit vouloir se ménager la possibilité de nier auprès de ses amis turcs qu'il s'est compromis avec un officier français.

Inféléleh, dix jours plus tard.

Iherir est une oasis dans une cuvette, à quatre jours de marche à l'intérieur du plateau. L'eau abonde, donc la végétation : palmiers, forêt de lauriers-roses le long des *gueltas*. Quand on débouche sur ce trou de verdure, après quarante kilomètres de caillasse noire concassée, l'effet est saisissant. La descente entre les blocs suspendus au-dessus du vide est vertigineuse. Nous avons dû abandonner les chameaux. Takarit peinait et s'accrochait à mon bras.

Ahmoud est beaucoup plus jeune que je ne pensais. Grand, le teint pâle, des yeux superbes. Entièrement drapé de noir avec, sur la poitrine, des sachets à amulettes en cuir rouge, travaillés à la feuille d'or. Une allure d'officier de cavalerie, pourvu au berceau de tous les avantages de la fortune et de tous les dons de la nature. Le contraire exact de Moussa, donc.

Il a envoyé à notre rencontre deux godelureaux à litham bleu clair, des sortes de pages fort peu martiaux, qui constituaient apparemment toute son escorte. Mais nous n'avons pas été regarder derrière les rochers ! Pas un homme, pas une femme, pas un enfant du village n'a montré son nez.

Ahmoud nous attendait, assis dans une grande zériba : sol couvert de tapis à raies multicolores. Seul mobilier : un coffre en cuir.

Il n'a pas tendu sa main, nous a fait signe de la tête de nous asseoir, et n'a pas ouvert la bouche pendant le quart d'heure qu'il a fallu à ses deux daims pour préparer et servir les trois tournées traditionnelles de thé. Puis il a posé son verre, m'a carrément tourné le dos et a déclaré à Takarit d'une voix forte qu'il était le chef des Ajjer et qu'il ne serait jamais le féal de Moussa. Takarit lui a répondu qu'il s'agissait d'une rencontre pour préparer la paix, pas le moins du monde d'une reddition. Ils se sont lancés dans un échange de phrases brèves et violentes, trop rapide pour que je le suive. La conversation a duré environ dix minutes, sur le même ton d'extrême tension, comme si la sécheresse avec laquelle ils assenaient leurs répliques avait autant d'importance que le fond des arguments. Ça a pris fin aussi soudainement que ça avait commencé. Quand Takarit s'est levé et s'est dirigé vers la porte, je l'ai imité, pensant qu'Ahmoud avait demandé que j'assiste à la rencontre pour le seul plaisir de m'ignorer. Il m'a alors jeté, en arabe, sans me faire l'honneur d'un regard :

— Toi, tu diras à ton chef que les vrais musulmans n'accepteront jamais les koufars chez eux.

J'ai répliqué :

— Toi, tu diras à tes maîtres turcs que la France est au Sahara par la volonté de Dieu et que personne ne la chassera !

Ah ! maître Ahmoud, si vous voulez faire l'insolent, nous serons deux !

Les pages nous attendaient à la porte de la zériba. Ils nous ont raccompagnés jusqu'au pied de la montagne. Par chance, nos chameaux, dont les pieds souffrent dans le terrain pierreux, ne s'étaient pas trop éloignés. Nous les avons récupérés pacageant les touffes d'une petite plaine de sable.

Vu, au passage, une grande dalle couverte de gravures préhistoriques : une vache, des autruches, des antilopes couchées, des girafes et une sorte de lion. Ce n'était pas le moment de faire des relevés : je reviendrai.

Les conclusions de Takarit sont les suivantes : Ahmoud se rend compte que Moussa est devenu beaucoup plus puissant que lui. Il redoute qu'un arrangement entre eux le fasse apparaître comme l'inférieur et le déconsidère aux yeux des Ajjer. Il n'a cependant pas formellement refusé le principe d'une entrevue, pour autant qu'elle se passe sur son territoire et à ses conditions.

La situation me paraît claire. La France ne peut être à la fois l'alliée des Hoggar et l'alliée des Ajjer. Si nous étions entrés d'abord au Tassili, il est probable qu'Ahmoud aurait suivi la même politique que Moussa : il aurait mis une sourdine à ses réflexes xénophobes et se serait appuyé sur nous pour asseoir et étendre son pouvoir. Mais nous sommes entrés d'abord au Hoggar. Moussa nous a utilisés à son profit et, aujourd'hui, c'est lui qui est le plus puissant, malgré le soutien qu'Ahmoud est allé chercher du côté turc et auprès de la sénoussia. Moussa a les armes françaises ; lui s'est armé du fanatisme musulman.

Bref, notre présence a rompu l'équilibre des forces entre les deux confédérations : la plus faible a le choix entre se soumettre et combattre. Ahmoud hésite peut-être encore. Ou peut-être cherche-t-il à gagner du temps. Mais, à la fin, il combattra. Il est condamné à la résistance. S'il se laissait séduire par nos offres, un autre chef ajjer l'éliminerait et reprendrait le flambeau.

Le plan Peyremard est une sottise. C'est Dubreuilh qui voyait clair.

J'ai écrit un rapport à Wattignies dans ce sens. Geindroz repart demain pour Tamanrasset. Nous avons longuement causé. Il est d'accord avec mon interprétation. Convaincra-t-il Wattignies ? Takarit reste, pour assurer, le cas échéant, un nouveau contact avec Ahmoud.

Il n'y a plus qu'à attendre.

Inféléleh, deux jours plus tard.

A peine Geindroz parti, voici Courette. Wattignies me l'envoie pour que nous organisions une tournée d'apprivoisement, avec alibi médical. « Il s'agit de préparer les esprits à la paix et de démontrer aux Ajjer les bienfaits d'une présence civilisée », écrit notre capitaine.

Je mesure, en retrouvant Courette après Geindroz, la différence entre une amitié d'affinités et une amitié de circonstances.

Courette est joyeux comme un pensionnaire en vacances. Presque trop joyeux, avec quelque chose de trépidant dans sa façon de nouer une phrase à l'autre, de sauter du coq à l'âne. On dirait qu'il court après lui-même. C'est toujours lui, mais, comment dire, poussé à l'extrême, surtendu.

Nous avons ri, et dit des bêtises. Au milieu de la nuit, le cognac aidant, nous avons glissé aux confidences ; moi du moins. Par bribes, me jurant chaque seconde de ne pas aller plus loin, je lui ai tout raconté.

Le petit jour nous a trouvés saouls comme des Polonais, bégayant des serments d'amitié éternelle. Nous avons été jusqu'au puits. Après quelques tours d'équilibre sur la margelle, Courette s'est penché au-dessus du trou. Il s'est retourné pour me demander si la meilleure solution ne serait pas de nous y jeter tout de suite. « Deux questions, disait-il : Est-ce beau ? Est-ce bon ? Je réponds oui ; indubitablement oui. »

Finalement, à grand-peine, nous avons remonté des seaux, que nous nous sommes mutuellement versés sur la tête. Nous nous sommes endormis sur place.

Quand nous nous sommes éveillés, une dizaine de femmes, à qui nous barrions l'accès à l'eau, nous regardaient, assises en demi-cercle. Des roumis, rien ne les étonne. Rien, d'ailleurs, ne les étonne : tout ce qui arrive arrive.

Inféléleh, huit jours plus tard.

La tournée d'apprivoisement médical est un fiasco. Les seuls patients de Courette sont les enfants que nous attrapons de force. Ils hurlent comme des gorets pendant qu'on soigne leurs ophtalmies. Les mères font chorus, à bonne distance. Ça amuse beaucoup les Chaambas.

C'est tout de même intéressant. Je prends des notes : flore, faune, géologie, etc. Avec ça, et ce que m'a appris Khaoudi sur les populations, j'écrirai un opuscule sur le Tassili. Ça rendra service à mes successeurs. Courette se passionne pour les fresques rupestres. Il en fait d'excellents relevés, grâce à sa boîte de gouache. Amar, son infirmier, l'accompagne.

Courette et Amar forment un couple aussi soudé qu'Embarek et moi. C'est Amar qui porte la culotte, si on peut dire. Distrait comme il l'est, Courette se serait déjà dix fois égaré et serait mort de soif, si Amar ne veillait pas. Celui-ci lui a dégotté un galurin de paille et, quand Courette oublie de le mettre — le soleil est rude, entre onze heures et quatre heures —, on l'entend crier : « Toubib, chapeau ! » Courette s'empresse d'obéir, tout en marmonnant : « Il est pire que ma mère ! »

Inféléleh, cinq jours plus tard.

A Essendilène, que je voulais faire connaître à Courette, nous sommes tombés sur un campement ajjer, une fraction de la tribu des Aït-Lohaïn. Ils sont riches, bien remontés sur des chameaux du Niger et je n'avais jamais vu tant de chèvres. Bon accueil.

Après une journée à flâner parmi leurs compatriotes, Khaoudi et Takarit reviennent avec des nouvelles qui confirment mon opinion : Ahmoud a fait répandre partout que la guerre était imminente et qu'il massacrerait tous ceux qui ne seraient pas à ses côtés. Lui-même serait reparti pour Ghât.

Takarit prend ça très au sérieux. Quant à Khaoudi, il m'a dit : « Bientôt tu sors les fusils, ou alors tu repars tout de suite à Tamanrasset. »

J'ordonne le retour à Inféléleh.

Inféléleh, quatre jours plus tard.

Mes messagers, portant à Wattignies le rapport où je consigne les nouvelles alarmantes recueillies à Essendilène, sont partis à six heures du matin.

A six heures du soir arrivent les messagers de Tam avec la réponse de Wattignies au rapport que lui a remis Geindroz après l'entrevue avec Ahmoud.

Verte réplique ! On m'accuse d'être de parti pris, de forcer les faits en faveur de ma thèse. Ça n'est pas dit explicitement, mais c'est partout en filigrane : Wattignies est persuadé que je fais tout ce que je peux pour saboter le plan Peyremard, par dépit de « dubreuilhiste ». L'imbécile !

Il m'écrit : « *J'estime, au contraire de vous, que Sultan Ahmoud est condamné à faire la paix : la puissance de Moussa l'y contraint. Il sait que s'il laisse échapper cette occasion il sera réduit, dans deux ans, à la position d'un chef de bande sans importance. L'exemple d'Attici, que Moussa a proprement éliminé, doit lui servir de leçon : rappelez-le-lui. S'il fait l'insolent, c'est pour sauver les apparences. Raisonnez ! Ne vous laissez pas abuser par la façade. Quoi qu'il en soit, je vous donne ordre de reprendre contact avec lui et d'obtenir un accord, et une date, pour une rencontre avec Moussa. Ce dernier est prêt à aller, s'il le faut, à Djanet.* »

Soit, mon cher capitaine, nous obéirons. Demain, j'enverrai Khaoudi à Djanet, pour essayer de mettre la main sur Ahmoud.

Mais c'est du temps perdu.

Moi non plus, je ne veux pas la guerre. Ça ne m'empêche pas de voir que nous l'aurons. Et, si quelqu'un s'accroche à ses plans en dépit des faits, ce n'est pas moi.

Inféléleh, le lendemain.

Les aveux que j'ai faits à Courette le premier soir m'ont allégé. Plus de crises et, surtout, la crainte d'y retomber se dissipe. Répit. Le premier depuis mon retour au Sahara.

Du coup, me voilà qui songe à Madeleine. Ce ne sont plus les visions qui me servaient, *nolens volens*, à combattre mes obsessions. Des pensées tendres, au contraire, en demi-teintes, que je cultive. C'est mon baume.

Peut-on être amoureux de deux femmes à la fois? Dans la solitude, oui. Pourtant, les sentiments que j'éprouve pour Louise et ceux que j'éprouve pour Madeleine ont des saveurs si contrastées que c'est pure convention que de les ranger dans la même catégorie.

Il faudrait deux mots. Même mes désirs sont différents. Pour Louise, ce sont des bouffées de sensations qui me laissent interdit, chien à l'arrêt. Avec Madeleine j'invente, brode, gambade. Ça doit tenir à ce que j'ai « connu » l'une et l'autre pas. Dans un cas je me souviens ; dans l'autre je projette.

J'avais confié à Geindroz, quand il est reparti pour Tamanrasset, une lettre pour Madeleine (ainsi que mes réponses à mon père, à Foucauld, à Hazan, à Flammarin et un mot pour Dubreuilh). J'ai profité du nouveau courrier, parti hier avec mon rapport, pour réécrire à Madeleine. Une lettre plus « compromettante » que la première, que j'avais faite bien neutre. Je suis cependant resté très en deçà de mes sentiments et je me suis gardé de toute phrase qui puisse faire naître un espoir. Précaution peut-être inutile. Qui me dit que la toquade qu'elle m'a avouée à Biskra dure encore ? Mlle de Sainte-Ilette, qui est passionnée, mais capricieuse, se soucie sans doute fort peu de moi à l'heure qu'il est. A peine amoureux et déjà inquiet : voilà l'animal que je suis devenu.

Autre cause d'inquiétude : Courette.

Depuis le retour à Inféléleh son humeur s'est assombrie. Il n'adresse plus la parole ni à moi, ni à personne, et passe ses journées enfermé dans sa chambre. J'ai essayé de le faire parler tout à l'heure. Il était assis sur son matelas, l'œil fixe, pas rasé. Il m'a flanqué à la porte. Très mauvaise impression. Est-ce un accès de « grinche du Sud » qui passera comme il est venu ? Qu'est-ce qui a pu déclencher cette crise ? Ce n'est pas la fatigue, et je ne vois pas l'événement qui aurait pu la provoquer. A moins qu'il ne soit arrivé quelque chose que j'ignore ? Mais quoi ? Courette me dit tout d'ordinaire. Pourquoi refuse-t-il de s'expliquer ? Probablement parce qu'il n'en sait pas plus que moi sur son état. J'essaie de me rassurer en me rappelant la crise que j'ai traversée quand je suis arrivé pour la première fois à Tamanrasset.

Je n'arrive pas à imaginer mon Courette perdant complètement pied, comme tant et tant d'officiers sahariens qu'il a fallu rapatrier d'urgence après des actes de folie manifeste. On tait pieusement ces histoires. Mais qui les ignore ici ?

Inféléleh, le soir du même jour.

Si j'avais le choix entre Louise et Madeleine, qui choisirais-je ? Question refusée.

Premièrement, on ne choisit pas une femme comme un mulet.

Deuxièmement, je n'ai pas le choix.

Il faudra bien que j'arrive à me persuader que je ne verrai plus jamais Louise. C'est comme si elle était morte, ou moi. Bien sûr, c'est pire.

Courette vient d'entrer dans ma chambre. Ses yeux étaient injectés de sang, sa paupière gauche battait.

— As-tu encore du cognac ?

— Tu ne devrais pas boire.

— Garde tes conseils et donne ton alcool.

Il est reparti avec la bouteille.

Inféléleh, deux jours plus tard.
Je me suis battu avec Courette, ce soir.

J'étais allé dans sa chambre décidé à le convaincre de partager mon dîner. Il a refusé. Je l'ai pris par le bras pour le forcer à se lever. Il m'a giflé. Ça s'est terminé à coups de poing. Après, il s'est effondré. Il me suppliait de l'attacher sur son lit. J'étais glacé, incapable de réagir, ne pouvant reconnaître mon Courette dans cette loque. Comment a-t-il pu changer si vite ?

Tandis que j'écris, je l'entends geindre derrière la paroi de terre.

Inféléleh, trois jours plus tard.
Aucune nouvelle de Khaoudi. Je parierais mes galons qu'il ne trouvera pas Ahmoud.

Courette a reparu ce soir. Pâle mais calme.

Il m'a annoncé qu'il partirait demain avec Amar relever les fresques que j'ai découvertes en revenant d'Iherir et dont je lui avais parlé... Ça me paraît une excellente idée. Je les ferai accompagner par cinq Chaambas, pour éviter un mauvais coup d'Ahmoud. Après que nous eûmes établi l'itinéraire, j'ai essayé d'engager la conversation. Il m'a écouté un moment puis il s'est levé et, sans un mot, a regagné sa chambre.

Inféléleh, cinq jours plus tard.
Courette est entré dans mon bureau vers quatre heures, son chapeau de paille sur la tête, sa carabine à la main. Il s'est approché, m'a contemplé un moment et a dit :

— J'ai tué Amar.

Puis il a laissé glisser le fusil par terre et s'est assis sur la chaise. Impossible de lui tirer un mot de plus. Il regardait le plafond, sourd à mes questions. Je suis sorti.

Les Chaambas attendaient devant la porte. Ils avaient déposé le cadavre sur la terrasse. Amar a été tué d'une balle dans la tête, à bout portant.

Les Chaambas n'ont rien pu m'apprendre : ils étaient au bivouac quand ça s'est passé. Ils ont entendu un coup de feu. Lorsqu'ils sont arrivés près des fresques, dix minutes plus tard, Courette était assis à côté du cadavre, son fusil en travers des genoux.

Dans le bureau Courette n'avait pas bougé. Je l'ai empoigné à l'épaule, je l'ai pressé de s'expliquer. Il a fini par dire :

« C'est arrivé en une seconde. J'ai lâché le pinceau, j'ai pris le fusil... Je suppose que je suis fou.

— Un coup de folie, ça n'est pas la folie ! C'est le désert, les conditions dans lesquelles tu vis depuis des mois...

Il m'a tapoté la main :

— Ne te fatigue pas ! Fais ton rapport, et rapatrie-moi à Tamanrasset.

Inféléleh, deux jours plus tard.

J'ai enterré Amar hier. Il laisse cinq enfants. Embarek m'a dit qu'il faisait vivre aussi sa sœur et trois neveux.

Courette est parti ce matin. Je l'ai supplié de donner, lui aussi, la version « accident » que j'ai rédigée. M'a-t-il seulement entendu ?

Pendant deux jours il est resté prostré, sans manger, le visage transformé par des cernes noirs autour des yeux. Au moment de monter à chameau, il tenait à peine sur ses jambes. Il a fallu l'attacher à la selle.

Cette lamentable affaire m'a mis dans un lamentable état. Courette avait besoin de moi et je n'ai rien compris.

Ce pays pue la mort, et moi aussi.

Inféléleh, le lendemain.

Khaoudi est rentré il y a une heure. C'est décidément un brave et loyal ami : il a crevé ses deux chameaux pour venir m'apprendre qu'on tient pour certain à Djanet que Sultan Ahmoud a passé la frontière, au sud de l'oued El-Barkat, à la tête de trois cents ou quatre cents hommes. Effectif trop énorme pour être vrai.

J'ai fait aussitôt sonner le rassemblement et j'ai donné les instructions pour que tout mon monde, bêtes et hommes, soit prêt à marcher à l'aube.

Rédigé un rapport de trois lignes à Wattignies : « *Un renseignement sûr m'apprend qu'Ahmoud a passé la frontière tripolitaine, dans*

232

la région d'Esseyène, avec une troupe importante. L'objectif est
certainement Djanet. Je pars voir ce qu'il en est. »

Takarit vient de filer vers Tamanrasset sur sa chamelle de course,
avec mon message dans la poche et ses deux nègres en serre-flanc.
Il ne traînera pas en route.

Je peste d'avoir distrait deux de mes Chaambas pour accompagner
Courette. Il faut aussi que je défalque le vieux Marzaoui, trop mal
en point pour partir. J'aurai donc quarante-huit fusils, y compris
celui de Vulpi et le mien.

Ça ira !

Merde pour les ordres de Wattignies !

Nemchou I Allah !

CHAPITRE XII

Le 8 avril au soir, le détachement Saganne arrive au puits de Tin Alkoum, à quatre heures au nord d'Esseyène. On fait de l'eau et on va bivouaquer à un kilomètre de là, au pied du massif.

L'intention de Saganne est de marcher de nuit sur Esseyène pour y surprendre au petit matin les habitants et en obtenir des renseignements. Il sait par Khaoudi que ces gens se rendent souvent à Ghât, distant seulement de vingt-cinq kilomètres, et savent tout ce qui s'y trame.

Esseyène est un point de culture situé dans l'oued du même nom. En cet endroit, après un étranglement, le lit à sec s'étend sur deux kilomètres de largeur. Le sable, très blanc, est aggloméré en dunes et parsemé de bouquets de tamaris. Quelques vieux éthels surmontent de gros amas de terre végétale retenus entre les racines. Le village est constitué de huttes en branchages, formant vaguement trois groupes ; alentour s'étendent des jardins arrosés par des puits peu profonds, creusés dans le sable.

Lorsque la colonne arrive, le soleil vient à peine de poindre. On ne voit personne. Les seuls signes de vie sont les bêlements des chevreaux. En comptant les huttes, Saganne estime la population à une vingtaine de familles.

Il met pied à terre et ordonne au brigadier Ben Larbi de rassembler les hommes du village. Ce sont des serfs habitués à subir les pillages de leurs maîtres ajjer : ils sortent docilement des maisons. La plupart dormaient encore. Tout en marchant, ils réenroulent leur chèche autour de leur crâne. Un quart d'heure plus tard, ils sont tous accroupis autour du lieutenant. Embarek a allumé un feu et prépare le thé. Saganne s'allonge dans le sable, tend ses mains aux flammes. Il a chargé Khaoudi de mener l'interrogatoire.

Dressé face aux paysans, le litham serré jusqu'aux yeux, le Targui commence par de glapissantes injures à l'encontre de Sultan Ahmoud, « ce chacal qui veut mettre le pays à feu et à sang », « ce bandit qui ne pense qu'à voler bêtes et femmes et qui égorge les récalcitrants ». Puis il enjoint aux ksouriens de dire tout ce qu'ils savent sur la harka qu'Ahmoud a rassemblée à Ghât et, sans leur donner le temps de répondre, fait pleuvoir sur leurs têtes un flot de menaces pour le cas où ils se tairaient ou mentiraient. Quand il a fini sa diatribe, un vieux, sans bouger de sa place, déclare tranquillement qu'il y a plus de cinq cents guerriers à Ghât, que chaque jour arrivent des renforts, que, la veille, quinze Tebbous sont passés pour rejoindre la harka. Il énumère le nom des tribus qui se sont groupées autour d'Ahmoud, mais affirme que la plupart de leurs chefs ne veulent pas la guerre et que la discorde règne entre eux.

La discussion se poursuit pendant une heure sans apporter d'éléments nouveaux. Harcelé par Khaoudi, le vieux répète sans se troubler ce qu'il a déjà dit. Les autres ksouriens se taisent.

Saganne appelle Khaoudi et lui demande son opinion.

— Il ment, mon lieutenant, il ment comme les gens de Djanet. Il n'y a pas cinq cents guerriers. Peut-être deux cents, peut-être moins. Il veut te faire peur. Mais il dit vrai pour la discorde entre les tribus. Ici, jamais tu trouves cinq cents guerriers, ou même deux cents qui suivent un seul chef.

Saganne décide de regagner Tin Alkoum. Les méharistes réenfourchent leur bête, non sans avoir grappillé au passage fèves et oignons.

Les hommes d'Esseyène n'ont pas bougé. Ils regardent s'éloigner la colonne. Vulpi pousse son chameau jusqu'à la hauteur de Saganne :

— Qu'est-ce qu'on fait, mon lieutenant ?

— Qu'est-ce que tu crois ?

— Moi, je crois rien. Si tu dis « on y va », on y va !

— Et les hommes ?

— Les hommes, tu les connais et ils te connaissent. Si tu leur dis « on attaque », ils suivent.

— Aucun flanchard ?

— Qui va flancher ? La seule tête de pioche, c'est Messaoud. Il parle beaucoup, mais il bronchera pas. Et aussi peut-être Amastar, le nègre. Les Chaambas l'aiment pas ; ils l'isolent : ça lui porte à la tête.

Depuis le départ d'Inféléleh, Vulpi a retrouvé son allant. Mais son vieux dos est cassé sur la selle et la rêne de corde tremble dans sa main. Saganne lui sourit :

— Le problème est simple. Moi j'ai quarante-huit fusils. Il faut que je sache combien il y en a en face.

— Tu le sauras jamais.

— On verra, dit Saganne.

Un peu avant midi, la colonne retrouve son campement de Tin Alkoum. On mange. Les hommes sont bien, à peine plus animés qu'à l'ordinaire. Abdelkader, un jeune Chaamba qui n'a pas un an de service, chantonne ironiquement, tout en épluchant ses pommes de terre :

— O Embarek, O Victor (Victor, c'est Vulpi), ô vous, tous les vieillards, si les balles sifflent, restez par-derrière !

Embarek réplique sur le même ton modulé :

— O Abdelkader, tu peux chanter ! Ta voix est douce comme celle d'une femme ! Demain, on verra qui sont les hommes !

Autour des feux où l'eau bout dans les marmites, les sahariens rient.

Le thé bu, Saganne dit à Vulpi :

— Tu choisis six hommes. Vous redescendez l'oued. Puis tu envoies tes gars en vedette aussi près que possible de Ghât. Distribue-leur les jumelles. Vous rejoignez ici ce soir.

Il appelle Khaoudi :

« Tu peux aller à Ghât ?

— A Ghât non, mon lieutenant. Tout le monde sait que je marche avec toi. S'ils me trouvent, ils me tuent. Mais je peux aller à El-Barkat. J'ai un cousin là-bas.

El-Barkat est un gros village, tout proche de Ghât.

— Alors, vas-y. Ramène-moi ton cousin ; débrouille-toi comme tu voudras. J'ai besoin de renseignements absolument certains.

Khaoudi part, puis la patrouille Vulpi. Un vent léger s'est levé, qui rafraîchit l'air. Les hommes dorment ou devisent, allongés contre les selles. Le brigadier Ben Larbi a désigné quatre sentinelles. Ils veillent, accroupis à l'abri des buttes de sable, le fusil dressé entre les jambes. Quand un chameau s'éloigne trop, malgré ses entraves, ils le chassent vers le campement.

Saganne s'est installé pour dormir. Mais il ne dort pas. Il revient toujours sur ces deux points : la harka existe ; reculer ce serait livrer le pays ajjer à Ahmoud.

Il a quitté Inféléleh, il a marché au-devant des insoumis sur un coup de tête. Pourtant, ce soir, sa conviction est faite : il doit résister. Toute autre attitude serait une faute. Et une lâcheté.

Vulpi et ses hommes rentrent les premiers. Les renseignements qu'ils apportent sont maigres. Une des vedettes a aperçu deux « choufs », appartenant probablement au rezzou, qui remontaient d'Esseyène vers Ghât.

— Donc, mon lieutenant, Ahmoud sait maintenant où on est, et combien on est.

Une autre vedette a appris d'un berger que quarante méharistes, commandés par le chef Matekoum, étaient passés la veille à El-Barkat sans s'arrêter. Il a été impossible de lui arracher une indication précise sur le nombre de guerriers réunis à Ghât. D'après le Chaamba qui l'a interrogé, il ne savait que répéter : « Beaucoup, beaucoup : des Ajjer, des Tebbous, des Arabes Oulad Slimane du Fezzan. »

La nuit est tombée depuis une heure quand Khaoudi arrive, remorquant son cousin, un beau garçon à la mise élégante, nommé Cheriff Ag Kemmouch. L'homme ne semble qu'à demi satisfait d'être là. Il se lance dans un long discours confus pour expliquer à Saganne que les notables d'El-Barkat veulent la paix, qu'ils ne sont pas hostiles aux Français, qu'ils souhaitent seulement rester indépendants et avoir libre accès au marché tunisien de Ben Gardane. Il n'a visiblement pas envie de parler d'Ahmoud et de la harka. S'il consent à admettre qu'il existe un grand rassemblement de guerriers à Ghât, il jure que leurs intentions ne sont pas belliqueuses, qu'en tout cas les gens d'El-Barkat, eux, ne souhaitent que la paix. Et le voilà reparti dans son plaidoyer.

Saganne finit par obtenir qu'il retourne chez lui pour engager les notables d'El-Barkat à venir parler au camp, sans que cette visite les lie en rien. Cheriff Ag Kemmouch part aussitôt, promettant de venir rendre compte du résultat de sa démarche.

Dès qu'il a disparu dans la nuit, Khaoudi s'approche de Saganne :

— Tu fais pas attention à lui, mon lieutenant. Il a peur d'Ahmoud, il a peur des Français, il a peur de tout. Ils ont tous peur, à El-Barkat.

Il se penche un peu plus :

« Ahmoud va attaquer, mon lieutenant. Si on reste ici, on est foutus.

— Comment sais-tu qu'ils vont attaquer ?

— J'ai vu les gens à El-Barkat.

— Ils t'ont parlé?

— Ils ont pas besoin de parler. Juste tu les vois, ça suffit, tu comprends.

Saganne décide qu'on repartira pour Esseyène à deux heures du matin, de façon à y être avant le lever du jour. Si la harka doit passer à l'offensive, il veut avoir du temps pour préparer sa défense, et Esseyène lui paraît l'endroit idéal : la vue dégagée évitera les surprises et les dunes fourniront un abri. Il donne ses ordres. Les hommes s'agitent. Comme il traverse le camp, suivi du brigadier Ben Larbi, le Chaamba Messaoud dit très fort à son passage :

— Si on ne retourne pas à Inféléleh, on est morts.

Saganne sort un chargeur de sa poche, le lui lance dans les pattes :

— Attrape, Messaoud, et ferme ta gueule !

Ben Larbi, un homme de stature fragile, aux mains et aux pieds d'enfant, mais qui a dix ans de service et sur lequel Saganne sait pouvoir compter absolument, jette après lui au grand Messaoud un regard de mépris absolu.

Le détachement arrive aux premières huttes d'Esseyène à six heures du matin, le 10 avril. Les habitants viennent de s'enfuir. On voit sur le sable les traces d'un exode précipité, gens et bétail. C'est mauvais signe.

Saganne envoie Vulpi et ses six vedettes en patrouille d'observation. Ils devront être rentrés avant midi. Lui-même parcourt l'oued à la recherche de la meilleure position pour son camp. Il arrête son choix sur un ensemble de petites dunes couvertes, sur les crêtes, de jeunes tamaris. La dune principale, au nord du système, fera un réduit parfait. Les bagages sont déposés dans un vallonnement, cinquante mètres en arrière.

Saganne observe attentivement la disposition du terrain autour du camp : vers le nord, au pied de la dune qui servira de réduit, il y a quatre huttes qu'il va falloir abattre, puis une étendue plate de sable et, à six cents mètres, masquant la vue, une grosse dune ocre avec de nombreux replis. A l'est et au sud, le paysage est le même : immédiatement devant le réduit, des jardins, puis le lit actuel de l'oued, large de deux cents mètres, et, au-delà, un amoncellement de petites dunes piquées de tamaris. A l'ouest c'est un reg caillouteux sur lequel se dressent des amoncellements de terre surmontés de gros et vieux éthels.

Cet examen terminé, il prend ses dispositions : sur la grande dune ocre, deux sentinelles munies de jumelles surveilleront, dans la direction de Ghât, un reg plat et, à un kilomètre au loin, une barrière rocheuse qui, par un effet de mirage, semble flotter sur un étang bleuté. Les méhara vont paître en troupeau à quatre cents mètres du camp, gardés par un détachement de six hommes montés. Un piquet de quinze hommes reste sur place et commence à creuser les tranchées et à abattre les huttes qui gênent la vue. Le reste de la colonne est envoyé en corvée, à huit cents mètres vers l'ouest, pour couper des branches d'acacia qui serviront à renforcer les points faibles par des treillis épineux.

L'alerte sera donnée par trois coups de feu rapprochés. A ce signal, le clairon sonnera le ralliement, et les hommes devront rejoindre le camp en hâte.

A onze heures, un premier apport de branches d'acacia a permis de construire une barrière de défense. Deux huttes sont démolies. Une tranchée est creusée sur la face ouest de la dune-réduit. Vulpi et ses vedettes rentrent. Ils ont eu au loin des vues sur la palmeraie d'El-Barkat. Tout paraît tranquille : ils ont aperçu à la jumelle des gens travaillant dans les jardins. Le temps passe.

Soudain, vers quinze heures, la sentinelle sous les armes signale à grands cris que les hommes chargés de la garde du pâturage se dirigent au grand trot vers les animaux. Au même moment, Saganne voit les deux sentinelles de la grande dune se replier à toutes jambes. Il tire les trois coups de feu. Le clairon sonne. La corvée d'acacia, qui revient avec des branches, est encore à trois cents mètres de la position. Les soldats abandonnent leur charge et rentrent au pas de course. Dix minutes plus tard, les montures sont accroupies, partie dans le réduit, partie dans le vallonnement où ont été entreposés les bagages, et tous les sahariens sont à leur poste, couchés dans le sable, fusil braqué.

Un groupe de soixante à quatre-vingts méharistes ennemis se démasque entre les éthels à huit cents mètres au nord-est : c'est lui qui menaçait les méhara. Un instant après, sur la grande dune ocre, se montrent une cinquantaine d'hommes à pied, armés. Quatre ou cinq coups de fusil partent.

Aussitôt la section de Vulpi ouvre le feu, à six cents mètres, sur la grande dune. Le tir est bien réglé. Les soldats d'Ahmoud se mettent à l'abri, puis Saganne les voit se disperser. Par petits paquets ils cherchent à gagner, vers l'ouest, à gauche du réduit, les groupes de gros éthels. De leur côté, les méharistes apparus au nord-est ont mis pied à terre et se glissent vers le sud en profitant des abris et couverts. Sur un signe du lieutenant, la section du brigadier Ben Larbi les prend pour objectif.

En moins d'un quart d'heure le feu est intense. Une pluie de balles s'abat sur le camp. Les méhara, qu'on n'a pas eu le temps d'entraver, affolés par les sifflements du plomb, se lèvent. Ils forment une masse compacte, bien visible, sur laquelle le tir ennemi se concentre aussitôt. Des bêtes tombent, tuées ou blessées ; d'autres cherchent à fuir, semant le désordre dans le troupeau. Les blatèrements lamentables font contrepoint à l'éclatement des cartouches. Saganne envoie Embarek et les deux hommes couchés près de lui faire accroupir les animaux. Ils glissent le long de la dune, se faufilent entre les pattes, tapent, hurlent : mais les chameaux n'obéissent plus.

Les sahariens sont calmes. Quelques-uns, pourtant, l'œil au viseur, injurient l'adversaire en criant. Vulpi semble maître de ses hommes et de leur feu. Saganne l'entend indiquer les changements de hausse, désigner successivement les objectifs. Son accent provençal donne à ses ordres quelque chose d'enjoué. Couché au milieu des siens, Ben Larbi dirige les opérations sans un mot, par des gestes impératifs de sa main délicate.

Saganne s'est rendu compte immédiatement de trois choses : les troupes d'Ahmoud disposent de nombreuses armes à tir rapide et n'épargnent pas les munitions. Elles manœuvrent bien, à l'européenne, utilisant intelligemment le terrain ; des coups de sifflet, et des indications de tir qu'il a entendu crier lui font supposer que des Turcs de Ghât les encadrent. Enfin, il est clair qu'Ahmoud, parfaitement renseigné sur les forces des Français, cherche l'encerclement : par petits groupes, traversant en courant les espaces découverts, passant au pas, le dos arrondi, derrière les moindres abris, ses hommes se répandent autour du camp.

Cependant Saganne garde bon espoir. Aucun de ses méharistes n'a été touché, et leurs tirs ajustés, précis, font de gros dégâts : sur le sable blanc, en face de lui, il voit tomber et s'étendre morts et blessés.

Vers quinze heures trente apparaissent, au faîte de la dune ocre, soixante à soixante-dix têtes de renfort. Au même instant, Ben Larbi se retire de la ligne de feu, le visage grimaçant de souffrance. Il se traîne entre deux chameaux morts, puis lance ses cartouches vers les combattants en criant : « O mes amis, doucement les cartouches, doucement ! » Ce sera sa recommandation jusqu'à la nuit. Saganne court à lui : deux balles l'ont atteint coup sur coup ; l'une a traversé la cuisse gauche en séton, l'autre est entrée par le mollet et ressortie à la cheville, fracassant le péroné. Le Chaamba serre la main du lieutenant, répète : « Doucement, les cartouches, doucement », puis, en français : « Tiens bon, tiens bon, c'est pas foutu. » Saganne aimerait le croire. Mais l'apparition des renforts et la blessure de son brigadier sont de rudes coups. Il tiendra ; il n'a pas le choix. Mais jusqu'à quand ?

En regardant son poste il aperçoit, sur la dune, une sorte d'état-major. Deux cavaliers caracolent, profilés contre le ciel. Le lieutenant appelle le jeune Abdelkader, qui est son meilleur tireur, et les désigne du doigt. Le Chaamba, sans se soucier de la mitraille, se couche, écarte les jambes, épaule, vise longuement. A six cents mètres, un des cavaliers s'affaisse et tombe de cheval. On se précipite vers lui, on le tire à l'abri : ce doit être un personnage. Un instant après, c'est le tour de l'autre cavalier : son cheval s'abat, puis se relève et disparaît péniblement derrière la crête de sable. Saganne a pensé : « Si c'était Ahmoud ? » Vingt secondes, il guette un signe de fléchissement. Mais rien ; le feu ennemi semble au contraire s'intensifier.

Sur la droite les soldats d'Ahmoud, progressant par petits paquets, se sont dangereusement rapprochés. Pour arrêter leur avance, Saganne envoie six hommes de la section Ben Larbi prendre position sur un monticule au sud du réduit. Aucun ne proteste.

Le ravage chez les chameaux est effrayant. Deux méhara, le poitrail sanglant, fuient, affolés par la douleur. A leur suite vingt autres prennent, au trot, le large vers le sud. En vain les six hommes de Ben Larbi essayent de les refouler. Saganne leur crie d'ouvrir le feu sur les bêtes. Perdues pour perdues, autant qu'elles ne servent pas à Ahmoud.

A la faveur de l'incident, deux antennes adverses ont réussi leur jonction au sud. Les six hommes doivent abandonner l'avant-poste, et se replient en courant. Presque aussitôt, les guerriers de la harka, progressant de monticule en monticule, viennent occuper la position. Il y a là de soixante à quatre-vingts adversaires qui poussent de grands cris sauvages, cependant qu'au nord-est, derrière une ligne de tamaris, au nord, dans un repli de sable, à l'ouest, couchés derrière une petite dune, les diables d'Ahmoud continuent de tirer sans répit.

Le camp est encerclé. Les sahariens sortent les baïonnettes et les fixent au bout des mousquetons. Saganne rampe jusqu'à la section Vulpi : il lui faut du monde pour renforcer son flanc sud, qui est le plus menacé. Il tape sur l'épaule des hommes allongés sur le ventre et leur indique la direction. Quand il arrive à Lagdar, un gaillard timide qui, d'ordinaire, roule des yeux effarés lorsque le lieutenant s'adresse à lui, le saharien déclare qu'il ne peut pas bouger. Depuis une heure, il est blessé au pied gauche. Il n'a averti personne, il s'est pansé avec son chèche et n'a pas cessé de tirer. Saganne lui donne une bourrade et regrimpe à quatre pattes jusqu'à la crête.

Il est dix-huit heures. Le combat dure depuis trois heures. A ce moment, au signal d'une fusée, le groupe adverse du sud, le plus dense et le plus proche, redouble le feu, puis s'élance avec des clameurs épouvantables.

Saganne s'est dressé sur les genoux. Si le réduit est enfoncé, c'en est fait. Il voit déjà la curée, le massacre... Il hurle : « Feu ! Feu à bout portant ! » Les mousquetons crachent. Juste en face de lui, à quinze mètres, quatre assaillants tombent sur place, bouche distendue, visage déformé. D'autres fuient, laissant des traînées de sang sur le sable. Le Chaamba Ben Mouloud s'est avancé sur l'ennemi et, debout, cheveux au vent, mitraille la pente devant lui, comme un démon. Cependant une quinzaine de guerriers d'Ahmoud, contournant la dune, sont arrivés jusqu'au vallonnement où sont les bagages. Malgré la grêle de balles qui tombe sur eux, saisis d'une furie de pillage, ils s'emparent des selles, des sacs, se chargent de butin que beaucoup teignent de leur sang. Une dizaine de sahariens font mine de se précipiter sur les pillards. Un ordre de Saganne les arrête : tant pis pour les bagages ; il ne peut risquer qu'on envahisse le camp, si la contre-attaque était repoussée.

Un Chaamba a reçu dans le bras une charge de chevrotine. Le biceps gauche déchiré, il continue à tirer. Une autre balle traverse sa cuisse ; il sursaute, jure, et ne quitte pas sa place de combat.

Les assaillants ont reflué vers les petites dunes et l'abri des tamaris. Après son effort, l'ennemi se calme, le rythme de la fusillade se ralentit. La consommation de munitions a été énorme du côté d'Ahmoud. Saganne espère qu'il ne lui reste plus beaucoup de projectiles. De son côté, grâce aux objurgations de Ben Larbi, c'est par cartouches comptées que le feu s'est exécuté. L'obscurité tombe lentement. On sent la fatigue. L'espoir revient.

Saganne s'essuie le visage, puis va rejoindre Ben Larbi, toujours couché entre les cadavres des chameaux. Le brigadier a noué son chèche en garrot sous l'aine. Ses yeux sont fermés mais, dès qu'il sent la main du lieutenant sur son bras, il les ouvre.

— Ça va, Ben Larbi ?

— Donne-moi à boire.

Saganne tend sa gourde. Le blessé boit longuement, puis :

« Sois sans crainte, mon lieutenant. De cette affaire il sortira de l'honneur pour nous. Tu as le " guelb ", toi. Et ça, c'est plus que la baraka, c'est plus que le courage. Ahmoud, maintenant, il a peur plus que nous. Même s'ils nous massacrent, c'est toi qui as gagné.

Il désigne d'un coup de menton sa jambe déchiquetée :

« Tu me la couperas, comme à Takarit.

— On verra, dit Saganne. Ne t'agite pas.

La nuit s'est faite. Le premier quartier de lune paraît. L'ennemi entretient un feu lent. Trois fusées incendiaires viennent se piquer dans le sable, à gauche du réduit, sans causer aucun dégât.

Dans le relatif silence, on s'insulte de part et d'autre, en arabe et en tamahek. Les syllabes gutturales se répercutent entre les dunes. Du côté d'Ahmoud, on crie : « Abandonnez les infidèles, ô musulmans, venez avec nous. Nous n'en voulons qu'aux chrétiens. Lâchez, lâchez les kouffars ! » Puis : « C'est vous que nous voulons, ô Biska Ag Sidi, ô Chebeqqui Ag Hemma, ô Hafloun Ag Salem ! » Ce sont les trois seuls sahariens de race targuie de la troupe.

Hafloun Ag Salem met ses mains en porte-voix et clame :

— Le lieutenant est notre frère ; nous n'avons eu que du bien de lui. Nous ne l'abandonnerons pas, jusqu'à la mort !

Il reçoit en réponse :

— O toi, le raisonneur, demain matin nous serons trois cents de plus, et tu ne parleras plus !

Il en faut plus pour fermer le bec d'Hafloun. Il hurle, de sa voix de basse qui résonne à tous les échos :

— Demain, au jour, vous fuirez devant nous, ô chiens, fils de chiens !

Le jeune Abdelkader prend le relais d'Hafloun et sert les injures par bordées. C'est un loustic inventif, dont les saillies sonnantes font rire ses camarades :

— O fils de putains, nous souillerons vos mères, et nous les donnerons aux nègres ! O filles de gazelles, vous prendrez la fuite devant nous et, quand nous vous rattraperons... O hyènes, fils de hyènes, vos pères étaient des femmes, et vous n'avez pas de couilles...

Au bout d'une heure de ces échanges, Saganne ordonne le silence : plus un mot, plus une détonation. Il a crié, et son ordre, perçu par l'ennemi, est salué par une salve nourrie. A quatre pas du lieutenant, le saharien Biska Ag Sidi s'étend à terre sans un cri. On le croit mort. Ses voisins le dépouillent de ses cartouches. Il n'est que blessé, mais très sérieusement : une balle a labouré son front. Il râle un moment, puis perd connaissance. Le feu ne faiblit pas. Abdelkader, qui a repris ses injures, se tait brusquement au milieu d'une phrase : une balle l'a atteint en pleine tête. Il était à genoux : il bascule lentement sur le côté, et Saganne voit, à travers les coulées de sang et de matière cervicale, l'œil ouvert, fixé par la mort.

A vingt et une heures, les tirs s'intensifient encore. C'est une reprise du combat. Au milieu de la fusillade on entend monter, de la grande dune du nord, un chant de guerre accompagné de hurlements de loups. Embarek qui, depuis le début de l'affaire, n'a pas quitté Saganne, lui souffle :

— Ce sont les Tebbous.

Les chanteurs scandent leur hymne en martelant le sable du pied, et en entrechoquant leurs sabres.

« Ils saluent un chef, dit Embarek. Attention l'assaut !

Mais, après cette alerte, une accalmie se produit. Dans la nuit, on aperçoit des feux : l'ennemi se réconforte avec les vivres pillés. La lune est claire et le silence étrange. En ces minutes, Saganne a la certitude qu'au petit matin, comme la chèvre de M. Seguin, ils seront mangés. Cela ne l'émeut pas. Il a l'impression d'être placé à l'extrême bord de lui-même. La peur, le regret n'ont plus cours. Il est comme libéré de tout sentiment et de toute pensée.

Vers vingt-trois heures le feu adverse reprend. Le Chaamba Ben Brahim est tué net d'une balle qui brise sa baïonnette et pénètre par le front dans la tête. Moins d'un quart d'heure après, le saharien couché à gauche de Saganne est atteint à son tour : la balle lui scalpe profondément le cuir chevelu sur une dizaine de centimètres. La commotion lui paralyse le bras gauche.

Puis vient brusquement un nouveau répit. Saganne fait enterrer les deux morts. Il aide les Chaambas qui creusent le sable à la main. Quand les cadavres sont enfouis, il entraîne Embarek à part :

— Tu vas passer les lignes porter un message au capitaine Wattignies. Ça va ?

— Il arrivera trop tard, le capitaine !

— C'est pas pour nous, Embarek. Il ne faut pas que ces enfants de salauds progressent. Il faut que le capitaine les arrête.

Il griffonne sur son calepin : « *Tous les chameaux sont morts. Plusieurs blessés, dont Ben Larbi grièvement. Abdelkader et Brahim tués. Cent cinquante fusils à tir rapide au moins. Belle conduite des hommes. Embarek vous expliquera. Adieu.* »

Embarek glisse la feuille dans sa cartouchière :

— Et s'ils me tuent ?

— Un peu plus tôt, un peu plus tard, qu'est-ce que ça peut te faire ? Si tu passes, je te fais brigadier. Vole tous les chameaux que tu veux. Allez, galope !

Embarek glisse le long de la dune et disparaît dans la nuit.

Dans la tranchée, les sahariens ne peuvent résister au sommeil. Saganne leur permet de tirer, de temps à autre, pour se tenir éveillés. Du fond de son trou, Ben Larbi appelle ses camarades, s'informe des uns et des autres, échange des souhaits avec chacun. Il est superbe. Vulpi, lui, pour éloigner le sommeil, ne cesse de houspiller ses hommes, de leur taper dans le dos, de les provoquer.

Jusqu'au matin, c'est la même tiraillerie. Elle n'est pas sans danger. Un Chaamba est encore atteint à la tête, mais légèrement. Le chèche déjeté sur le côté, la tempe éraflée, il se lève et braque son mousqueton en hurlant : « Tu vas voir ce que je vais te renvoyer ! » Plus tard, un autre soldat pousse un cri perçant, qu'il finit par moduler en une sorte de chanson furieuse : il a la cuisse traversée.

Le petit jour est salué du côté d'Ahmoud par les appels à la prière de l'aube. Les litanies montent vers le ciel à peine teinté. Dans le réduit les méharistes eux aussi se prosternent. Les rayons rasants du soleil font lever la puanteur des cadavres de chameaux.

Une fusée part de la dune. A ce signal le feu reprend, intense. Cinq minutes plus tard, à huit cents mètres environ, une nouvelle troupe ennemie apparaît à l'est : cent hommes environ, moitié à pied, moitié à chameau, précédés d'un cavalier dont la lance scintille au soleil.

C'est à ce moment que Saganne prend la décision de charger à la baïonnette. Il le fait sans réfléchir, lui semble-t-il. Charger ou crever sur place : voilà l'alternative.

Sans rien dire encore de ses intentions, il envoie cinq hommes sur une petite dune que la harka a évacuée dans la nuit, en leur enjoignant de harceler le groupe du sud. En même temps, il renforce de dix soldats la face sud de son retranchement. C'est par là qu'il sortira.

A six heures trente, il annonce sa décision aux hommes. Plusieurs approuvent du menton. Aucun ne parle, sauf Messaoud, la mauvaise tête, qui dit, assez fort pour être entendu par ses camarades : « Si on sort, on sera tous tués. » Saganne marche sur lui :

— Tu flanches, Messaoud ? D'accord. Tu resteras garder les blessés. Tu peux le faire, ça ?

A sept heures moins le quart, chacun est prêt. Un feu d'un chargeur est exécuté. Puis Saganne, aussitôt imité par le vieux Vulpi, bondit hors de la tranchée, baïonnette haute, en criant : « En avant ! En avant ! » Il y a un instant d'hésitation chez les sahariens. Mais Saganne et Vulpi dévalent la dune en courant, continuant de hurler : « En avant ! »

Derrière eux, leurs hommes se précipitent.

Les soldats ennemis sont à trente mètres, derrière une butte de sable, têtes baissées par les salves de balles. En un clin d'œil, Saganne et les siens sont sur eux. Les guerriers d'Ahmoud, déconfits nancés par cet assaut imprévu, lâchent une décharge qui n'atteint personne et aussitôt se débandent. Les baïonnettes se plantent dans des dos, dans des poitrines, dans des ventres. Les Chaambas se déchaînent : à chaque seconde, on voit tomber Tebbous et Ajjer.

Les hurlements de victoire des sahariens, les cris de souffrance des adversaires, la vision de visages tordus par la peur, ou par la mort, la sensation, qu'il ressent jusque dans les muscles de sa poitrine, de la baïonnette qui heurte un os, puis glisse et s'enfonce dans la chair, la certitude enivrante qu'il a rompu l'emprise d'Ahmoud, qu'il est en train de vaincre, se bousculent en Saganne.

A tout instant ses bras s'élèvent et s'abattent pour le bon geste : celui qui tue. Au bout de son fusil le sang étoile les gandouras, et rejaillit sur ses mains, chaud, poisseux.

Après un nombre de minutes qu'il est incapable d'évaluer, une vingtaine d'hommes de la harka râlent à terre. Les autres fuient entre les dunes, en lignes brisées. La charge, partie droit au sud, remonte vers le nord sur leurs traces. Le groupe le plus important des fuyards, qui a réussi à atteindre l'abri d'un bosquet de tamaris, oblique à nouveau, suivant la ligne des dunes, puis refait une grande conversion, qui le met hors de l'atteinte des Chaambas.

Saganne voit les silhouettes courant au loin, dos courbés dans les dévalement. Il jette son fusil, écarte les deux bras et crie d'arrêter la poursuite : il a le cœur dans la gorge, la respiration coupée. Pendant un moment il n'y a plus, dans le silence, que le halètement des poitrines. Puis lentement, les soldats retrouvent des gestes ordinaires : cracher, s'éponger le front, frotter les baïonnettes dans le sable.

Cependant, ils n'osent encore ni se regarder ni se parler.

Ces vingt hommes en ont fait fuir plus de cinquante. La victoire, en réalité, est encore plus grande que Saganne ne peut s'en rendre compte. Derrière la dune où Sultan Ahmoud a fait dresser sa tente, les chefs arabes du Fezzan viennent annoncer qu'ils se retirent. En même temps, deux chefs ajjer plient bagages sans avertir. La harka s'est brisée sur le réduit des Français et, lentement, se dissout.

Vulpi est le premier à reprendre ses esprits. Il sort de la poche de sa veste la liste des effectifs et, d'une voix forte, fait l'appel. Entre chaque nom, il souffle comme une forge ; la sueur et le sable collés sur son visage soulignent les profondes rides de ses joues mais, dans ses mains, le papier ne tremble pas.

Il manque deux sahariens. Le premier est mort au début de la charge. Le second, c'est Amastar, le nègre affranchi. Il a déserté dans la nuit. Deux Chaambas l'ont vu et n'ont rien dit : il n'était pas des leurs.

Pendant ce temps Khaoudi, qui ne figure pas sur les rôles, suit Saganne sur le champ de bataille. En une demi-heure ils comptent quarante-sept cadavres dans un rayon de deux cents mètres autour du camp. Pas de blessés : on les a enlevés dans la nuit. Quant aux victimes de la charge, aucune ne se relèvera, même si certaines respirent encore.

Parmi les cadavres, Khaoudi reconnaît le demi-frère d'Ahmoud, mort à vingt pas de la tranchée, un fusil turc à la main. Saganne repère, adossé à un éthel, les mains serrées sur un tas d'entrailles noires, Cheriff Ag Kemmouch, le cousin de Khaoudi avec qui il avait conversé l'avant-veille. L'homme d'El-Barkat avait promis de revenir : il a tenu parole. Sans un mot, Khaoudi arrache le sac de cuir plein de chargeurs qui pend au cou du mort.

Plus loin, un Ajjer moribond apprend à Saganne que le cavalier atteint sur la dune, la veille, est le chef Matekoum, le bras droit d'Ahmoud. On l'a transporté à Ghât dans un état très grave. Il dit aussi que si le combat a repris, le soir, et si les Tebbous ont chanté, c'était en l'honneur d'Ahmoud, venu encourager lui-même les combattants.

On revient vers le camp. Au passage, les hommes ramassent des armes : dix fusils à tir rapide, six fusils turcs, une vingtaine de fusils à chien, deux pistolets, vingt sabres, des poignards, des lances. Au loin, on aperçoit encore un gros parti de guerriers qui s'est regroupé et se retire vers le nord.

Dans le réduit, les blessés sont couchés entre les chameaux morts. Aucun ne crie ni ne geint. Doucement, les Chaambas valides commencent à les dégager. Saganne marche jusqu'au vallonnement où les bagages avaient été entreposés. Toute la nuit, des ennemis y ont pénétré en rampant : on voit la trace de leurs corps dans le sable. Les sahariens font, en jurant, le décompte de ce qu'on leur a volé. Il n'y a pour ainsi dire plus de vivres. Sur les cinquante-quatre chameaux de la colonne il en reste seize, dont cinq blessés. Le lieutenant en fait abattre trois, qui sont hors d'état de marcher. Puis il ordonne la retraite.

Elle se fait lentement. Sauf les blessés, qu'on a hissés sur les chameaux, tout l'effectif est à pied. Après trois heures de route, la colonne s'arrête. L'ennemi a emporté les médicaments : Saganne saupoudre les plaies avec du sucre pilé ; les chèches servent à confectionner des pansements. Vulpi fabrique un brancard d'acacia pour transporter Ben Larbi, qui se tord de douleur, lèvres serrées.

Au soir du 11 avril, ce qui reste de la colonne Saganne couche à Tin Alkoum. Dans la nuit, l'homme blessé au front meurt. On l'enterre au lever du soleil et on repart. Pour égarer d'éventuels poursuivants, le lieutenant décide de gagner le plateau. Toute la journée du 12, puis le 13, on peine dans la caillasse. Le vent s'est levé. Les nuits sont glaciales. On se nourrit de viande de chameau, de sucre et de thé vert.

Le 14, après la pause de midi, la sentinelle en faction sur un pic se met à crier, et tire deux coups de feu. Un quart d'heure plus tard Wattignies paraît, à la tête d'une trentaine de méharistes. Il a quitté Tamanrasset dès réception du message apporté par Takarit. Il a rencontré Embarek à Inféléleh et, depuis, avance à marches forcées. Il est passé à Esseyène, a vu les lieux du combat, a pris la piste de Saganne. Après lui avoir fourni brièvement ces explications, il se rapproche du lieutenant et pose la main sur son épaule :

— Je ne pensais pas vous revoir, mon cher. Pas vivant, du moins. Quand Embarek m'a donné votre billet et m'a expliqué dans quel guêpier vous vous étiez mis, je me suis dit : « Bien. Il me reste à le venger, et à mourir comme il est mort. » Pendant trente-six heures, j'ai marché avec cette pensée.

Il fourrage dans sa barbe :

« C'était idiot, mais je l'aurais fait... Lorsque, à Esseyène, une vieille femme m'a raconté ce qui s'était passé, j'ai été tout de même soulagé... Vous êtes un diable d'homme, Saganne ! Vous avez désobéi aux ordres. Si vous aviez été massacré, c'est à moi qu'on s'en serait pris ! »

Il s'interrompt, regarde Saganne qui ne bronche pas, puis reprend :

« Vous avez eu ce que vous souhaitiez, n'est-ce pas ? Ce que chacun de nous souhaite. Une belle affaire ; une très belle affaire ! Vous l'avez cherchée, et vous l'avez eue !

Brusquement, il tend la main :

« Allons, serrez-moi la main.

Saganne prend cette main tendue :

— Merci mon capitaine, dit-il.

Puis, aussitôt :

« Allons voir les blessés.

— Une seconde encore, mon cher. Quand vous aurez rédigé votre rapport, montrez-le moi. Nous arrangerons une version des choses qui mettra, autant que possible, vos initiatives dans la ligne de mes instructions. Comprenez-moi bien. Je ne veux pas m'attribuer la paternité de votre affaire ; je veux vous éviter des ennuis. J'espère que vous vous rendez compte que votre affaire aura un retentissement considérable, et que, dans les bureaux, on n'aime ni les exploits, ni les héros. Surtout les récidivistes... Maintenant, allons voir vos gens ! »

Le 20 avril 1913, M. Amédée Bertozza, ministre de la Guerre, adressait au gouverneur général de l'Algérie la dépêche suivante :

« Vous prie de faire exprimer au lieutenant Saganne et à sa vaillante troupe toute ma satisfaction pour l'énergie, le sang-froid et l'endurance dont ils ont fait preuve au cours de l'engagement meurtrier des 10 et 11 avril, et pour les résultats politiques qui en ont été les conséquences. Cet exploit, sans précédent dans les annales de la pénétration saharienne, en restera la plus belle page. »

Le 25 avril, le capitaine Wattignies écrivait à M. Augustin Saganne :

Monsieur,

Il m'est agréable de me présenter à vous avec une appréciation de la conduite de votre fils, telle que celle que nous adresse aujourd'hui le gouverneur général. Elle précède de peu, j'en ai la conviction, l'annonce d'une récompense exceptionnelle, la croix, si héroïquement gagnée par Saganne à la pointe de ses baïonnettes.

J'ai vu le terrain sur lequel, pendant quatorze heures, il a non seulement tenu tête à quatre cents, peut-être quatre cent cinquante pillards bien armés, mais surtout maintenu intact le bon moral de sa troupe, le calme, l'énergie, l'entrain de quarante-six musulmans, encadrés de deux « chrétiens » seulement, se battant pour la France jusqu'à la charge à la baïonnette ! Fait sans précédent !

J'ai entendu de sa bouche le récit, toujours trop modeste, des diverses phases du combat, y compris celle qui l'amenait à me crayonner un mot, un adieu angoissé et angoissant. Ce mot, je le reçus alors que, déjà, je me portais en toute hâte à son secours.

Quand je l'ai retrouvé trois jours plus tard, dans un décor impressionnant, ayant parcouru plus de cent vingt kilomètres, mais sain et sauf au milieu de ses blessés, je me suis permis de le presser sur ma poitrine, comme vous l'auriez fait vous-même.

Le 15 juin Saganne, alors à In-Salah où l'avait convoqué le général Peyremard, recevait de Foucauld la lettre suivante :

Bien cher ami,
Voici la transcription du poème que Ben Messis a écrit sur le combat d'Esseyène :

« *Ahmoud et tous les Ajjer sont fous.*
Ils ont dit qu'on ne descendrait pas le cours de la vallée d'Esseyène.
Saganne ne s'attarde pas : il n'hésite pas.
Il place le troupeau de ses chameaux accroupi dans un lieu ras et uni,
Et s'installe sur le haut de la dune élevée.
Les ennemis l'entourent au nombre de plusieurs milliers, dirait-on :
Ils sont tout près : lui il leur lance des paroles de défi.
Bénie soit sa mère ! De la nuit son œil ne se ferme.
C'est à la baïonnette que lui et les siens attaquent l'ennemi !

Tant que se prolongea l'action ils tuèrent !
Les autres couraient mais sur eux s'abattait le plomb.
Dites-le à toutes celles qui portent des joyaux. »

Dassine a aussi écrit un poème en votre honneur, et d'autres également. Vous voilà entré dans la légende targuie !

Au revoir, cher ami, croyez à mon très affectionné et fraternel dévouement dans le Cœur de Jésus.

Enfin, le 8 septembre, un télégramme du gouverneur général convoquait le lieutenant Saganne à Djelfa pour la fin du mois.

CHAPITRE XIII

— Au nom du président de la République, et en vertu des pouvoirs qui me sont conférés, je vous fais chevalier de la Légion d'honneur.

Bertozza prend la médaille sur le coussin de velours, l'épingle de travers contre la poitrine de Saganne, essaie de la redresser, renonce, ouvre les bras, les referme sur le buste du nouveau chevalier, s'accole à lui par deux projections de la tête : un temps à droite, un temps à gauche. Il se recule, va cueillir la main de Saganne sur la couture du pantalon, la secoue et dit de sa voix de fonction :

« Mon cher ami, la France est fière de vous, et moi aussi. Fier, mais pas étonné : je vous avais jugé.

Il ajoute, à l'intention du gouverneur général qui, en retrait, sue dans son uniforme :

« C'est que M. Saganne et moi sommes de vieux amis ! Je me souviens d'un déjeuner où il m'a convaincu, s'il en était besoin, que notre présence au Sahara était d'une importance stratégique...

Le gouverneur ébauche une grimace d'intérêt poli et fait un pas en avant pour forcer Bertozza à lâcher la main du lieutenant :

— Monsieur le Ministre, souffle-t-il, il vous reste huit décorations à remettre, puis il y aura la réception des caïds, et le déjeuner. Il est midi vingt-cinq, et nous devons être de retour à Alger à vingt heures.

— On y va ! dit Bertozza. On y va !

Il glisse jusqu'à l'officier suivant, statufié par le garde-à-vous, entraînant dans ce mouvement latéral le demi-cercle d'officiels qui l'assistent.

Saganne n'a rien suivi de ces manèges. Il est blanc à l'extérieur, opaque à l'intérieur. Amidonné par l'émotion. Lorsque, à In-Salah, Peyremard lui a demandé : « Voulez-vous la croix ou un troisième galon ? », il n'a pas hésité. Qui aurait hésité ?

Mais il n'y croit pas encore. C'est comme un jeu. Ce jeu où l'on vous fait tourner, où l'on vous lâche soudain, et où il faut demeurer bloqué dans la posture que votre corps prend quand le manège cesse. Il se répète : « Charles Saganne, chevalier de la Légion d'honneur. » Ça ne le convainc pas ; ça l'aide à tenir.

S'il baisse l'œil gauche, l'épingle dorée, imperceptiblement, il aperçoit, en bas, sur sa poitrine, le départ du ruban rouge. Est-ce bien sa poitrine ? Elle se soulève en cadence : le cœur doit continuer à battre. Pourtant, les seuls organes qu'il sent vivre ce sont les tripes : contraction des grands jours ; la gloire au ventre.

Debout près de la tribune, son père s'essuie le visage avec un mouchoir. Pleure-t-il, ou transpire-t-il ? Excès de fierté, ou excès de soleil ? Les deux, sans doute. Hazan se tient près de lui, l'air vaguement ennuyé ; présent par les lueurs d'ironie qui animent son regard en toutes circonstances. Beaucoup plus loin, derrière les barrières où s'entassent les indigènes, le crâne de Flammarin fait une tache rouge au milieu des chèches. Madeleine, elle, est assise à la gauche de M. de Sainte-Ilette, au deuxième rang de la tribune. Le cou incurvé, le menton relevé par l'index, les lèvres entrouvertes, elle pose de trois quarts. A moins que cette gracieuse attitude ne soit qu'une façon d'échapper à la réverbération.

Dans le désordre qui a précédé la cérémonie, avant que chacun se mette en place, elle n'a pas quitté le sillage de sa mère. Saganne a dû se contenter d'une inclination de tête. Seul Hazan a eu droit à un petit signe lancé du bout des doigts, pendant que Mme de Sainte-Ilette était occupée à recevoir les hommages du gouverneur général.

Le ministre a terminé sa distribution. Les cuivres ferment le ban et enchaînent la Marseillaise sans faiblir. Ils y vont à pleins poumons, les spahis de la clique. On leur a appris à souffler : ils soufflent. Quand les cymbales donnent, les trompettes à fanions virevoltent dans la lumière. Le gouverneur général consulte discrètement la montre de son gilet. A peine le sang impur a-t-il abreuvé les sillons qu'il pousse Bertozza vers l'automobile qui attend, reluisante sous le soleil. Comme on applaudit, le ministre salue : jeu alterné de sourires et de larges coups de gibus. Dans sa suite, on joue des coudes ; il s'agit de se placer pour s'entendre dire quand on aura atteint l'automobile : « Montez donc avec nous, cher ami ! »

Saganne rejoint son père et le prend par le bras. Ils s'éloignent, descendent la rue côte à côte sans rien voir de ce qui les entoure. Ils sont trop émus pour parler. A l'hôtel des Voyageurs où, depuis deux jours, le père Saganne distribue des pourboires princiers, le garçon s'empresse. Avant de s'asseoir en face de son fils, à la table qu'il a retenue, le père se retourne :

— Ça va, par-derrière? demande-t-il.

Il s'est fait tailler une redingote à Alger pour la cérémonie.

Ce matin, en s'admirant dans la glace de son armoire, il s'est aperçu qu'il avait un grand pli en travers du dos. Il n'était, Dieu merci, que sept heures ! Il a mis l'hôtel en révolution pour se procurer le matériel adéquat et, pendant une heure, a écrasé le défaut du tissu sous les fers brûlants, maudissant le tailleur dans la vapeur de la pattemouille.

Il est arrivé deux jours auparavant, par la diligence de Boghari. Saganne l'attendait devant la citadelle. Le bonhomme lui a sauté dans les bras avant que les chevaux ne s'arrêtent, directement du marchepied.

« Ah mon petit ! mon petit ! tu me feras crever de joie ! Quand j'ai reçu ta lettre — la croix ! la croix ! — vrai, j'ai failli éclater. Et, avant, il y avait eu la lettre du capitaine Wattignies. Quel chef tu as là !... Sais-tu à quoi je pense, depuis un mois bientôt que je suis en route? A ta pauvre mère ! Et ton frère, qui n'a pas pu venir, l'animal ! Je suis sûr qu'il n'a même pas osé déposer une demande de permission. Tu le connais : discipline, service. Il ne faut pas que tu lui en veuilles ! Il est bien heureux aussi. Il me l'a écrit... Et la petite Alice t'embrasse ! Elle t'embrasse, je ne te dis que ça ! Mais pourvais-je emmener une jeune fille dans le désert '... Dis donc, tu es maigri ! Ç'a été dur, n'est-ce pas? Tu me raconteras ; je veux un récit complet, tous les détails ! »

Rassuré sur sa redingote, le père Saganne s'est assis et a déployé sa serviette en travers de son ventre, le coin glissé entre les boutons du gilet. Ils ne parlent toujours pas. Lorsque leurs regards se croisent, ils se sourient. De temps en temps, le père lève les yeux de son assiette et les fixe sur la poitrine de son fils. La croix ne s'est pas envolée. Elle est là. Elle pend. Il lâche alors deux ou trois : « Ah ! », avec un sourire incrédule et ravi.

Dans un aparté de vingt secondes qu'il a eu avec Bertozza avant la cérémonie, Saganne, jouant de culot, a essayé de ménager une belle surprise à son père. Il n'a guère d'espoir : Bertozza n'a pas répondu à sa demande et, s'il l'a entendue, a dû l'oublier aussitôt.

Pourtant, au moment du café, un capitaine entre dans la salle de restaurant et marche vers leur table. Il s'adresse directement au père :

— Monsieur Saganne, M. le ministre m'a chargé de vous faire savoir que, si cela vous convenait, il serait heureux que vous profitiez de sa voiture pour rentrer à Alger. Je suis à votre disposition pour les bagages.

Le père Saganne ouvre des yeux en soucoupes. Puis se reprend et dit, très bien :

— Merci mon capitaine. J'accepte, ça me gagnera du temps.

Une demi-heure plus tard, Saganne regarde l'automobile s'éloigner, pétaradant dans la poussière. On a installé son père sur le strapontin, dos à dos avec le mécanicien, ses genoux entremêlés à ceux de Bertozza. Lorsque les vivats d'adieu au ministre retentissent, le bonhomme ne peut se retenir : il lève la main et salue.

Saganne monte dans sa chambre du Cercle des officiers, ôte sa veste et ses chaussures, s'allonge sur le lit. Cinq minutes plus tard, il dort. On dit « brisé par l'émotion », n'est-ce pas ?

Le lendemain, c'est jour de marché. Les ânes minuscules trottinent sous le double poids des bâts et de cavaliers presque aussi gros qu'eux qui, à califourchon sur la croupe, battent des jambes pour maintenir l'allure. Tous convergent vers le fondouk ou en reviennent.

Mme Boquillon pose son panier devant Saganne. Elle commence par se répandre en félicitations gloussantes, puis :

— Pour nous aussi, vous savez, ça y est ! Mon mari a obtenu sa mutation ! Vous n'imaginez pas notre bonheur. Depuis qu'il a reçu la lettre, nous nageons dans la félicité !

Elle s'assombrit, sourcils froncés :

« Mais, vous, croyez-vous que nous allons avoir la guerre ? Ça serait affreux de sortir enfin d'ici, de retrouver notre petit André, pour débarquer dans ces bouleversements...

— Si nous avons la guerre, dit Saganne, ce sera une belle sottise !

— Voulez-vous vous taire ! s'exclame Mme Boquillon, prompte au réflexe conformiste. Comment pouvez-vous dire ça, vous, un officier, un chevalier de la Légion d'honneur ?

Saganne sourit :

— Voulez-vous que je porte votre panier ?

— Comme autrefois, alors !... Vous vous souvenez de nos bonnes parties ? Ce que nous amusions ! Quel boute-en-train vous faisiez ! C'est devenu moins gai après votre départ...

Charles a pris le panier et ils se sont mis en marche. L'autre continue de jacasser :

— Vous savez que le jeune Barroux est parti, désespéré à ce qu'on dit ?

— Désespéré par quoi ?

— Oh ! monsieur Saganne, ne faites pas l'âne qui veut du son ! Tenez, je vais vous raconter une petite histoire. Je m'étais promis de me taire, mais c'est si charmant que je ne résiste pas. C'était à votre premier dîner chez nous, vous en souvenez-vous ? Quand tout le monde est passé au salon, je suis retournée à la salle à manger, je ne sais plus pourquoi. J'y ai surpris la jeune Madeleine qui venait de dérober une de mes serviettes de table. Sur le moment, je me suis méprise. Ce n'est pas la suite que j'ai compris. Ce n'était pas « ma » serviette qu'elle avait volée, c'était « la vôtre », je veux dire celle que vous aviez utilisée... Eh bien ! vous me croirez si vous voulez, elles ne me l'ont jamais rendue, cette serviette ! Mme de Sainte-Ilette m'avait pourtant promis...

— Vous avez raconté ça à Mme de Sainte-Ilette ?

— C'était mon devoir : sa fille, kleptomane...

Mme Boquillon vérifie d'un coup d'œil l'effet produit par son histoire : Saganne a le regard rêveur. Vite, elle glisse à un autre sujet :

« A propos des Sainte-Ilette, il y a une chose qui nous a bien réjouis, M. Boquillon et moi, c'est l'élection de M. Poincaré à la présidence de la République. Voilà un homme d'État ! Si nous devons affronter les périls, il saura faire face... Eh bien, monsieur Saganne, grâce à vous, me voilà rendue ! Voulez-vous entrer boire quelque chose ?

Saganne décline l'invitation et reprend sa promenade. Au bout du village, la foule est moins dense. Il avance lentement, mains dans les poches. Devant la maison des Sainte-Ilette, des gamins jouent avec une balle de chiffon. Il s'arrête pour les regarder. Peut-être Madeleine va-t-elle paraître, à sa fenêtre ou sur le perron ?

Pendant les semaines qui ont suivi Esseyène, Charles a beaucoup pensé à Madeleine. Ça a été d'abord des rêveries floues, qu'il appelait à lui quand les souvenirs du combat, et surtout ceux de la charge à la baïonnette, l'assaillaient, c'est-à-dire chaque soir et chaque matin, avant et après le sommeil.

L'image de Madeleine n'effaçait pas ces visions de faces convulsées, la répétition hallucinée du geste par lequel, des deux bras, il

257

enfonçait le fer dans les corps, et surtout la hantise du regard levé sur lui par l'homme dont il embrochait la gorge. Elle était surtout une échappée ouverte sur une autre réalité. Une autre réalité sur laquelle la violence et la mort pesaient aussi, mais de si loin, à travers tant de filtres, qu'on les oubliait.

Ses pensées ont pris un tour plus direct quand il a appris qu'il allait sans doute recevoir la croix. Pourtant, lorsque le général Peyremard le lui a confirmé, il n'a pas, sur le moment, songé que cela ferait de lui un parti plus présentable pour Madeleine. C'est seulement deux ou trois jours plus tard, un matin, alors qu'il s'appliquait à recenser toutes les raisons qu'il avait d'être heureux, qu'il s'est dit que, après tout, rien ne l'empêchait de demander la main de la jeune fille. D'essayer, au moins.

Ce projet, maintenant, s'est installé en lui. Selon les jours et les moments, il espère ou désespère. En fait, plus le temps passe, moins il y croit. Sa Légion d'honneur, d'abord, lui paraît un atout bien léger pour faire revenir les Sainte-Ilette sur leurs préventions. Surtout, plus il s'ancre dans la certitude qu'il a besoin de Madeleine, plus il doute des sentiments qu'elle lui porte.

Il revoit la scène de Biskra, quand elle est venue s'offrir et que lui, l'imbécile... Comment l'aimerait-elle encore alors qu'il l'a ignorée, humiliée? L'histoire de la serviette que vient de lui servir, gentiment ou perfidement, Mme Boquillon, loin de le rassurer, l'inquiète un peu plus : tout ce qui confirme que Madeleine l'a aimé devient preuve qu'il s'est conduit de façon aussi cruelle que sotte. Il a l'impression d'un gâchis qu'il ne pourra jamais réparer.

Les enfants arabes ont cessé de jouer et s'en vont à cloche-pied sur le trottoir. Personne ne s'est montré dans la maison Sainte-Ilette.

Saganne s'éloigne. Il marche vers le tennis, bien qu'il sache qu'à cette heure, et par cette chaleur, il n'a aucune chance d'y rencontrer Madeleine, ni personne, d'ailleurs. Et en effet, quand il arrive, la cage est vide, le filet pend.

Près de la porte, que la rouille bloque entrouverte, il ramasse une balle. Elle est grise, râpée, depuis longtemps perdue. Il s'assied sur le banc, jongle avec sa trouvaille.

Le soleil a presque atteint le milieu de sa course. Sa lumière tombe droit. Aux pieds de Saganne, l'ombre de ses épaules et de sa tête se rétracte.

Il s'applique à se persuader que, si Madeleine ne veut pas de lui, il n'en mourra pas. Cependant il est incapable, malgré quelques tentatives, d'imaginer ce que sera son existence dans les prochains mois si ce projet de mariage échoue. Il y a soit Madeleine, soit une plage de temps inanimé, invivable : le désert, où il retournera, et le corps à corps avec les souvenirs de la charge.

Comme il se défend de s'apitoyer sur son sort, c'est à Flammarin qu'il se met à songer. Lorsqu'il est arrivé à Djelfa, six jours auparavant, sa première visite a été pour son vieil ami, et une des premières choses que l'ex-capitaine lui ait dites, c'est qu'Ourida l'avait abandonné :

— Je lui avais proposé de l'épouser. Elle est partie le lendemain, la foutue garce !

— Mais pourquoi?

— Alors ça ! s'est exclamé Flammarin. Si tu crois qu'elle s'est expliquée !... Tu sais, je voulais partir pour le Maroc avec elle. Avoir des enfants ; un fils, au moins. Arrêter un peu l'absinthe. J'avais même pensé me convertir à l'Islam. Essayer de recommencer, quoi ! Mais maintenant...

Il a avancé le bras, a posé sa main sur celle de Saganne :

« En tout cas, toi, tu vas habiter avec moi pendant ton séjour !

Saganne a refusé, prétextant l'arrivée prochaine de son père. Flammarin n'a pas protesté : il a retiré sa main.

Maintenant, l'ombre de Saganne s'est complètement confondue avec celle de Saganne. Il jette la balle de tennis par-dessus le grillage.

Une demi-heure plus tard, il est dans sa chambre, au Cercle des officiers. Il enfile ses bottes, redescend, va seller un des chevaux arabes qui attendent, nez au mur, tête basse, les os de la croupe pointant, dans l'écurie sombre où les mouches bourdonnent. Puisqu'il n'a pas trouvé Madeleine, il ramènera Ourida à Flammarin.

Au douar Teurfa on le reconnaît aussitôt : les enfants l'assaillent, tendant leurs pattes noires et leurs museaux barbouillés de morve ; les femmes sortent sur le pas des portes et le chef du village quitte, pour l'accueillir, l'ombre du mur où il passait le temps, accroupi avec les autres vieillards.

Saganne est en train de partager avec le vieux une cuvette de galette émiettée, imbibée de soupe, quand Ourida paraît à la porte du gourbi. Elle n'est pas voilée. Elle s'accote au chambranle et le regarde. Quand il sort, elle s'efface. Il lui dit bonjour, lui demande de ses nouvelles. Il a parlé arabe. Elle répond en français :

— Ça va.

— Ta famille t'a bien accueillie ?

Elle sourit imperceptiblement :

— J'ai que ma tante. Mes frères, ils sont pas là. S'ils savent que je suis rentrée, ils viennent et ils me tuent.

— Pourquoi ne rentres-tu pas à Djelfa ? Le capitaine est triste sans toi.

Elle ne répond pas, ne hausse même pas les épaules. Mais, comme il s'apprête à parler encore de Flammarin, elle fait un pas vers lui. Ses yeux s'animent :

— Trouve-moi une place, dit-elle. Pas à Djelfa. Dans le Nord, à Alger.

— Une place de quoi ?

— Une place chez une Française. Quand tu trouves, tu écris à la Zorah de Mme Sainte-Ilette et elle, après, elle me prévient.

— Je ne connais pas beaucoup de monde à Alger !

Elle avance la main, comme pour le toucher :

— Tu parles pas au capitaine. Si tu lui dis que je veux partir, lui aussi il me tue...

— Mais non, Ourida. Il veut t'épouser, aller avec toi au Maroc.

Elle sourit à nouveau, d'un sourire sans joie, à peine ébauché. Puis, brusquement, elle remonte son voile sur sa tête, le tire sur son visage et reste là, immobile, énigmatique, petite fille réprouvée par les siens et qui n'accepte plus d'être la putain d'un Français.

Saganne se laisse ramener à Djelfa au pas de la jument. Il mêle dans ses pensées Ourida et Madeleine, Louise et Demla. Les femmes qu'il a eues ; celles qu'il n'a pas eues. Aucune nostalgie, et aucun regret. Il ne veut rien oublier.

Si Madeleine accepte de l'épouser, il lui sera fidèle. D'une fidélité sans effort et sans tentation. Ce n'est pas un serment qu'il se fait. Simplement il sait que, s'il le veut, rien ne lui sera plus facile que de mettre au service de son amour les élans qui le traversent, les bons et les mauvais, les avouables comme les inavouables, et jusqu'au souvenir de Louise. Il sera tout entier orienté vers Madeleine. Il lui rapportera tout.

Lorsqu'il retrouve Flammarin chez lui, le jour tombe. C'est l'heure où les quatre ou cinq absinthes que le capitaine a bues en jouant au billard le rendent à la fois pesant et flottant, très lent et très lucide.

— Il paraît que tu as été à Teurfa?

— Oui.

— Tu as vu Ourida?

Saganne hésite. Que peut-on cacher à Flammarin?

— Oui.

— Elle t'a parlé?

— Non. Enfin, juste « bonjour ».

Flammarin recule la tête pour le regarder mieux, puis détourne les yeux :

— Il ne fallait pas te fatiguer. Même si elle rentrait, je ne la reprendrais pas... Tu sais, Saganne, personne plus que moi n'a vécu avec les Arabes, comme eux et pour eux. Et, maintenant, je crois bien que je les déteste. Ils ne nous accepteront jamais. Il faut les massacrer, ou s'en aller.

Il est resté coucher chez Flammarin. Ils ont trop bu. Quand il s'éveille, le lendemain matin, Flammarin dort encore dans le coin où est nichée sa paillasse. Charles prépare du café sur le réchaud, se savonne le torse au-dessus du bassin, dans la cour, puis retourne au tennis. S'il a une chance de rencontrer Madeleine et de pouvoir lui parler librement, c'est là-bas.

Lorsqu'il arrive à proximité du court il l'aperçoit, derrière le grillage, Madeleine et Hazan penchés côte à côte sur le banc à claire-voie. Ils viennent de terminer une partie et sont en train de remettre leurs raquettes dans les cadres de bois. Dès qu'il les a rejoints il se rend compte, il ne saurait dire à quoi, que sa présence est importune : elle trouble quelque chose. Il serre la main de Madeleine, puis celle d'Hazan :

— Je croyais que tu ne jouais pas au tennis?

— Madeleine m'apprend, répond Hazan. Elle a beaucoup de patience, car je ne suis pas doué...

Madeleine proteste :

— Pourquoi dites-vous ça? Ce n'est pas vrai !

Ses cheveux sont serrés dans un turban. Cela amincit son visage et lui donne un air résolu. Comme souvent les êtres très beaux, elle semble réfugiée derrière sa beauté comme derrière un rempart. Troublée, peut-être, mais hors d'atteinte.

Saganne baisse les paupières. Comme Madeleine l'intimide, c'est du côté d'Hazan qu'il attaque :

— En tout cas, tu as une tenue superbe !

Hazan arbore d'impeccables pantalons blancs et une casquette à visière, trop chic et un peu ridicule. La remarque le fait rougir. Il enlève sa casquette et, après l'avoir gardée un instant à la main, la jette sur le banc. Un silence s'installe. Saganne, qui en est la cause et qui le supporte mal, le rompt en lançant avec un entrain brusque, artificiel :

« Nous faisons quelques balles, Madeleine ? »

Elle lui sourit brièvement, puis lève les yeux vers Hazan et lui demande d'une voix hésitante :

— Ça ne vous ennuie pas, René ?

A ce moment, il y a entre eux un échange de regards où se lit tant de complicité et peut-être de tendresse que Saganne est frappé par un accès de jalousie soudaine, féroce, presque furieuse. Personne, hors lui, n'a de droits sur Madeleine. Qu'elle demande l'autorisation d'Hazan pour le suivre sur le court est une monstruosité. Dans sa poitrine, son cœur cogne par à-coups violents. Puis, comme si une vanne s'ouvrait, il est submergé par une coulée de passion possessive. Il ne pense pas : « Je la veux » ; il pense : « Elle est à moi. »

Il saisit la raquette d'Hazan, arrache le cadre :

— Alors, nous jouons, Madeleine ? Je sens que je vais vous écraser !

Elle le défie, menton levé :

— Je voudrais bien voir ça !

Depuis qu'elle a vu Saganne, elle aussi a le cœur qui bat. Mais elle est seule à le savoir. Le souvenir de l'humiliation qu'elle a subie à Biskra la tient raidie contre elle-même, décidée à ne rien céder à Charles. Elle ressent comme intolérable le pouvoir qu'a cet homme de la bouleverser par sa seule présence.

Hazan n'a pas bougé. Dès que Madeleine et Charles s'éloignent pour prendre leurs places sur le court, il s'assied. Ses mains tremblent : il les glisse entre le banc et ses cuisses. Dans cette attitude, buste en avant, il ressemble, vu de loin, à un spectateur que le match fascine. De près, la désolation inscrite sur son visage est effrayante. Mais ni Madeleine, ni Charles, qui échangent là-bas des coups rageurs, ne se soucient d'Hazan. C'est peu dire qu'ils ne le voient pas. Il n'existe plus pour eux.

Le lendemain, à midi, Saganne pénètre dans le bordj, traverse la cour, s'engouffre dans l'escalier voûté, grimpe les marches, entre dans le bureau d'Hazan.

— Je ne te dérange pas? Il faut que je te parle. Es-tu libre pour déjeuner?

— Pourquoi attendre le déjeuner? dit Hazan.

Il est en chemise, sans col, les deux bras posés sur la table où s'étale un chantier de papiers, de livres, de dictionnaires ouverts. Comme il fourrage ses cheveux en travaillant, il a un air ébouriffé. Mais ce qui retient Saganne, ce sont les cernes sous les yeux et l'enflure malsaine qui fausse la finesse du visage autour des narines et de la bouche.

— Tu n'as pas bonne mine. Tu n'es pas malade, au moins?

— Mais non, réplique Hazan. Il m'arrive d'être en bonne santé de temps en temps! Oublie un peu In-Salah...

Ce qui n'a pas changé, c'est son regard. Un peintre qui réussirait à rendre le feutré et l'aigu conciliés dans ces yeux peindrait l'intelligence. Saganne s'irrite de se sentir, en ces secondes plus que jamais, sommaire, balourd en face de son ami. Mais Hazan est-il toujours son ami?

— As-tu encore de l'amitié pour moi? demande-t-il brusquement.

— Pourquoi n'en aurais-je plus?

Hazan a joint ses deux mains devant lui; il y appuie son menton, penche un peu la tête :

« Allons, Saganne, décide-toi ! Parle ! Tu ressembles à un fils de famille qui va chez l'usurier pour la première fois...

— Il ne s'agit pas d'argent...

— Je sais. De toute façon, je ne prête qu'à des taux ignominieux, et jamais à des amis.

Comme Saganne tarde à sourire, il commente :

« C'est de l'humour ! De l'humour juif !

Saganne ne s'est pas assis. Depuis le début de l'entretien il tient une chaise par le dossier et la bascule devant lui. Comme pour marquer que ses hésitations sont terminées, il la contourne, s'assied, croise les bras :

— Quels sont tes rapports avec Madeleine?

Il ajoute aussitôt :

« Parce que je suis décidé à demander sa main à son père.

263

Hazan a pâli, mais pas un trait de son visage n'a bougé. Il soutient le regard de son ami :

— En quoi cela me concerne-t-il ?

Saganne recule le buste, fronce les sourcils, puis éclate :

— Ah ! écoute, René, ne fais pas l'imbécile !

— Ce n'est pas moi qui fais l'imbécile.

Hazan pose les deux mains à plat sur la table, comme un joueur de cartes, ou un prestidigitateur qui veut montrer qu'il ne dissimule rien. Il les contemple un moment, puis prend son stylo. Il le pose verticalement sur le sous-main, fait glisser son pouce et son index le long du tube noir. Quand il arrive au bout, il le retourne et recommence.

— J'ai eu l'impression, hier, au tennis, qu'il y avait quelque chose entre vous, dit Saganne. Et, comme tu es mon ami...

Hazan fait claquer son stylo contre le bois de la table :

— Et si je te disais que je l'aime, tu renoncerais à elle ? Pourquoi es-tu venu ? Qu'attends-tu de moi ? Pensais-tu que j'allais te féliciter ? Entonner des alléluias ?

Il s'arrête, aspire l'air, reprend plus calmement :

« Que veux-tu que je te dise ? Si tu l'aimes, si elle t'aime, si la famille consent, épouse-la. De toute manière, je n'aurais jamais pu l'épouser. Tu sais très bien pourquoi.

Saganne se carre dans sa chaise. Hazan a peut-être raison de souligner que sa visite est idiote. Mais si c'était à refaire, il le referait. Il n'est pas venu narguer un rival condamné d'avance. Aurait-il dû s'abstenir de se comporter en ami parce que Hazan est, aux yeux des Sainte-Ilette, un gendre encore moins acceptable que lui ?

— Je crois que tu mésestimes Madeleine, dit-il. Je l'aime, et je souhaite que ce soit moi qu'elle épouse. Mais je suis sûr que, si c'est toi qu'elle aime, elle t'épousera malgré tout.

— Tu es naïf, dit Hazan. Ou alors, tu cherches à te persuader et à me persuader que nous sommes engagés dans une compétition où nous avons les mêmes chances. Ce serait parfait pour toi, n'est-ce pas, une course loyale, que tu gagnerais ? Mais Madeleine n'est pas un Grand Prix et, de toute façon, je ne prends pas le départ.

— Tu es injuste. Je n'ai pas les sentiments que tu me prêtes.

— Tu ne les as pas, mais tu les as tout de même. Tu n'y peux rien : je suis juif, toi non.

Saganne s'énerve. Il refuse de se laisser gagner par la mauvaise conscience :

264

— Tu m'agaces avec ça, René ! Pendant que ton grand-père négociait de puissance à puissance avec le Bey d'Alger, le mien gardait des vaches qui n'étaient même pas à lui ! Je suis un paysan, et pauvre...

— Et chevalier de la Légion d'honneur, aussi, murmure Hazan.

— Et alors ! crie Saganne, Penses-tu qu'on me l'a donnée parce que je ne suis pas juif, ma croix ! Je me suis battu, mon vieux ! Battu ! Battu ! Pendant quatorze heures — tu sais ce que c'est, quatorze heures ? combien de minutes ça représente ? — au milieu des cadavres, des blessés, des carcasses puantes de chameaux, j'ai cru que j'y resterais, que mon cadavre pourrirait aussi dans ce trou à merde. Je ne pensais pas à la Légion d'honneur, crois-moi ! Si je tenais, c'était pour sauver ma peau, et celle des gars que j'avais entraînés avec moi. Je m'en suis sorti, et on m'a donné la croix. Mais, tu sais, René, je ne pourrais pas recommencer, même avec l'assurance de la croix au bout, et de Madeleine en prime !

Hazan est devenu très pâle :

— Je n'ai pas dit que tu n'avais pas mérité ta croix. Ton courage...

— Je ne suis pas courageux ! crie Saganne. Je suis comme tout le monde... Et puis, tiens, merde, je m'en vais ! Je n'y suis pour rien, moi, si tu es juif et si tu aimes Madeleine !

A la porte, il se retourne. Hazan le regarde. Avec sa chemise de galérien, son allure d'oiseau effaré, il trouve encore le moyen de dominer la situation. D'en avoir l'air, en tout cas.

« Pardonne-moi, dit Saganne.

Il baisse la tête pour passer la porte. Il n'est pas fier de lui. Mais enfin, l'hypothèque Hazan est levée. Il lui reste maintenant à affronter les parents Sainte-Ilette. Il a arrêté son plan, l'ordre de ses démarches : rien ne l'en fera dévier.

La pièce que M. de Sainte-Ilette appelle sa bibliothèque et dans laquelle il se tient aussi souvent qu'il le peut possède une entrée indépendante. On y accède par un perron de deux marches, sur la façade gauche de la villa.

C'est là, plutôt qu'au perron central, que Saganne vient frapper, le dimanche vers deux heures, bien qu'il sache l'inspecteur général seul chez lui. Toutes les dames de Djelfa, leurs filles et leurs bonnes, sont retenues par la kermesse paroissiale.

Il n'a pas mis son uniforme de sortie. Il a simplement pris soin de repasser sa tenue de ville. Il doit frapper une seconde fois avant d'entendre, derrière la porte, un bruit de babouches traînées sur la parquet. M. de Sainte-Ilette faisait un somme ; il a la paupière gonflée et l'haleine chargée : nicotine et acétone. Trop endormi pour marquer de la surprise, il marmonne, par automatisme :

— Ah, lieutenant, quel bon vent me vaut l'honneur... ?

— J'ai à vous parler, monsieur.

— Eh bien entrez, dit Sainte-Ilette. Prenez place !

Tout en parlant, il reboutonne le haut de sa braguette, qu'il avait ouverte pour avoir le ventre à l'aise.

Deux fauteuils de cuir, aux accoudoirs entaillés et tachés d'encre, des rayonnages de sapin où s'entassent les dossiers, un poêle à bois dont le tuyau est retenu au plafond par un fil de fer et, devant la fenêtre, une lourde table à pieds torsadés laissent peu d'espace pour se mouvoir. La poussière recouvre tout et les vitres sont piquetées par les saletés de mouches : l'inspecteur général doit interdire qu'on dérange son désordre sous prétexte de ménage.

L'un des fauteuils porte l'empreinte du postérieur de son propriétaire ; Saganne prend l'autre. Il se demande s'il ne conviendrait pas d'occuper quelques minutes à des balivernes, pour laisser à Sainte-Ilette le temps de se réveiller. Il ne trouve rien ; il se lance. Il a préparé des phrases. Elles lui paraissent trop solennelles pour ce décor et il s'efforce de simplifier. Cependant, elles lui reviennent, par bribes :

— Je viens à vous, monsieur, pour une démarche délicate. Je sais que vous n'avez guère de sympathie pour moi. Des indiscrétions m'ont appris que vous avez cherché à m'éloigner de Djelfa lors de mon premier séjour. Sur le moment, ces procédés m'ont heurté. Ils n'ont pas eu de conséquences, et je suis prêt quant à moi à les oublier.

Les bras allongés sur les accoudoirs, M. de Sainte-Ilette roule son crâne de droite et de gauche sur le dossier. On dirait un prisonnier à la question qui nie mollement, plus embarrassé qu'effrayé :

— Une mise au point s'impose, monsieur Saganne. Vous m'en donnez l'occasion, et je la saisis. Prenez ce que je vais vous dire pour la preuve de mon estime. Avec tout autre que vous, croyez que jamais je n'aurais...

Il laisse ses précautions oratoires en suspens et achève sa pensée par un geste leste qui fait tourner sa main droite autour de son poignet. Il reprend :

« Je n'étais pas au courant des manœuvres dont vous avez été victime. J'ai appris la chose à Biskra, par une conversation que j'ai eue avec le général Dubreuilh. Conversation bien pénible ! Mon ignorance était telle que le malentendu entre le général et moi a duré plusieurs minutes. Quand j'ai compris, ou plutôt deviné, ce qui s'était passé, j'ai failli vous écrire pour vous présenter des excuses. Mais pouvais-je le faire sans vous donner l'impression que je trahissais ma femme ? Ç'aurait été, ma foi, d'un piètre galant homme !... Monsieur Saganne, les devoirs d'une mère sont ingrats. Les initiatives de ma femme, pour blâmables qu'elles soient, n'étaient pas inspirées par la volonté de vous nuire. Elle protégeait sa couvée. Peut-on lui en vouloir ? Je vous demande d'oublier cet incident.

« Est-ce convenu ?

Il adresse à Saganne un sourire engageant :

Saganne sait que, pour avoir Madeleine, il devra avaler quelques couleuvres. Voici la première. Il se racle la gorge :

— Monsieur...

Mais Sainte-Ilette s'est levé, vif comme un jeune homme. Le soulagement l'a mis en gaieté :

— Puisque tout est heureusement éclairci entre nous, cher ami, si nous allions à la kermesse ?

Sans attendre la réponse de Saganne, il se dirige vers la porte qui fait communiquer sa bibliothèque avec le salon :

« Juste quelques minutes pour me mettre convenablement et je suis à vous.

Saganne voudrait protester, le retenir. Mais le bonhomme fait mine de ne rien voir, et s'éclipse. Quand il revient, Saganne ébauche une dernière tentative. Elle échoue, comme les autres, contre la cordialité de Sainte-Ilette qui l'entraîne dehors avec des « allons ! », « allons ! » joyeux.

La kermesse dresse ses kiosques de toile derrière l'église. Un arc de palmes, décoré de bandes de papier crépon bleu, blanc et rouge, marque l'entrée. Immédiatement à gauche se trouve la buvette et, à droite, le terre-plein descend en pente douce jusqu'au ravin au-delà duquel commence la plaine d'alfa.

Pendant le trajet, l'inspecteur général n'a pas cessé de bavarder et Saganne s'est tu, acculé au silence par ce flot aimable. Il est furieux de s'être laissé mener jusqu'ici sans avoir fait sa demande. En passant sous l'arc, il voit l'abbé Liénard qui quitte un groupe de paroissiens pour venir les accueillir. S'il ne parle pas maintenant, il ne parlera jamais. Il se tourne vers Sainte-Ilette :

— Monsieur, j'ai encore quelque chose à vous demander, en particulier.

Sainte-Ilette s'arrête, hésite, tâte son gousset comme pour s'assurer qu'il a toujours sa montre, puis, rassuré par le contact du bel objet d'or qu'il a hérité de son père :

— Pourquoi pas ? dit-il. Pourquoi pas ?

Saganne désigne le terre-plein :

— Allons par ici, si vous le voulez bien.

Là-bas, l'abbé Liénard, les voyant s'éloigner, incurve sa trajectoire en direction de la buvette : il ne sera pas dit qu'on l'a laissé en plan.

Arrivé au bord du ravin, Sainte-Ilette cale ses pouces dans son gilet. Il a l'embarras débonnaire :

— De quoi s'agit-il ? demande-t-il enfin, le regard faussement tranquille égaré vers la plaine, fuyant celui de Saganne qu'il sent attaché sur lui avec une intensité inquiétante.

— J'ai fait le projet d'épouser mademoiselle Madeleine...

Le père pousse un cri. Un vrai cri, comme celui qu'arrache la pointe d'une aiguille traîtreusement dressée dans le capiton d'un fauteuil. Au même instant, Saganne voit Mme de Sainte-Ilette, qui a abandonné son stand de broderie et qui marche vers eux. Il saisit le bras de l'inspecteur général :

« Je n'ai pas encore parlé à Madeleine. Je ne le ferai que si vous me dites qu'il y a un espoir.

Il resserre sa prise :

« Je ne vous demande pas une réponse ferme. Mais existe-t-il un espoir, monsieur ?

— Non, balbutie Sainte-Ilette. Enfin, oui... Espérez, espérons... Madeleine est si jeune ! C'est une telle surprise...

Puis il ajoute, à l'intention de sa femme, toute proche maintenant, avec cette présence d'esprit burlesque qu'ont, dans les vaudevilles, les maris pincés :

« Heureusement que M. Saganne m'a retenu : sans lui, je basculais dans le ravin.

Mme de Sainte-Ilette mesure la pente d'un coup d'œil et dit, en mettant dans son ton la pointe acide qui souligne le double sens de ses paroles :

— Quelle dégringolade vous nous avez évitée ! Nous ne nous en serions pas remis !

Ignorant Saganne, elle enchaîne, tournée vers son époux :

« Ce juif s'est installé entre Madeleine et Jeanne. Il vend les billets, il s'incruste. Au pied de l'église ! Quelle indécence ! Il faut faire quelque chose, Emile ! Je vous avais pourtant recommandé d'être là tôt !

— Eh bien, justement ! dit Sainte-Ilette, qui bat des paupières.

Il a reçu un choc et son effarement est sincère. Pourtant Saganne a l'impression qu'il le force un peu, comme s'il voulait en jouer.

— Justement, quoi ? demande Mme de Sainte-Ilette.

L'autre jette à Saganne un regard angoissé, mais décidé : le regard qu'un naufragé adresse à son compagnon d'infortune avant de l'entraîner dans un saut qui sera leur salut ou leur perte. Pourtant, quand ses yeux reviennent à sa femme, leur expression se teinte de franche malice. Cette fois, Saganne a la certitude que l'inspecteur général, tout bouleversé qu'il est, s'amuse. Et, de fait, M. de Sainte-Ilette considère les affrontements avec son épouse comme un sport : ça fatigue, mais ça distrait. Puisque la scène est inévitable, autant la provoquer sur-le-champ. Vingt-trois ans de vie commune lui ont prouvé qu'il est meilleur à l'attaque qu'en défense.

— Justement, dit-il à mi-voix, M. Saganne vient de me demander la main de Madeleine. Cela couperait court à vos inquiétudes concernant M. Hazan.

Mme de Sainte-Ilette fait un pas menaçant :

— Vous êtes complètement fou, mon ami ! crache-t-elle, et, à Saganne, par-dessus son épaule :

« Vous, laissez-nous !

— Non, restez ! dit Sainte-Ilette, qui semble avoir retrouvé son aplomb.

La présence de Saganne, qui neutralisera les excès de sa femme, est un atout dans son jeu qu'il a calculé et qu'il ne veut pas perdre.

Saganne ne bouge pas. Il retient un fou rire comme il en vient parfois aux enterrements. Mme de Sainte-Ilette s'est mise à haleter. Elle porte la main à sa poitrine et vacille, comme si elle allait s'effondrer. Son époux ne s'alarme pas : les vapeurs de sa femme semblent au contraire finir de restaurer son assurance. Il la prend par le coude, avec plus de fermeté que de sollicitude, et, tendant l'autre bras, saisit aussi le coude de Saganne.

« Ma chère amie, dit-il, si ce jeune homme aime Madeleine, et si Madeleine l'aime, je ne vois aucune raison de nous opposer à leurs vœux. Tout nous invite au contraire...

Mme de Sainte-Ilette bat l'air de la main, agite la tête en tous sens :

— Jamais je n'accepterai. Jamais. Et la brutalité avec laquelle vous me mettez devant le fait accompli...

Sainte-Ilette, mais l'idée que son sort dépend de cette demi-folle n'est pas drôle.

— Calmez-vous, ma chère, dit Sainte-Ilette. On pourrait vous voir.

Mme de Sainte-Ilette n'a aucune envie de se calmer :

— D'abord, qu'apporte-t-il ? siffle-t-elle d'une voix entrecoupée. Quel gage...

Un sanglot sec l'étrangle. Sainte-Ilette enveloppe Saganne d'un sourire complice, et l'invite à répondre lui-même en tapotant sa poitrine du côté gauche, à la place où Bertozza a épinglé la croix. Saganne se méprend :

— Madame, j'aime Madeleine de tout mon cœur. Je saurai la rendre heureuse, même si ma situation...

Il comprend sa gaffe et s'arrête, maxillaires crispés par un nouvel accès de fou rire.

La mère suffoque à ce coup maladroit, et M. de Sainte-Ilette juge prudent de reprendre les choses en main. Il se tourne vers Saganne, lui souffle en aparté :

— Considérez que vous avez notre accord. Mais c'est Madeleine qui décidera, elle seule. Parlez-lui. Je fais confiance à votre loyauté. Et pardonnez à ma femme. Ce sont ses nerfs. Dans deux ans elle vous adorera. Maintenant, il vaut mieux que vous vous éloigniez.

Il revient à sa femme qui est restée plantée, vaincue, mais pas apaisée :

« Pleurez, ma chère, pleurez. Ça vous a toujours soulagée.

Comme elle le fusille du regard, il ajoute :

« J'aurais préféré un duc millionnaire, comme vous, peut-être plus que vous. Mais, que voulez-vous ? M. Saganne a la croix à vingt-sept ans. Il marche au hasard, tout entre-temps, il rendra Madeleine heureuse. C'est cela qui compte, n'est-ce pas ?

La kermesse est comme toutes les kermesses : du clinquant bon marché. Saganne se mêle aux Européens de tous âges et aux enfants arabes qui circulent entre les comptoirs. Il marche au hasard, tout aux dernières phrases que lui a dites M. de Sainte-Ilette, et ne

270

remarque à peu près rien. Tout de même, le mot « *Lapinodrome* », inscrit au pochoir sur un calicot tendu entre deux perches, lui paraît curieux. Il s'approche. Quand il s'aperçoit que c'est là qu'officie Madeleine, en compagnie de sa sœur et d'Hazan, il ne peut plus reculer.

Hazan, qui tient par les oreilles un lapin gris agité de soubresauts, vient le lui brandir sous le nez sans cesser son boniment :

— Approchez, mesdames et messieurs ! Voyez l'animal ! Qui n'a pas gagné va gagner !

Madeleine se précipite à son tour, sans gêne ni détour. Son rôle de bateleur l'absorbe, et elle ne semble avoir d'autre souci que celui de vendre ses billets :

— Il m'en reste six ! Achetez-les-moi s'il vous plaît, monsieur Saganne !

Aujourd'hui, ses cheveux sont remontés en un chignon lâche. Des mèches ont glissé sur son front et sur sa nuque. Sa robe est lâche aussi, taillée dans un tissu blanc crémeux, sans apprêt. Une ceinture souple suit la ligne des hanches et laisse deviner le ventre, bombé en amande.

Sitôt que Saganne lui a remis ses pièces et a reçu en échange six cartons numérotés, elle s'écrie, à l'intention des badauds qui entourent le stand :

« On va tirer ! On tire !

Le « lapinodrome » est une petite arène constituée de caisses juxtaposées qu'on a peintes en vert. Chacune d'elles a une ouverture ronde surmontée d'un numéro. Jeanne prend le lapin des mains d'Hazan et le porte dans ses bras jusqu'au centre du cercle. Dès qu'elle l'a posé, Madeleine agite une sonnette :

« Les jeux sont faits ! Rien ne va plus !

Elle prend plaisir à lancer ces mots canailles. Elle les répète trois fois, de sa voix de petite fille bien élevée, forcée dans l'aigu.

Un moment, l'animal reste immobile, les oreilles couchées sur le dos. Puis il se met à musarder à bonds ralentis, s'arrêtant ou changeant de direction quand les hurlements des enfants l'effraient :

— Le 6 ! Il y va, il y va !
— Non, le 11 ! Vas-y, lapin, vas-y !
— Le 20 ! C'est le 20 !
— Non !
— Oui !

Saganne regarde Hazan qui, debout entre Jeanne et Madeleine,

271

suit les hésitations de l'animal. A-t-il aperçu la scène qui s'est déroulée à cinquante mètres de là entre Saganne et les parents Sainte-Ilette ? A-t-il deviné ce qui se passait ? Se doute-t-il qu'il a servi de repoussoir pour faire accepter Saganne à Mme de Sainte-Ilette ? Sentant les yeux de Saganne braqués sur lui, il lève les siens une seconde. Après avoir reçu ce regard, Saganne est tenté de répondre oui aux trois questions.

Madeleine a pris la taille de sa sœur. Elle ressemble, dans sa pose alanguie, à une statue de naïade. Mais une statue très vivante. Ses yeux brillent ; ses lèvres, qui bougent imperceptiblement, semblent répondre aux délicats froncements de nez du lapin.

Après un brusque accès de folie batifolante, celui-ci entre enfin dans une case. Un murmure de désappointement s'élève autour de Saganne. Madeleine enjambe les caisses et vient à lui :

— Rendez-moi les cartons, dit-elle. Vous n'avez pas gagné.

— Comment le savez-vous ?

Elle lui tourne le dos, se penche, sort le lapin de son trou, le niche contre elle :

— Il est entré au 7. Vous n'avez pas le numéro 7.

— Vous vous souvenez de tous les numéros que vous m'avez vendus ?

Comme il sourit avec un contentement trop marqué, elle réplique :

— Je me les rappelle parce que c'étaient les derniers.

Elle caresse l'échine tiède, qui s'aplatit sous sa main, et ajoute : « Personne ne l'a gagné, d'ailleurs. Je vais le remettre en loterie.

— Madeleine, dit-il...

Alertée par la solennité de sa voix, elle lève les yeux. A cinq mètres, Hazan, qui parle avec Jeanne, les observe avec ce regard de biais à quoi rien n'échappe.

« Madeleine, répète Saganne d'un ton plus léger, m'accompagnez-vous à la buvette ?

— Je ne peux pas. Vous voyez bien que je suis occupée.

— Jeanne et René se passeront bien de vous quelques minutes...

— Non, dit-elle en secouant la tête, non.

Il a gardé les six cartons serrés entre ses doigts. Il les présente, paume ouverte :

— Reprenez vos numéros, alors.

Elle tend la main, hésite :

— Vous ne voulez plus jouer ?

— Non. C'est un jeu idiot. Dépendre des caprices d'un lapin...

272

Elle revient à l'animal, le caresse deux ou trois fois de la nuque à la queue :

— Il tremble de peur.

Enfin elle se décide et dit, très vite :

« Allez à la buvette. Je vous rejoindrai dès que je le pourrai. »

Debout derrière son comptoir de planches fraîchement rabotées, Mᵐᵉ Boquillon chasse à coups de torchon les mouches et les garnements qui se pressent autour des assiettes de gâteaux. Saganne lui commande une limonade et va s'installer à la table la plus isolée. D'où il est, il aperçoit les Sainte-Ilette. Mᵐᵉ de Sainte-Ilette a regagné son étalage et chiffonne ses broderies. Elle a, sur le visage, cet air d'égarement qu'on voit, entre deux crises de sanglots, aux femmes qu'un deuil vient de frapper. Lui a trouvé un pliant de toile, et s'est assis près de son épouse. Il l'assiste en fumant sa pipe.

Quand Madeleine arrive, Saganne se lève et lui présente une chaise.

— Que voulez-vous boire?

— Comme vous, de la « gazouze ».

Elle rit : « gazouze » est le mot arabe pour limonade. Il sonne en français à la fois comique et vulgaire, et Saganne a remarqué que pas un Européen ne l'emploie sans, au moins, sourire. Pourquoi l'emploient-ils, alors? C'est une des choses qui agacent Saganne.

Il pose le verre devant Madeleine :

— Voilà votre limonade, dit-il en insistant sur le mot.

— Quel air sévère vous avez !

— Moi? Pas du tout... Votre robe est très jolie.

— Vous trouvez vraiment?

— Oui.

— Maman la trouve indécente. Elle n'est pas indécente, n'est-ce pas?

— Pas du tout. Elle est parfaite.

Il ne sait pas encore s'il va parler ou pas. Il boit, puis gagne encore du temps en demandant :

« Qui a gagné le lapin?

— Personne encore. D'ailleurs maintenant il faudra gagner deux fois pour avoir droit à un lapin. Il nous en reste à peine dix. Vous savez, c'est notre stand qui a le plus de succès. C'est moi qui en ai eu l'idée. Le père Liénard la trouvait stupide. Vous l'aimez, vous, le père Liénard?

— Pas beaucoup, non.

— Moi non plus.

— Pourquoi passez-vous votre temps à l'église, alors?

Madeleine ouvre des yeux ronds :

— Il faut bien aller à la messe !

Saganne se tait. Vers quoi s'embarquait-il? Il est stupide, décidément. Madeleine a sagement posé ses mains jointes sur ses genoux. Elle attend. Mais elle attend quoi?

— Madeleine..., commence-t-il.

Il s'arrête, se rendant compte qu'il ne la regarde pas et que ça n'est pas convenable. Il la regarde donc. Elle sourit avec un air d'ironie qui fait penser à Saganne que sa gêne apparaît. Ça ne peut plus durer :

— Madeleine, aimeriez-vous m'épouser?

Elle s'est mise à trembler, et ses mains sur sa jupe sont si serrées que les phalanges blanchissent. Mais c'est sans baisser les yeux, sans changer d'expression, qu'elle répond distinctement :

— Oui.

Saganne respire. Il lui semble que, depuis quatre jours, il n'avait pas respiré.

— Savez-vous bien à quoi vous vous engagez? dit-il. Je suis pauvre, je n'ai que ma solde. La vie que vous mènerez...

Il s'interrompt. Madeleine n'écoute pas. Elle le contemple avec des yeux immenses, intenses, qui lui font presque peur. Elle ne pense plus à Hazan, à rien, ni à personne. C'est comme si l'azur du ciel, après lui être tombé sur la tête, y était entré.

Le congé de Saganne touchait à sa fin. Le dîner de fiançailles eut lieu la veille de son départ pour Tamanrasset. Le mariage avait été fixé au début de juillet 1914, c'est-à-dire au moment où prendrait fin l'engagement saharien du lieutenant. Cette date avait été arrêtée dans une entrevue en tête à tête avec M. de Sainte-Ilette où il avait été aussi question de dot, de logement, d'avenir. Mais c'est à Madeleine seule que Saganne s'était ouvert de son intention de ne pas se marier à l'église. Elle avait répondu : « Dans ce cas, nous ne nous marierons pas. Mes parents n'accepteront jamais. » Elle avait raison. Il avait cédé.

Le dîner, qui n'avait pas été très gai, se terminait, quand Saganne annonça, dans un silence :

— Pour la bénédiction nuptiale, je la souhaite aussi courte que possible, et sans communion.

Jeanne, que les fiançailles de sa sœur avaient bouleversée, fondit en sanglots. Mme de Sainte-Ilette qui, depuis le jour de la kermesse, affichait des airs de martyre quitta la table. M. de Sainte-Ilette resta interloqué.

Madeleine prit la main de Charles et l'entraîna sur le perron. Depuis qu'elle lui avait dit oui, elle avait approuvé passionnément les moindres de ses goûts et de ses opinions. Il fut d'autant plus surpris de la fermeté avec laquelle elle lui annonça :

— Je communierai le jour de mon mariage, et vous aussi. Nous nous confesserons ensemble.

Il planta dans les yeux de la jeune fille un regard au moins aussi ferme que le sien :

— Si vous tenez tant à vous confesser, Madeleine, confessez-vous à moi.

Elle soutint un moment le dur regard qui pesait sur elle. Son visage se fronça, et il crut qu'elle allait se mettre à pleurer. Il s'apprêtait à résister à l'attendrissement quand elle éclata de son merveilleux rire. Il la prit contre lui et embrassa ses lèvres. C'était la première fois.

De l'autre côté de la route, couchés dans les pierres, les enfants arabes suivaient la scène.

CHAPITRE XIV

Le mariage fut célébré le 2 juillet 1914. Aucun membre de la famille de Charles n'y assista. Son père n'avait pu quitter à nouveau son poste. Il était hors de question qu'Alice, qui se trouvait en vacances chez les grands-parents Iverneau, voyage seule. Enfin Charles n'avait eu aucun signe de Lucien depuis le mot qu'il avait reçu chez Louise. Il savait seulement, par les lettres de leur père et de leur sœur, que son frère était sorti de Saint-Cyr dans un rang médiocre, et avait été affecté au 32e régiment d'infanterie de marine, à Maisons-Laffitte. Quant à Hazan, il avait eu la délicatesse de partir en congé.

Madeleine se confessa et communia. Charles, non. Il avait décidé de prendre Flammarin pour témoin et n'y renonça pas, bien que l'intéressé lui-même lui eût remontré que son choix était une provocation.

Mme de Sainte-Ilette avait écrit à ses amis et parents que Madeleine épousait un des plus brillants lieutenants de l'armée française, que le ministre de la Guerre, dont il était un intime, avait tenu à venir décorer lui-même. Avant la cérémonie elle s'empressa auprès de sa fille, jetant à son futur gendre des sourires brefs et angoissés.

Madeleine était tout à fait jolie sous son voile, dans une robe de dentelle qui avait nécessité deux voyages à Alger. Sollicité d'admirer, Charles admira. Retranché sur lui-même, en proie à une émotion qu'il se refusait à admettre, il considérait en étranger, avec une sourde irritation, ces déguisements et ces rites.

Le prône du père Liénard, tout d'hypocrisie douceâtre, finit de l'impatienter. Il lui tardait que tout fût terminé.

Sitôt après le déjeuner qui avait suivi la bénédiction, les nouveaux époux quittèrent Djelfa. Charles avait loué toutes les places intérieures de la diligence. Madeleine portait, pour le voyage, un costume tailleur en toile et un tricorne de paille. Au moment de monter en voiture, sa mère lui avait enveloppé la tête d'une voilette, pour la protéger de la poussière. Le premier geste de Charles, dès qu'ils furent seuls, fut d'ôter cette gaze. Puis il ouvrit le panier à provisions :

— Mais nous sortons à peine de table ! dit Madeleine.

— Là-bas, ça ne comptait pas. C'est maintenant que j'ai faim.

Elle rit. Il l'embrassa. Il commençait à être heureux.

Ils passèrent quelques jours à Alger, dans un bel hôtel dont la façade blanche disparaissait sous les palmes et les bougainvilliers. Leur chambre ouvrait sur un patio mauresque, orné de carrelages verts et céruléens. Le bruissement de l'eau dans la vasque ne cessa ni jour ni nuit.

Quand il était chez Louise, Charles, en parcourant un livre de George Sand, était tombé sur cette phrase, à propos du mariage des jeunes filles : « On les élève comme des saintes, et on les livre comme des pouliches. » Elle lui était revenue lorsque, pour la première fois, il avait vu Madeleine qui l'attendait dans leur lit, les cheveux défaits, le drap tiré jusqu'au menton. Il s'efforçait à la délicatesse. Mais, dans l'amour, peut-on être délicat jusqu'au bout ? Le moment de l'étalon vient toujours. Que ressentait Madeleine sous ses charges ? Elle serrait les bras autour de son cou, comme une enfant, et s'abandonnait, docile, silencieuse et grave. A part ça elle montrait, au déjeuner et au dîner, un appétit dévorant.

Puis ils prirent le bateau pour Marseille. Charles avait hâte de faire connaître Daillou à sa femme et de l'installer dans la maison de la place.

Ils arrivèrent en fin d'après-midi, sous une pluie d'orage. La maison était glaciale, sombre et vide. Ils durent coucher à l'auberge. Cela, comme l'averse qui les avait trempés pendant qu'ils pataugeaient dans la cour de la maison, ravit Madeleine. Elle adorait l'imprévu et les contretemps. Ils lui prouvaient qu'elle était affranchie de ses parents, et que rien n'avait d'importance, pourvu qu'elle soit près de son amour.

Le lendemain matin, un marchand de Foix livra un lit, une table en bois et deux chaises. Au fond de la charrette, une corbeille d'osier contenait du linge, de la vaisselle, et deux lampes à pétrole ventrues dont l'acier neuf luisait. En attendant l'arrivée du mobilier,

278

Charles avait débité du bois à la hache, et allumé la cuisinière de fonte. Madeleine s'était attaquée à la poussière et aux toiles d'araignées. Ils placèrent la table et les chaises dans la cuisine dallée devant la cheminée monumentale, montèrent le lit dans la chambre d'angle au premier étage. Madeleine s'amusait beaucoup. Charles était morose : il y avait trop de distance entre ce ménage de romanichels, cette maison sinistre, et les rêves qu'il avait faits.

En outre, la pluie ne cessait que pour reprendre avec plus de force. La vallée était perdue de brume. On ne distinguait pas les montagnes.

La nuit effaça ces demi-tristesses. La maison craquait, le tonnerre tonnait, les éclairs fulguraient. Réfugiés l'un contre l'autre dans le lit neuf, sous les draps rudes, ils s'aimèrent, dormirent, se réveillèrent pour parler et s'aimer encore. Puis Madeleine se leva et ouvrit la fenêtre. Il voyait sa silhouette nue, cernée d'ombres, qu'illuminaient brusquement les éclairs. Il la rejoignit. Elle avait la chair de poule. Il la réchauffa. Ils firent l'amour debout, maladroitement, comme des enfants dans un grenier. Il sembla à Charles que, pour la première fois, Madeleine éprouvait autre chose que le bonheur de se prêter. Entourés dans les couvertures, chacun tenant une chandelle au poing, ils descendirent manger des œufs. Madeleine s'endormit dans la cuisine, la tête sur son bras, d'un coup. Il remonta son bébé.

Dès le lendemain, il se lança dans de grands travaux de peinture. Madeleine lui proposa de l'aider. Il refusa : ce n'était pas une occupation de femme. Elle faisait les courses à l'épicerie du village, le lit, le ménage, la cuisine. Puis elle regardait son époux travailler. Elle ne s'ennuyait pas. Cependant, au bout de cinq jours, elle revint à la charge : elle était capable, aussi bien que lui, de manier un pinceau. Il était en haut de son échelle, la tête renversée vers le plafond. Il refusa derechef, plutôt distraitement. Madeleine piqua une colère rageuse, puis monta s'enfermer dans la chambre. A midi, elle n'était pas redescendue. Il prépara le déjeuner et l'appela du bas de l'escalier. Elle entra dans la cuisine cinq minutes plus tard, boudeuse et les yeux rouges. Ils mangèrent sans parler. Après avoir plié sa serviette, il dit :

— Si tu n'es pas satisfaite de quelque chose, dis-le. Mais épargne-moi les caprices.

Elle ne répondit pas. Subir le dressage d'un mari ne la révoltait pas. Ça lui paraissait aussi naturel que de subir le dressage maternel.

Lorsqu'elle résistait, comme elle venait de le faire, elle se sentait coupable. Son père, sa mère, le prêtre lui avaient tant répété que son comportement et son entêtement étaient des défauts!

Elle se leva pour préparer le café. En posant le bol devant Charles, elle lui embrassa les cheveux, et murmura : « Pardon. » Il l'attira sur ses genoux :

— Les petites filles sages reçoivent des baisers, et les méchantes des fessées. Moi, je préfère donner des baisers. C'est à toi de choisir.

Dix minutes plus tard, ils étaient nus sur le lit. Ces siestes amoureuses, Madeleine les redoutait un peu, à cause du grand jour. La nuit, elle osait ouvrir les yeux. L'après-midi, elle les gardait obstinément clos.

Pourtant, le bonheur d'être ensemble, c'était elle qui l'appréciait le plus et qui en jouissait le mieux. Charles, lui, ne pouvait se défendre d'une sorte d'inquiétude. Le mariage n'était pas le havre de félicité paisible qu'il avait imaginé, naïvement. Il y avait des moments de douceur, d'autres de joie intense, mais aussi des appréhensions qui le saisissaient sans motif, ou pour des motifs futiles. Il se disait : « C'est une question de temps. Il faut que nous nous habituions l'un à l'autre. » Il n'y croyait pas vraiment. Il découvrait que ses rapports avec Madeleine étaient aussi précaires que s'ils n'avaient pas été mariés. En fait, il était amoureux.

Madeleine, elle, aimait Charles. Elle pouvait souffrir. Et souffrir profondément. Elle savait ce que c'était : la blessure de Biskra était encore vivace; rien ne l'effacerait. Mais, maintenant, son amour était près d'elle, contre elle, lié à sa vie. Elle appréciait chaque minute de ce miracle. Elle ne se souciait pas des incompréhensions, ni des froissements, ni de ces moments où l'amour semble se retirer.

Rien de ce qui venait de Charles ne pouvait être un mal. Il lui semblait que, même s'il s'était conduit avec brutalité dès qu'elle avait été en sa possession, sa férocité n'aurait pu ni la dégoûter, ni la dresser contre lui. Au demeurant, il était tendre, et la façon dont, parfois, il la pétrissait sans précautions, puis s'acharnait sur elle en haletant, commençait à lui plaire et, dans tous les cas, la rassurait. Elle le préférait ainsi que trop doux. Quand il la caressait délicatement, sans parler ni rire, elle se demandait toujours à quoi il pensait.

Madeleine ne songeait guère à l'avenir, apparemment du moins. Charles, oui.

Depuis leur départ de Djelfa, ils n'avaient pas acheté un journal et n'avaient communiqué, de façon tout utilitaire, qu'avec des portiers et des cochers. Pourtant, à Alger, à Marseille, à l'auberge de Daillou, la rumeur d'une guerre imminente les avait atteints.

Charles avait choisi le métier des armes. Il avait plus de raisons que d'autres d'accepter la perspective d'un affrontement avec l'Allemagne. Quelques années plus tôt, certainement, l'idée de se battre l'eût exalté. Il en allait autrement aujourd'hui. L'attachement qu'il éprouvait pour le Sahara et, plus obscurément, la crainte qu'une guerre européenne ne marque le repli de la colonisation, qu'il considérait comme une mission magnifique, le laissait plein de réserves devant la fièvre belliqueuse de ses compatriotes.

Longtemps éloigné de la France, absorbé par un autre monde, il comprenait mal l'échauffement des esprits et n'était pas loin de le trouver stupide.

Et puis, il y avait Madeleine. Il était officier : il savait qu'il vivrait souvent séparé d'elle. Mais l'idée de la quitter maintenant le révoltait. Il n'en parlait pas, mais cela pesait sur son humeur.

Quand il eut fini de repeindre le salon et la bibliothèque, il s'attaqua au parc. Le beau temps était revenu. Il faisait chaud. Armé de sa hache, torse nu, il entreprit d'émonder les hêtres qui bordaient le chemin entre le portail et la cour.

Un matin, vers onze heures, une automobile s'arrêta devant la grille. Le chauffeur sauta à terre et s'approcha. Il était emmitouflé dans un cache-poussière et son visage disparaissait entre un casque de toile, sanglé sous le menton, et des lunettes de mécanicien à verres bleus. En voyant Saganne il s'arrêta, bras écartés, comme cloué par la surprise. Il enleva ses lunettes : Charles reconnut Courette. Il dégringola de son arbre et courut ouvrir. Ils s'étreignirent. C'était le meilleur de leur amitié, ces premières secondes, quand on ne parle pas encore.

Depuis l'un de l'autre ils s'exclamèrent ensemble, avec le même ton d'incrédulité joyeuse :

— Que fais-tu ici?

— J'y habite, dit Saganne. C'est ma maison.

— Ça, je sais! C'est elle que j'étais venu voir. Mais du diable si je m'attendais à t'y trouver! Tu es en permission?

Saganne approuva de la tête.

« Tu sais, je suis au courant de tout, reprit Courette : Esseyène, ta croix. Foucauld m'a écrit.

Il rit, donna une bourrade à son ami, rit encore. Puis il déboucla son casque et ébouriffa ses cheveux :

« Tu as vu ma petite "motor" »? Sais-tu combien j'ai mis pour venir de Pamiers jusqu'ici? Moins d'une heure. C'est fantastique, non! Tu veux faire un tour? ».

— On a tout le temps, dit Saganne.

Il n'osait pas interroger Courette. Sauf son départ du Sahara, « pour raisons médicales » avait précisé Wattignies, il ne savait rien de ce qu'était devenu son ami depuis la mort d'Amar.

« Pourquoi ne m'as-tu pas écrit? demanda-t-il.

Courette jouait avec ses lunettes. Il releva les yeux :

— Je vais tout te dire d'un coup, et nous n'en parlerons plus. Ça te va? D'abord, j'ai démissionné de l'armée. Deuxièmement, je suis fiancé : la jeune personne est accomplie, point laide, et m'apportera en dot un domaine de cent cinquante hectares près de Nîmes où son père tient le haut du pavé et occupe la première place au temple. Troisièmement, je suis devenu un urologue distingué. Mon programme est le suivant : agrégé dans cinq ans, titulaire d'une chaire dans dix et président de la Société française d'urologie dans quinze. L'appartement où j'abriterai famille et travail est situé rue de Luynes au coin du boulevard Saint-Germain : on ne fait pas mieux comme adresse. Cabinet médical au rez-de-chaussée et, à l'étage, dix pièces, dont un salon qui a bien quinze mètres de long. Tout l'héritage de mon père y a passé. Pour l'instant, je suis en vacances chez ma mère. Je pars en automobile le matin et je reviens le soir, quand je reviens... Bref, je me suis enfermé dans de solides parapets. J'en avais besoin. Je suis devenu fou une fois, et ça a coûté la vie à un homme. Ça m'ennuierait que ça recommence. Donc, je bétonne toutes les issues. Ça va comme ça? Ça te suffit?

Saganne tendit le bras vers la maison :

— Entre, dit-il. Tu déjeuneras avec nous.

— « Nous », s'étonna Courette? Tu n'es pas seul?

— Je suis avec ma femme.

— Marié! Et tu ne me disais rien? Qui est l'heureuse élue?

282

— Madeleine.

— Madeleine de Sainte-Ilette ?

— Oui.

— La veinarde! s'exclama Courette.

Pendant que Madeleine et Courette refaisaient connaissance, assis, ou plutôt allongés au soleil sur les marches du perron, Charles tailla un tabouret dans une souche, pour qu'il y ait trois sièges autour de la table. Il entendait derrière lui les rires de sa femme et de son ami. Jamais, depuis l'enfance, il n'avait éprouvé cette sensation d'un bonheur plein, gratuit, parfait.

Le tabouret fut inutile : on déjeuna dehors. Charles fit un feu à la façon targuie. Courette pétrit une galette et la mit sous la braise. La croûte était brûlée et l'intérieur pas cuit :

« C'est ton hêtre, dit Courette. Pour la *taguella*, il faut du *cacia* rouge. J'espère que vous savez ça, Madeleine. C'est essentiel pour une femme de saharien!

— Et le livre que tu voulais écrire ? demanda Saganne.

— Eh bien, mon cher, je l'ai écrit et j'ai même cherché un éditeur, ce qui était bien impudent dans mon cas, impudent et imprudent. Mais personne n'en veut. Il paraît que c'est trop cru, que même si je changeais les noms j'aurais des procès, et que, de toute façon, ce n'est pas le moment de dire du mal des officiers français. Le moins mal luné des éditeurs m'a écrit qu'une publication pourrait être envisagée si j'enrobais les passages trop brutaux, si je « gazais », pour reprendre son expression. J'ai répondu que je ne « gazerais » rien du tout et que si mes compatriotes ne voulaient pas entendre la vérité je la garderais pour moi. Et toi, tes travaux ?

— J'ai profité de mes derniers mois au Tassili pour finir mon livre sur les Ajjer. Je l'ai donné à Foucauld. Il a trouvé ça bien et m'a demandé de l'envoyer de sa part au *Bulletin de l'Afrique française* pour qu'il le publie. Depuis, je n'ai pas de nouvelles. Ils doivent avoir autre chose en tête, en ce moment.

— Quelle autre chose ?

— La guerre, pardi!

— Tu y crois, toi? demanda Courette.

Madeleine, qui s'était appuyée à l'épaule de son mari, et qui, depuis un moment, semblait rêver sans prêter attention à la conversation, se leva :

— Je vais chercher le café.

Saganne la suivit des yeux tandis qu'elle s'éloignait. Elle portait la robe couleur de beurre qu'elle avait le jour de la kermesse. Souvent, en regardant sa femme à l'improviste, il ressentait ce spasme dans la poitrine, cette bouffée d'émotion où se mêlaient le désir, la fierté et la reconnaissance. Il revint à Courette :

— Et toi, qu'est-ce que tu en penses ?

— Moi, je suis sûr qu'il n'y aura rien. Ça se réglera dans les Balkans. S'ils pouvaient s'entr'égorger une bonne fois, jusqu'au dernier, ce ne serait pas une mauvaise chose. Mais l'Allemagne, prise en tenaille entre les Russes et nous, ne bougera pas. Quel serait son intérêt, d'ailleurs ? Ça sera comme les autres fois : la fièvre monte et retombe.

Sagane ne répondit pas. Tout était si trouble en lui à propos de cette guerre qu'il préférait se taire.

L'après-midi, Courette emmena ses amis dans son automobile sur les routes de montagne. Il enchaînait les acrobaties et les plaisanteries. Madeleine hurlait de peur et de rire. Charles trouvait la promenade agréable. Mais le bon moment était passé, et ils savaient, tous trois, qu'il ne reviendrait pas. Courette refusa de rester dîner.

Madeleine et Charles le regardèrent partir. Ils se tenaient par la taille, devant le portail. Avant de lancer le moteur il leur cria :

« Vous êtes beaux. Ne bougez plus. Ne bougez plus jamais. »

Il leva les deux bras au-dessus de la tête, et l'automobile s'élança, tanguant d'un bord à l'autre de la route.

Le lendemain, la demoiselle de la poste monta un télégramme. Madeleine lui offrit une tasse de café que la commère accepta, bien satisfaite d'examiner de près l'installation du jeune ménage. Charles déchira le papier bleu et lut : « *Serai à Daillou le 20 soirée. Lucien.* »

Depuis Esseyène, il avait réussi à ne plus penser ni à Lucien, ni à Louise, ni à Marthe, ou plutôt à vivement glisser sur ces souvenirs dès qu'ils se présentaient. Le télégramme rouvrit la plaie. Il avait beau se répéter : « S'il vient, c'est qu'il me pardonne », il ne pouvait y croire. L'idée de paraître devant Lucien lui procurait le sentiment qu'éprouve le chrétien à la pensée du Jugement : espoir et effroi.

Il attendit que la vieille fille fût partie pour annoncer la nouvelle à Madeleine. L'arrivée de son beau-frère ne réjouissait qu'à demi la jeune femme. Elle aurait préféré rester seule avec Charles. Elle manifesta pourtant gentiment sa joie, puis s'interrompit en voyant l'air sombre de son mari. Elle lui demanda ce qu'il avait.

— Rien, dit-il.

Le soir, dans leur lit, il prit Madeleine contre lui et lui raconta tout. Il ne savait décidément s'ouvrir que la nuit, à la chaleur d'une femme. Pourtant, cette fois-ci, il ne gémit pas.

Madeleine ne dit rien. Elle se serra contre sa poitrine comme si c'était elle qui avait, après cette confidence, comme avant, plus que lui besoin de protection.

Il emprunta la voiture et le cheval de Léon Séglias, l'ami de son père, pour aller attendre Lucien au train. Madeleine était restée à Daillou, bien qu'il ait insisté pour qu'elle l'accompagne.

— Il vaut mieux que vous soyez seuls, avait-elle répliqué.

— Mais non, au contraire, ta présence nous aidera.

Elle n'avait pas cédé.

Il redoutait surtout les premières secondes. Il ne pouvait imaginer le comportement de son frère, ni même le sien, lorsqu'ils se trouveraient face à face. Mais dès qu'il l'aperçut, au bout du quai, son cadet, qui ne l'avait pas vu encore, sauter du wagon, puis se retourner pour prendre son sac, il fut envahi par une vague de tendresse qui chassa son appréhension. Vingt secondes plus tard, Lucien était debout devant lui, avec sa mèche, avec son regard mobile, avec ce demi-sourire qui restituait son visage d'enfant. Charles le serra à deux bras en balbutiant :

« C'est toi ! C'est donc toi !

— Je ne vous dérange pas, au moins ? demanda Lucien. En pleine lune de miel...

— Tu es fou ! Rien ne pouvait me faire plus de plaisir, et à Madeleine aussi. Veux-tu boire quelque chose ? Resteras-tu longtemps ?

— Je repars demain.

— Demain ? C'est idiot ! Il y a toute la maison à remettre en état. Depuis que j'ai reçu ton télégramme, je ne cesse de penser à ce que nous allons faire ensemble.

— Mais, Charles, murmura Lucien après un instant de silence, comment peux-tu faire des projets avec ce qui se prépare ?

— Qu'est-ce qui se prépare ? demanda Charles en détournant les yeux.

285

— La guerre. C'est pour ça que je suis venu. Je ne voulais pas
partir sans te revoir.

Charles retrouva instantanément son air d'aîné, front barré,
regard sévère :

— Tu exagères, dit-il. Tu dramatises.

Lucien souleva son sac et marcha vers la sortie. Ses traits avaient
pris une expression si grave que Charles supposa qu'un drame
nouveau ravageait la vie de son cadet. En fait, Lucien avait été
traversé par la tentation de tourner les talons et de remonter dans
le train.

Dès qu'ils furent sortis de la ville, Charles mit le cheval au trot.
Au bout d'un moment il demanda :

« Comment vas-tu ? Enfin, je veux dire...

— Ça va très bien, dit Lucien.

Il ajouta en souriant :

« Quoique la situation de frère d'un héros ne soit guère confor-
table !

Charles eut le ricanement qu'avait aussi leur père quand il
était gêné :

— Ah ! dit-il, si tu savais ce qu'ils m'en ont fait voir, à moi aussi !
Ce que j'ai pu essuyer de jalousies, de mesquineries ! Même mon
capitaine, qui avait pourtant été parfait sur le moment ! J'ai failli
leur flanquer ma démission !

— Toi ? s'étonna Lucien.

— Il avait pris un air narquois.

— Pourquoi pas ? J'avais déjà failli le faire une fois...

— Quand ça ?

Charles raconta le massacre des Taïtok par Baculard d'Arnaud.
Pendant qu'il parlait, Lucien s'était tourné vers lui et le regardait
avec une attention extrême. Quand Charles eut terminé, il dit :

« Mais finalement, tu n'as pas démissionné.

— Non.

Lucien fit une moue des lèvres, mi-amusée, mi-méprisante,
qui signifiait : « Parbleu !... » Charles encaissa. Ils se turent.
Au moment de passer le portail, Charles arrêta le cheval. Il
posa la main sur le genou de son frère, la retira aussitôt :

« Tu m'en veux toujours ?

Lucien lui jeta un bref coup d'œil et dit, très vite, d'une voix
assourdie :

— Tu espérais quoi ?

— Pourquoi es-tu venu, alors?

— Pour te dire adieu.

Lucien haussa le ton :

« Tu peux comprendre ça, non ? Qu'on ne te pardonne rien et qu'on t'aime tout de même ? »

Charles claqua la langue : le cheval reprit le trot.

La table était décorée de fleurs et éclairée par des bougies. Madeleine avait aussi déposé dans les assiettes de grosse faïence trois de ses mouchoirs, en guise de serviettes. Il s'établit immédiatement entre elle et Lucien de la complicité. Ils aimaient tous deux Charles. Cet amour, qui les rapprochait, leur donnait aussi licence de s'en moquer légèrement, à la manière de ces personnes qui, s'étant vouées à la même cause, n'acceptent pas la plus anodine critique d'un tiers, mais en plaisantent entre eux. Charles faisait les frais de leur bonne entente.

Il revenait sans cesse aux travaux qu'il entreprendrait le lendemain avec Lucien. Il avait décidé qu'on remettrait en état le puits. Il avait besoin de partager physiquement quelque chose avec son frère. C'était là un besoin trouble et fort dont il n'avait pas claire conscience : aucune moquerie ne réussit à l'en détourner.

— Mais, Charles, finit par dire Madeleine, Lucien n'est pas venu jusqu'ici pour soulever des pierres toute la journée!

Elle se tourna vers Lucien :

« Était-il aussi têtu quand vous étiez enfants ? J'espère que vous ne vous laissiez pas faire!

Lucien sourit; au bout d'un moment, sans cesser de sourire, il se mit à raconter :

— Je me souviens d'un jour, je devais avoir cinq ans et Charles dix. Nous étions en vacances ici, dans la ferme. Je suis sorti de la maison et j'ai vu, devant moi, notre grand-père, notre père et Charles. Ils étaient assis face à la vallée, en ligne, tous les trois exactement dans la même position : coudes aux genoux, menton sur les mains. J'ai eu l'impression d'un mur, d'un bloc auquel je me heurtais.

Charles rit. C'était le genre de souvenirs qu'il adorait qu'on lui rappelle.

Avant de monter se coucher (Séglias avait prêté un lit pour Lucien), les deux frères sortirent l'un après l'autre, avec les mêmes manières furtives de chat. Ils se retrouvèrent dans la cour, à dix

287

mètres l'un de l'autre, pissant face à la nuit. L'air était doux. Les insectes et les feuilles bruissaient dans l'ombre.

« Tu sais, dit Lucien, si j'étais toi, je ramènerais Madeleine en Algérie. Si la guerre vous surprend, que fera-t-elle ici, toute seule?

— Tu crois? demanda Charles.

Il avait confiance dans la perspicacité de son cadet ; une confiance instinctive, qui n'avait pas besoin d'être confortée par des discours. Si Lucien tenait la guerre pour certaine, lui aussi.

— Oui, dit Lucien.

— Bien. Tu as raison... Tu la vois comment, cette guerre?

— Comme le métier de marin.

« Le métier de marin est long et dur » était une de ces scies idiotes que le père Saganne se plaisait à répéter quand il n'y avait pas de dames à proximité.

Lucien reprit :

« Mais de quoi nous plaindrions-nous ? Nous sommes officiers : nous sommes payés pour y aller.

Il y avait dans sa voix une âpreté qu'à un autre moment Charles n'aurait peut-être pas perçue, mais qui, dans le calme de cette nuit, le frappa.

— Tu ne vas pas faire le con? demanda-t-il.

Abandonnant le ton interrogatif il répéta, à l'impératif :

« Ne fais pas le con, hein! Bats-toi, bats-toi bien, mais ne fais pas le con! On n'a pas le droit.

Ils ne s'étaient pas rapprochés et se parlaient sans se regarder, tous deux tournés vers l'obscurité. Au bout d'un moment, Lucien mit le comble aux alarmes de Charles en articulant d'une voix détachée, comme s'il était déjà loin :

— Ma disparition ne sera pas une grosse perte. Ni pour la France, ni pour moi.

— Pour moi, oui. Tu n'as pas le droit...

— Toi, coupa Lucien, tu n'as plus le droit à la parole.

Le lendemain, Lucien descendit tard de sa chambre. Madeleine lui servit son petit déjeuner. Ils bavardèrent jusqu'à onze heures, par-dessus les bols souillés de café, les pots de confiture ouverts, les miettes de pain. Charles, qui charriait des pavés pour le puits, les voyait à travers la porte ouverte. De quoi pouvaient-ils parler?

Ils avaient l'air d'enfants délivrés des devoirs qu'imposent les adultes. Lucien, les cheveux en désordre, vêtu d'une chemise sans col qui dégageait son cou, les mains nouées l'une à l'autre derrière son dos, ressemblait à un de ces adolescents qu'on voit sur les gravures de la Révolution française, souriant jusqu'au pied de l'échafaud.

Après le déjeuner, on paressa au soleil. Les deux garçons finirent par s'endormir, Charles le visage tourné vers le ciel, les mains croisées sur la poitrine, les jambes raides, Lucien affalé sur le ventre, la joue écrasée dans l'herbe, bras et jambes écartés.

Madeleine rentra dans la cuisine pour faire la vaisselle. Quand elle ressortit et que, du haut du perron, elle les vit ainsi, immobiles sur la terre, elle fut saisie d'une peur atroce, et dut se raccrocher au montant de la porte.

Lucien prit le train de cinq heures. Le surlendemain, Charles et Madeleine quittèrent Daillou à leur tour.

Ils apprirent l'assassinat de Jaurès au milieu de la Méditerranée, sur le bateau qui les ramenait à Alger. Charles n'avait pas pour Jaurès de sympathie particulière. Depuis son départ pour le Sahara, le théâtre politique était la moindre de ses préoccupations. Il n'avait pas non plus suivi les efforts des socialistes pour maintenir la paix. Mais ce meurtre sonnait le glas de ses derniers espoirs. La folie l'emportait, l'absurdité.

Il partit à grands pas sur le pont, jurant entre ses dents :

— Ah! les cons! Ah! les sacrés cons!

Ce n'était pas l'assassin de Jaurès qu'il fustigeait. C'étaient les Serbes et les Autrichiens, les Anglais et les Russes, les Allemands et les Français, la furie de destruction qui emportait ses compatriotes et tous les Européens.

Suspendue à son bras, effrayée par sa violence, Madeleine n'osait rien dire. Elle ne savait pas très bien qui était Jaurès, mais en avait entendu dire le plus grand mal dans sa famille. Elle ne comprenait pas pourquoi sa mort plongeait Charles dans une telle colère. A la fin, comme il s'accoudait au bastingage, elle risqua un timide :

— Tu l'aimais donc bien, Jaurès?

— Je me fous de Jaurès! cria-t-il.

— Alors, pourquoi...?

A ce moment, un officier de bord passa, en clamant à la cantonade : « Le Kaiser a signé le décret de mobilisation. Nous venons de recevoir le radiogramme. » Il s'éloigna, répétant de groupe en groupe : « L'Allemagne mobilise. Nous venons de recevoir le radiogramme. Le Kaiser a décrété l'état de siège... »

Charles recouvrit avec sa main la main de Madeleine posée sur la rambarde :

— Voilà pourquoi, dit-il... Madeleine, cette guerre va être la plus grande imbécillité de l'histoire. Si un jour je te dis le contraire, ne me crois pas. C'est maintenant que je vois clair, au milieu de la mer, loin de tous ces fous.

— Mais, dit Madeleine (elle était au bord des larmes), si l'Allemagne nous attaque, il faut bien que nous nous défendions!

— Eh oui! dit-il.

Deux larmes jaillirent sous ses paupières, s'arrondirent, puis glissèrent sur ses joues. Il la prit dans ses bras, lui parla tout près de l'oreille :

— Non, Madeleine. J'irai avec les autres. Mais il ne faut pas que tu pleures, ni maintenant, ni plus tard, ni jamais. Quand la guerre sera finie, et ce sera rapide, tu verras, je démissionnerai et nous irons au Maroc. Nous planterons des orangers. Nous ne nous séparerons plus.

Elle recula son visage :

— C'est vrai? Tu ne dis pas ça pour me consoler?

— Non, c'est la vérité.

— Promets-le-moi!

Il leva la main droite :

— Je le jure.

— Tu as souri : ça ne compte pas!

Il leva plus haut sa main et répéta sans sourire :

— Je le jure.

A Alger, sur le boulevard du front de mer, sous l'éclatant soleil d'août, des jeunes gens défilaient en hurlant : « A Berlin! », « Mort à Guillaume! » Accroupis sous les arcades, les Arabes les regardaient passer d'un œil atone. Des commerçants avaient découpé dans les journaux et collé contre les vitrines les titres qui annonçaient la mobilisation générale et la proclamation de Poincaré. Dans le fiacre, Charles dit à Madeleine :

— Tu prendras le train pour Djelfa ce soir, ou demain. Ici, je ne pourrai pas m'occuper de toi.

— Pourquoi? Que vas-tu faire?

— Je vais essayer d'obtenir une affectation.

— Quelle affectation? Tu dois regagner ton poste. Le commandant du bateau l'a dit : tous les officiers doivent regagner leur poste.

— Ce serait absurde que je retourne à Tamanrasset en ce moment.

— Pourquoi donc?

Il posa la main sur les genoux de sa femme :

— Ecoute, Madeleine, sois bonne; fais ce que je te dis.

Elle prit son air buté :

— Je ne te quitterai pas. D'ailleurs, je ne veux pas retourner à Djelfa.

— Tu veux faire quoi, alors?

— Rester à Alger avec toi.

— Et si je pars?

— Je t'attendrai.

— Seule?

— Pourquoi pas? Je suis une femme mariée!

Charles hésita à se mettre en colère. Finalement, il y renonça. Il était persuadé que, lorsque Madeleine l'aurait attendu deux jours enfermée dans une chambre d'hôtel, elle demanderait elle-même à retourner chez ses parents.

Pourtant, lorsqu'il la retrouva en fin de journée, après avoir couru les bureaux et reçu partout la même réponse : « Nous n'avons pas d'instructions », elle était radieuse :

« J'ai trouvé un appartement. Deux pièces et une cuisine dans la villa de M. et Mme Boquillon. C'est tout meublé. Ils cherchaient justement un locataire.

— Comment as-tu trouvé les Boquillon?

— J'ai téléphoné à la poste centrale. J'ai eu M. Boquillon immédiatement. Ils nous attendent. Oh, Charles, allons-y! Allons-y tout de suite!

Il céda à son enthousiasme. Ils s'installèrent le soir même, aidés par Mme Boquillon qui, pour faire l'aimable, se récriait sur la modestie des lieux :

— Il n'y a pas de rideaux : le jour vous réveillera! Et comment pourrez-vous dormir dans ce petit divan? C'est un logement de célibataire! Ah, si j'avais su que c'était vous que nous aurions, j'aurais pris plus de peine!

Mais Madeleine était décidée à trouver parfaites les deux pièces nues, surchauffées par le soleil, et le bout de véranda vitrée où, au milieu des pots de cactus, on avait installé un évier et un fourneau.

— Naturellement, vous pourrez disposer à volonté du jardin et de la buanderie, proposa Mme Boquillon, tout éperdue d'obligeance.

Le jardin était une étroite bande de terrain en pente où le ciment — escalier et murs de soutènement — occupait plus de place que les fleurs. Quant à la buanderie, elle puait la moisi. Mais il y faisait frais, et l'on pouvait se doucher dans le lavoir.

Charles et Madeleine vécurent chez les Boquillon d'août 1914 à février 1915. Sans le dire à sa femme, Charles avait déposé auprès du Bureau des troupes sahariennes, dont il dépendait, une demande pour être envoyé au front. Elle était restée sans réponse. Pour éviter de retourner à Tamanrasset, il avait saisi le seul moyen qu'on lui ait proposé : se porter volontaire pour un stage de mitrailleur. A la fin de son stage, on l'avait affecté à l'instruction des tirailleurs algériens. Les fournées de pauvres bougres se succédaient, mois après mois, dans les baraquements de la caserne de Birkadem. Chaque fois qu'il revenait du port, où il avait accompagné jusqu'au bateau sa colonne de gars résignés et silencieux, il s'arrêtait au café chantant *La Perle*, place Bugeaud, et buvait coup sur coup trois absinthes. Quinze jours après le départ pour le front de ses premiers tirailleurs, il avait reçu de l'un d'eux une lettre qui commençait par : « *J'ai l'honneur de porter à votre connaissance qu'ici c'est la merde* », et se terminait par : « *J'ai compris à quoi on sert : à marcher devant avec les nègres. Des cinquante du début, on reste quatre entiers maintenant.* »

Puis il rentrait, à pied, par les ruelles de la Casbah et le sentier, bordé de jujubiers, qui montait à flanc de colline. Quand il arrivait, il trouvait Madeleine sur leur divan, cousant ou lisant. Elle ne quittait pratiquement jamais leurs deux pièces. On aurait dit qu'elle craignait que leur semblant de foyer ne disparaisse pendant son absence. Il l'embrassait sur les cheveux et allait s'asseoir loin d'elle pour qu'elle ne sente pas qu'il avait bu. Selon l'humeur où l'alcool l'avait mis il se taisait ou parlait trop : elle le couvait du même sourire. Il avait été fier de l'esprit d'initiative qu'elle avait montré en trouvant un appartement et, sans se l'avouer, très content qu'elle refuse de retourner chez ses parents. Mais, maintenant, son égalité d'humeur, la façon dont elle évitait le moindre heurt entre eux, sa soumission l'agaçaient. Il avait beau se répéter que c'était là aussi des preuves de vaillance, il ne pouvait s'empêcher, certains soirs, de relever ses airs de garde-malade, ses manières de sœur de charité. Il le faisait tantôt en riant, tantôt sèchement, dans tous les cas inconscient des blessures qu'il portait. La nuit, lorsqu'il se réveillait, il sentait les larmes de Madeleine couler sur son épaule. Parfois il lui demandait pardon; parfois non. Ils restaient alors serrés l'un contre l'autre sur l'étroit divan, chacun fermé dans son silence. Les seuls moments de bonheur franc, ils les goûtaient dans la buanderie lorsqu'ils se lavaient ensemble, étouffant leurs rires pour ne pas effaroucher Mme Boquillon et ne pas donner l'alerte au jeune André, toujours prompt à coller au carreau sa figure boutonneuse.

Un soir de janvier 1915 alors que, sous une pluie battante, il veillait à l'installation de ses tirailleurs sur le pont du paquebot qui allait les emmener à la boucherie, il vit René Hazan qui montait la passerelle, son burnous rouge dégoulinant d'eau. Il descendit à sa rencontre.

Le premier mouvement d'Hazan fut de surprise (« Comment! Tu n'es pas parti? »), et le second pour se réjouir d'avoir trouvé un compagnon de traversée (« Avec un peu de chance, on montera jusqu'au front ensemble. Quel est ton régiment? »). Saganne dut avouer qu'il ne partait pas. Et, comme il ne supportait pas le regard d'Hazan, il lui serra la main et sauta sur le quai.

Pendant le dîner, il dit brusquement à Madeleine :

— J'ai rencontré René Hazan tout à l'heure.

— Ah! dit Madeleine.

— Il s'embarquait. Il s'est sûrement porté volontaire.

Pour éviter de répondre, Madeleine se leva et gagna la cuisine. Le lendemain matin, elle écrivit à son père en le suppliant d'intervenir pour que Charles soit maintenu en Algérie. Cette lettre, elle n'osa pas l'envoyer, mais ne se décida pas non plus à la déchirer. Elle la glissa dans la poche de sa robe de chambre. Elle la touchait dix fois par jour, comme un talisman.

Elle guettait aussi les lettres que, plus ou moins régulièrement, Foucauld adressait à Charles pour le tenir au courant de la situation au Sahara. Elle espérait qu'il y trouverait des raisons de détourner son esprit de la guerre et, peut-être, un jour, de retourner à

Tamanrasset. Après tout, Wattignies et d'autres officiers y étaient encore, et personne ne trouvait ça déshonorant.

Saganne avait lu avec passion les premières lettres où Foucauld lui apprenait que, si le Hoggar tenait, grâce à la fidélité de l'amenokal Moussa, on avait dû, faute d'effectifs, évacuer le pays ajjer et en particulier Inféléeh, où Sultan Ahmoud régnait en maître. Pendant plusieurs jours, Charles n'avait parlé que de cet abandon, tantôt avec colère, tantôt avec tristesse. Mais, le temps passant, c'est à peine s'il parcourait les lettres de Foucauld. Il les dépliait, puis les abandonnait aussitôt. Les aurait-il seulement ouvertes si Madeleine n'avait pas insisté ? Que lui importait de savoir ce qui se passait au Sahara, puisque son cher pays ajjer était perdu, et que la guerre barrait tout l'horizon ?

C'est sur le champ de tir de Birkadem qu'on apporta à Charles le télégramme annonçant la mort de Lucien.

Il sauta à cheval. Trois quarts d'heure plus tard il était dans le bureau du commandant Paillol, à la direction des troupes sahariennes.

— Maintenant, ça suffit, dit-il. Mon frère vient d'être tué. Vous ne pouvez plus me maintenir ici.

Il s'embarqua trois semaines plus tard. Il avait refusé que Madeleine l'accompagne au bateau. Il l'avait laissée debout sur le seuil de la véranda, cheveux défaits, pieds nus, bouche ouverte, enlaidie par la douleur.

CHAPITRE XV

Il y a eu la viande chaude, servie dans des assiettes. Il y a les draps, de vrais draps de lin épais. Il y a, juste au-dessus de sa tête, le bruit mou de la pluie sur le toit d'ardoise. Tout à l'heure, il a cru percevoir un grondement dans le lointain. Il tend l'oreille. Mais non, ce n'est rien. Pendant trois jours, quatre peut-être, il n'entendra plus le crépitement de ses mitrailleuses, le claquement des lebels, les coups de départ des batteries de 75, le fracas des marmites allemandes dégringolant par bordées. On les a retirés de la ligne de feu aussi brusquement qu'on les y avait envoyés.

A l'aube, un lieutenant impeccablement sanglé, mais déjà crotté jusqu'au ventre, est entré dans sa casemate :

— Deuxième section de mitrailleurs du 125e?

— Oui.

— Je vous relève.

— Et moi, je vais où?

— Cantonnement de repos. Un orphelinat. On en vient.

Dans la tranchée, ses hommes bourraient déjà leur musette et passaient les consignes aux nouveaux venus.

Ils ont marché trente kilomètres, traversant les villages vides où les portes des granges battent, où le fumier s'étale jusqu'au milieu de la route. A Charny, à moins que ce ne soit à Chattencourt, un paysan fuyait, attelé au chariot où il avait entassé de la vaisselle, un matelas, et une énorme glace au cadre de stuc doré. Il a attrapé Saganne par la manche :

— Vous, l'officier, qui va me dédommager? Mes bouteilles, ma paille, mes vaches? Ils m'ont tout brigandé, vos soldats! Tout!

Les hommes se sont moqués de lui, sans méchanceté :

— Faut pas t'ensauver comme ça, panouille! Y sont cloués, les Boches, y s'avancent plus!

— Vise le bath miroir! C'est-y que tu tenais un bordel, ou c'est-y pour admirer ta tronche?

A midi on a fait halte près d'une rivière, dans une saulaie. Débarrassée des mitrailleuses, les mules se sont mises à paître, sans s'éloigner les unes des autres. C'est une habitude qu'elles ont prises : sous le feu, elles ne s'affolent pas ; elles se serrent, croupes et encolures emboîtées. Des soldats ont sorti leur linge sale et l'ont savonné, agenouillés dans les joncs. D'autres se sont déshabillés, malgré la température, et se sont baignés. Enfoncés dans l'eau jusqu'aux cuisses ils s'éclaboussaient, s'ébrouaient comme des gamins. Leurs visages, leurs cous, leurs mains sont tannés par le soleil. Les corps sont blancs : chair à mitraille.

Le gros sergent allongé dans le lit près de Saganne ne s'est pas lavé. Il sent fort. Depuis un mois que le lieutenant vit avec lui, il ne l'a pas vu une seule fois retirer son tricot de corps grisâtre et son caleçon de flanelle. Chaque fois qu'il dévoile ses dessous, le sergent explique : « Je crains des reins et de la poitrine. C'est de naissance. Mon défunt père était tout pareil. »

Il se retourne en grognant, fait un bruit mouillé de lèvres, comme s'il tétait. Dans le civil, il montait des chauffages à eau. Il dit : « On m'aurait laissé aller, dans cinq ans j'avais dix compagnons. Quand j'ai fait l'installation de M. de Castellane, la marquise est venue : ''Guyot, ça chauffe ; permettez que je vous serre la main.'' Moi, je le dis : ''Le progrès, c'est l'avenir.'' » Il a des jumelles, dont il montre la photographie à toute occasion, le doigt pointé : « Tu vois, là, c'est Marcelle, et là, c'est Marguerite. Non ; attends, là c'est Marguerite, et là, avec le ruban, c'est Marcelle. » Au feu, il tient sa place sans témérité ni zèle. C'est un genre que Saganne apprécie. Il se méfie des bravaches et des loustics avides d'exploits.

Avant le dîner, il vacillait de sommeil. Dès qu'il s'est couché, c'est passé. Il se moque de ne pas dormir. Endormi, il ne jouirait pas du bruit doux de la pluie, des draps. On les a sortis de la boue et de la mitraille, on les y renverra. Pour l'instant, la vie est bonne. Il met ses mains sous sa nuque. Les images défilent : Madeleine et Courette sur le perron de la maison de Daillou, Embarek qui recoud le bouton de sa tunique et, du bout du pied, pousse un morceau de bois dans le feu, les lauriers-roses d'Essendilène, l'aiguilleur qui a crié, alors que le train qui le menait au front était arrêté en pleine nuit : « Troyes ? Ah ben ouiche ! Vous roulez sur Verdun ! » ; les fossettes sur les reins de Madeleine, ses seins qu'il rapproche d'une seule main, son torse où l'on voit la ligne des côtes, son ventre. Il se reprend, se lance sur Foucauld, Wattignies,

FORT SAGANNE

l'entrevue de Iherir avec Sultan Ahmoud, la lettre que son père lui a écrite après la mort de Lucien : « *Il est tombé en brave, pour le salut de la patrie. Je le pleure mais je ne regrette rien.* »

Depuis qu'il est engagé dans cette guerre, il ne la trouve plus idiote. Il n'en a plus le loisir. Il lutte contre la faim et la soif, la fatigue et le froid, la peur. Il commande ses mitrailleurs. Il fait son devoir à la place qu'on lui assigne, c'est son métier. A peine s'agace-t-il de l'exaltation de certains officiers qui pérorent sur l'âme française et la barbarie boche, le saint combat du droit contre la force, la régénération du pays par le sacrifice. Qu'importent ces discours? L'important, c'est que chacun tienne. Si cela doit les aider, pourquoi non? Il finit par s'endormir.

Il se réveille tard, les yeux collés, transpirant sous le poids de l'édredon rouge. Guyot ronfle encore. Hier soir, à la lueur de la bougie, Saganne a mal vu la chambre où on les a logés, dans le pavillon du gardien. Dans le jour gris, il découvre la machine à coudre protégée par son coffre de bois, le fauteuil en tapisserie, le bouquet de mariée sur la cheminée, le crucifix et le brin de buis sec, glissé sous le bras du Christ. Il se lève et sort avec son rasoir et sa serviette.

De l'autre côté de la cour, sous les tilleuls dénudés, les orphelines sont alignées sur trois rangs. Elles ont la tête enveloppée dans des châles au crochet; leurs capes cachent leurs bras et tombent sur leurs souliers.

Les sœurs sont massées au pied d'un rocher artificiel enrichi de coquillages et entouré par une grille basse. Au sommet, sous un dais que supportent quatre colonnettes torsadées, une statue de sainte Anne en plâtre lève les yeux au ciel. La supérieure indique la cadence à deux bras, un harmonium que Saganne ne voit pas prélude, et toutes les voix entonnent :

O sainte Anne, ô mère chérie,
Garde, garde en nos cœurs la foi des anciens jours,
Entends du haut du ciel le cri de la patrie,
Catholiques et Français toujours,
Entends du haut du ciel le cri de la patrie.

A la fin du cantique le vieux jardinier, qui s'est mis au garde-à-vous devant les clapiers vides, tire un coup de fusil pour faire fête et guerre.

297

Les jeunes filles s'éloignent, en rang par deux. La supérieure marche jusqu'à Saganne. C'est une femme encore jeune, bien charpentée, avec des joues rubicondes et une ombre de moustache. Une paysanne qui, si elle n'avait pas choisi Dieu, régnerait sur une ferme de la plaine champenoise :

— Nous évacuons, lieutenant. Nos bâtiments ont été affectés aux services de santé. Ils doivent en prendre possession ce matin. J'espère que vous pourrez tout de même y achever votre repos. J'ai fait distribuer du café à vos hommes, et ce qui nous restait de confitures.

— Merci, ma sœur.

— Lieutenant, vous serez, vous et vos hommes, les derniers combattants que je secourrai. Il en a tant défilé dans nos vieilles granges! Ils ne se sont pas toujours conduits en saints. Ils m'ont mise en peine, certains jours. Mais je les ai aimés tous, et peut-être, Dieu me pardonne, les chenapans plus que les autres. Permettez-vous que je vous embrasse, comme une mère, puisque je n'ai pas pu embrasser les autres?

Elle plaque trois baisers à la suite sur les joues du lieutenant, puis s'en retourne, de sa démarche glissante, les mains cachées dans ses manches.

Saganne se met torse nu près du bassin. Sa mauvaise nuit l'a abruti. L'eau froide est un bienfait. Sa toilette faite, il s'installe sur un banc, et griffonne sur ses genoux des lettres pour Madeleine, pour son père, pour sa sœur. Elles ont toutes trois le même ton, à peu de chose près : cette simplicité rassurante qu'ils adoptent tous pour donner de leurs nouvelles à l'arrière. Même les phrases destinées à Madeleine sont d'une sagesse extrême, comme s'il y avait péril à exprimer la passion autrement que par des banalités.

Il est sorti une seule fois de cette réserve. C'était quinze jours après son arrivée au front. Les Allemands venaient de faire une percée, puis s'étaient retirés. Son régiment était en appui. On l'avait lancé pour réoccuper le terrain où, pendant deux jours, le combat avait fait rage. Tandis qu'ils montaient en ligne, ils avaient longé un talus où des dizaines de cadavres étaient adossés, les yeux ouverts, les visages noircis, les membres enflés gonflant les uniformes. L'odeur était insoutenable. Les hommes marchaient tête basse, respirant au plus juste. Lorsqu'ils avaient atteint leur position à la tombée du jour, le feu avait cessé depuis plusieurs heures déjà. Devant eux, dans la terre labourée par les obus, les blessés gisaient encore. On les entendait sans les voir. Ils ne gémissaient pas. Ils criaient — douleur et fureur — et appelaient au secours avec des voix terribles :

— Brancardiers! Brancardiers! Brancardiers! Brancardiers! Où qu'ils sont, les brancardiers! Qu'est-ce qu'ils foutent! Ils ne savent que se planquer, ces cochons-là! Brancardiers! Brancardiers! Je vais pas crever là, quand même!

Dans sa tranchée, Saganne n'avait pas le droit de bouger. Avec Guyot, en rampant, ils en avaient ramené tout de même trois. Le plus jeune avait eu la cuisse droite et le bas du ventre déchiquetés par un chrapnel. Toute la nuit, il avait appelé sa mère, comme ils font tous, puis il s'était tu : il était mort, la tête rejetée en arrière, les cheveux dans la boue.

Au matin, Saganne s'était mis à écrire une lettre délirante, obscène, surpris lui-même et soulagé par cet excès. Il l'avait postée quatre jours plus tard sans la relire, ajoutant seulement au début : « *Pardonne-moi ces folies. Mais c'est aussi ça mon amour.* » Madeleine a répondu : « *J'ai adoré tes folies. Tu es mon amour qui me fait trembler, que j'adore et que je bénis.* » Il n'a jamais recommencé.

A dix heures, deux autocars arrivent. Les orphelines et les sœurs y entassent leur bagage. Les soldats, ceux du moins qui ont émergé de la paille des granges, les aident.

Saganne erre dans la cour, désoccupé, vaguement fiévreux. Le mieux serait de retourner se coucher, pour effacer une bonne fois sa fatigue. Au moment où il s'y décide, trois ambulances franchissent la grille. Il revient sur ses pas. Il veut s'assurer auprès des nouveaux responsables que sa section n'aura pas à déguerpir.

La première ambulance s'est rangée devant le grand bâtiment gris. La jeune femme qui la conduisait en descend avec des gestes lents. Saganne porte sa main en avant pour trouver l'appui et l'abri d'un tilleul : l'ambulancière à l'uniforme blanc, qui défroisse sa jupe d'une main lasse, c'est Louise.

Bientôt, elle est rejointe par les autres occupants des ambulances, trois hommes vêtus de fin drap bleu ardoise, cinq femmes en costume tailleur immaculé : la simplicité des lignes, la rigueur des épaules dénotent le grand couturier. Ils forment un groupe élégant et comme alangui, que ni les sœurs ni les soldats n'osent approcher.

On dirait des propriétaires au pesage de Longchamp, isolés du vulgaire par une invisible barrière.

Le sergent Guyot arrive derrière Saganne en traînant les pieds.

Il est hirsute, bouffi de sommeil.

— Qu'est-ce que c'est que ces cocos-là ? demande-t-il en remontant sa culotte à deux mains.

— Je ne sais pas. Va voir.

Guyot se gratte la peau du crâne et lance, avec une malice goguenarde qu'il ne se permettrait certainement pas s'il n'était encore à demi endormi :

— Vous jouez à la cachette, derrière votre arbre, mon lieutenant ?

Saganne ne relève pas.

— Va voir, répète-t-il.

Son regard ne quitte pas Louise. La mère supérieure a posé les ballots de couvertures qu'elle transportait et est entrée en conversation avec le groupe. Guyot vient se planter, mains aux poches, entre deux ambulancières. Son odeur les alerte au même instant, et elles enchaînent avec ensemble, comme dans une pantomime, des mimiques exactement semblables : leurs visages se tournent avec un frémissement ; nez en avant, elles toisent le gros sergent de haut en bas, puis lui sourient avec cette amabilité exagérée qu'affichent les voyageurs reçus chez des sauvages.

Au bout d'un moment, faussement musard, Guyot revient à Saganne :

— C'est des bénévoles ; l'antenne médicale du comte de Beaumont, à ce qu'ils disent. Ils ont un ordre de mission signé par le ministre de la Guerre. Des duchesses qui font leur promenade au front, quoi ! Les hommes, c'est des tantes, et les dames sont pas nées d'hier. Sauf la Carmen aux yeux de braise. Vous la voyez ? Je l'accompagnerais bien aux fraises, cette particulière ; le genre espagnol, ça me botte. Mais c'est pas de la cuisse pour moi, ni pour vous, mon lieutenant, tout joli gars que vous êtes. Comme disait mon défunt père, et sauf votre respect : faut pas arder plus haut que sa braguette...

Pendant que Guyot parlait, la supérieure a dû informer les nouveaux venus que l'orphelinat servait de cantonnement de repos : le plus âgé des hommes laisse tomber son monocle et hoche la tête avec approbation; les autres caressent des yeux les soldats qui vont et viennent autour d'eux. Puis la supérieure ajoute une phrase. Charles lit sur ses lèvres : « section du lieutenant Saganne ». Louise, qui avait détourné la tête vers les autocars autour desquels les mitrailleurs et les orphelines s'affairent, pâlit, tressaille. C'est si net que son voisin tend, par réflexe, son bras pour la secourir. Elle se reprend aussitôt, remercie, rassure. En même temps, son regard fouille l'espace autour d'elle. Saganne s'est vivement rejeté derrière le tronc du tilleul. Elle ne peut voir que son bras, la naissance de l'épaule. Deux minutes plus tard, elle est devant lui.

— Tu te cachais?

— Elle a maigri. Ses joues un peu creusées font paraître plus grands les yeux et accentuent le dessin des lèvres. Elle est, plus que jamais, la femme limpide qui s'est offerte à lui sans s'abandonner.

Charles retient son souffle, en proie à un bouleversement qu'un instant plus tôt il n'eût pas cru possible. Il est furieux de son manque de sang-froid, furieux contre Louise qui l'a débusqué, honteux de son uniforme défraîchi, de son apparence misérable.

— Oui, je me cachais.

Le tailleur blanc, le calot bleu posé sur ses cheveux, qui devrait être ridicule et qui ne l'est pas, ne font pas de Louise une infirmière. On dirait plutôt une amazone qui aurait abandonné la chasse un instant.

— Veux-tu que nous fassions semblant de ne pas nous connaître?

Il hausse les épaules, puis ferme les yeux. Lorsqu'il les rouvre, Louise est toujours là. L'a-t-elle jamais quitté? Il remarque qu'elle a une croix rouge brodée à la place du cœur :

— Mon frère s'est fait tuer, dit-il.

La phrase qui vient après celle-là, tant, dans son esprit, Louise et Lucien sont liés, c'est : « Maintenant, il ne me reste plus que toi. » Il retient les mots une seconde, puis les prononce :

« Maintenant, il ne me reste plus que toi.

Elle lui saisit la main gauche, fait tourner le pouce et l'index autour de l'alliance qu'il porte, lâche sa main :

— Il te reste ta femme et tes enfants.

Louise est comme le désert : elle le dépouille des boursouflures, des faux-semblants. Elle ne lui pardonne rien, mais elle ne peut pas l'humilier. La boue des tranchées est humiliante. Il ferme à

nouveau les yeux : derrière ses paupières, il y a les dunes de l'erg
Admer, les lignes de leurs crêtes, aiguës comme des lames, les amoncellements de sable où rien ne pousse, que rien ne souille. Pourquoi soudain cette fascination ? Pourquoi ce vertige ?

— Nous n'avons pas encore d'enfant.

Elle a baissé les yeux pour suivre la main de Charles, qui est
retombée contre sa cuisse. Elle relève la tête avec une vaillance
gaie, un peu moqueuse :

— Et tu es heureux ?

A Louise, il veut dire la vérité. Il met les mains dans ses poches,
courbe les épaules :

— Je déteste cette guerre. Je n'en vois que l'odieux.

Elle a pris un air sévère :

— Comment peux-tu dire une chose pareille, quand tout le
meilleur de ce pays est soulevé par une admirable...

Il l'interrompt :

— Tu parles comme les journaux de l'arrière. Il est vrai que
tu les fais... Vos dissertations me font vomir.

— Je ne comprends pas.

Elle a froncé les sourcils. Ses yeux sont attentifs. Elle veut comprendre ; non comme une femme cherche à comprendre un homme,
mais en journaliste :

« Je ne vois pas comment tu peux trouver odieuse une guerre
dont dépend le sort de la France, alors que tu trouvais magni-
fiques tes combats contre les nègres dont l'enjeu était, tu en convien-
dras, presque nul à côté.

— Tu as complètement raison.

Il le dit sans y croire, comme pour se débarrasser de quelque
chose. Il se rend compte que, s'il a fait dévier leur conversation
sur la guerre, c'était parce qu'il ne voulait pas parler de Madeleine.
Son émotion est tombée. Il en est à la fois soulagé et dépité. Il
se réfugie, s'enferme dans une lucidité un peu courte, indolore :
il n'y a pas de miracle de l'amour. Louise, c'était son dernier
conte d'enfant. La femme qu'il aime, c'est Madeleine. D'ailleurs,
s'il aimait encore Louise, il se tairait, insoucieux de se justifier.
Et il parle :

« Il y a pourtant une différence. Au Sahara, peu d'hommes
étaient engagés. Ici, nous sommes des millions.

— L'avenir du monde est en jeu ! Toutes les nations sont intéres-
sées. Comment voudrais-tu...

— Je ne veux rien, dit-il.

Il sourit, sans joie :

« Quand il y a trop de morts, je ne vois plus qu'eux. Des milliers de cadavres, c'est monstrueux.

— C'est absurde ! s'exclame-t-elle. Avec des raisonnements de ce genre...

— Ce n'est pas un raisonnement.

La bouche de Louise s'est affaissée. Des ombres grises cernent ses yeux.

« Tu devrais aller te reposer, dit-il, Tu es fatiguée.

— Non.

Ils se taisent. Là-bas, les amis de Louise sont entrés dans l'orphelinat à la suite de la supérieure. Les soldats ont fini de charger les autocars, et sont retournés dans leurs granges. Les orphelines aussi ont disparu. Louise relève la tête :

« Je suis venue dans ce secteur parce que je savais que ton régiment y était. Mais tu aurais préféré ne jamais me revoir, n'est-ce pas ?

— Je suis marié.

— Marié et fidèle ?

— Si je peux, oui.

— Ça veut dire quoi : « Si je peux » ?

— Ça veut dire si je résiste à la tentation sans trop de dommages.

— Et tu peux ?

— Pour l'instant, oui.

— Tu aimes ta femme ?

— Oui.

— Tu l'aimes plus que tu ne m'as aimée ?

Il la regarde en face :

— Non.

Elle détourne les yeux, appuie sa main gantée au tronc de l'arbre :

— Tu es impitoyable. Je plains ta femme, si tu lui sers la vérité avec autant de brutalité. Mais peut-être est-ce une faveur que tu me réserves ?

Il ne répond pas. Maintenant, il a envie qu'elle le laisse, qu'elle aille rejoindre ses duchesses.

« Sais-tu ce que j'espérais ? dit-elle. Ce que je voulais, ce que j'avais combiné ? Que tu me fasses un enfant ! J'avais oublié que tu n'aimes pas les bâtards...

Saganne tourne le dos et s'en va.

303

Il traverse la haie de charmille qui sépare de la cour les communs où sont logés ses hommes. Dans le jardin potager, les soldats arpentent les allées par groupes de trois ou quatre. Ils vont lentement, sans parler, comme devaient le faire les religieuses, leur attitude et leur allure commandées par la disposition de cet espace clos, sillonné de courbes. Les deux cuisiniers ont tiré le fourneau roulant sous l'auvent du lavoir.

Assis côte à côte, ils plument des volailles à poignées. Avant d'être affectés à la section de Saganne, ils ne se connaissaient pas. Mais ils sont du même canton de Corrèze et se sont aussitôt appariés, formant, à eux deux, moins un couple de compagnons qu'une petite société, réfractaire à ce qui l'entoure.

L'arrivée du vaguemestre provoque une ruée : les hommes sautent les bordures de buis, piétinent les carreaux de laitues pour entourer plus vite le bonhomme à képi. Il sort les lettres de sa sacoche, une par une, avec des gestes rétrécis d'avare qui fouille un trésor, lit à haute voix le nom du destinataire, et ne remet l'enveloppe dans la main qui se tend qu'après avoir demandé, méfiant : « Tu es sûr que c'est toi, Peilloux Adolphe? (ou Frémontier Léon, ou Lamiraux Gustave); montre voir ta binette! »

Lorsqu'il a terminé sa distribution, il s'approche du lieutenant et lui tend un paquet rectangulaire.

— Rien d'autre? demande Saganne.

Madeleine lui écrit tous les jours. Mais ses lettres arrivent irrégulièrement, d'ordinaire cinq ou six à la fois. Il n'a rien reçu depuis une semaine.

— Rien, dit le vaguemestre.

Saganne déchire le cartonnage marron et découvre un livre. Le papier est luxueux. Sur la couverture glacée le nom de l'auteur et le titre figurent en caractères pseudo-gothiques : René-Marie Geindroz, *le Désert de vie*. Une lettre y est jointe, que Saganne lit d'abord. Il a reconnu l'écriture de Dubreuilh :

Mon cher Saganne,

Le petit Geindroz m'a envoyé quatre exemplaires de l'opuscule qu'il a fait éditer, à ses frais je suppose. Je vous en adresse un. Peut-être l'avez-vous déjà? La langue en est belle.

Vous faites votre devoir, je le sais. Je ne vous en félicite pas. Rien n'est plus commun aujourd'hui.

Il n'est qu'une façon de considérer cette guerre : préalable nécessaire à la reprise des hautes tâches de civilisation. L'Allemagne écrasée, nous construirons de Tunis à Tanger et d'Alger à Tombouctou cette confédération des royaumes franco-arabes où s'épauleront le meilleur de la Chrétienté et le meilleur de l'Islam.

Gardez-vous vivant et dispos pour cet avenir. Je compte sur vous.

Saganne glisse la lettre dans sa poche et ouvre le livre de Geindroz. Ce sont des paragraphes brefs que sépare le dessin stylisé d'une palme. Dès le premier, il sent monter en lui l'irritation : « Oh! accéder à un monde où tout sera simple et bien en place, où tout sera simple et visible. Puisse chaque étape du désert être utile à mon cœur! » Il tourne quelques pages, tombe sur : « ... la terre de confiance éparse, le continent vénérable où les noces de la chair et de la mort font éclater le carcan dans lequel le monde d'Occident nous a enserrés... » A ce coup, il ricane, et feuillette le livre jusqu'à la fin. Le dernier paragraphe est encore le plus beau : « De tout mon cœur, j'ai voulu des âmes des apôtres, des vierges et des martyrs la pauvreté, l'humilité et la piété : j'ai voulu, j'ai voulu de tout mon cœur la chasteté qui les ceint et la foi qui les couronne; j'ai voulu leur grâce et leur force. Aujourd'hui il n'importe que je sois mauvais ou que je sois triste. Je suis marqué du signe de la France. Par-delà mes faiblesses et mes doutes, je suis l'enfant d'un sang qui n'a jamais failli. Je peux connaître les transes des nuits sans sommeil, m'affoler de chimères : la France vertueuse, casquée de raison, cuirassée de fidélité, la France généreuse me prêtera sa vertu, sa raison, sa fidélité. »

Quand il relève les yeux, fulminant intérieurement contre ces phrases où il ne voit que pose, indécence et sottise, il aperçoit Louise qui s'approche, soulevant sa jupe sur ses bottines noires.

— Je viens t'inviter à déjeuner : Mᵐᵉ Edwards et le poète Jean Cocteau souhaitent te connaître.

— Moi, non, dit-il.

Il tend le livre :

« Tiens, je te le donne. Ça te plaira.

Elle le prend, sans y faire attention.

— Charles, nous partons après le déjeuner chercher des blessés. Je ne sais pas quand nous reviendrons.

— Vous reviendrez vite : ce ne sont pas les blessés qui manquent. Maintenant, tu me pardonneras, mais je dois faire l'appel de mes hommes.

Elle attrape sa manche :

— Tu ne peux pas me laisser comme ça. Il y a deux mois que je te cherche. Je me suis engagée pour te retrouver.

Il dégage son bras :

— Que veux-tu que je fasse? Que je t'entraîne dans ma piaule, que je te bascule sur le lit que mon sergent, qui pue comme un bouc, a imbibé de sa sueur, que nous forniquions entre la machine à coudre et le pot de chambre et qu'après nous nous essuyions avec nos mouchoirs?

Ces mots, qu'il a prononcés pour dégoûter Louise et se purger lui-même de son désir, ont l'effet inverse : ils donnent corps à la tentation. Le pavillon du gardien est à cinquante mètres. En longeant la haie, ils y seraient en trois minutes. Il sent monter derrière ses côtes des halètements de chien.

« Viens, dit-il.

— Non, pas comme ça.

— Si, comme ça!

— Ce sera triste.

— Je m'en fous.

Ils restent enfermés dans la chambre jusqu'au soir. Tout le monde les a vus marcher vers le pavillon du gardien. Personne ne les dérange.

Le lendemain, Louise part chercher les blessés. Saganne dort encore. Les deux jours suivants, il traîne d'interminables parties d'échecs avec Guyot. Entre chaque coup, il s'endort sur sa chaise, ou tombe dans de si profondes rêveries que c'est comme un sommeil.

À l'aube du troisième jour, une estafette à bicyclette lui apporte son ordre de marche.

Cantonnement d'alerte. Les obus tombent à un kilomètre devant, déluge roulant, ininterrompu. Des nappes de brouillard apportent l'odeur du soufre. Saganne ne voit rien. Ce qu'il comprend, c'est que l'artillerie boche pilonne depuis vingt-quatre heures, et que les batteries françaises ne répliquent pas. Les hommes essaient de dormir, boulés contre les sacs, ou adossés au parapet de la tranchée, les pieds dans la boue jaune. A quatre heures, les premiers blessés commencent à refluer. Ils sortent du brouillard par trois ou quatre, accrochés les uns aux autres ou appuyés sur leur lebel comme des pèlerins épuisés. Saganne arrête un sergent qui tient un gros tampon d'ouate plaqué contre son œil :

— Qu'est-ce qui se passe?

— Ils ont commencé l'assaut. Il en sort de partout.

— Et nos 75? crie Guyot. Qu'est-ce qu'ils foutent, nos 75?

L'homme reprend sa marche sans répondre.

Le flot de rescapés grossit. Certains courent, à foulées lourdes, cartouchières et casques brinquebalant. Beaucoup ne sont pas blessés.

Saganne sort de la tranchée, accroche un caporal par le revers de sa veste :

— Où vous courez comme ça? Venez par là!

Le garçon se laisse entraîner. Il est tout jeune, docile comme une fille. Sur ses joues roses, sa barbe pointe. Il ne tremble pas, et, si ses yeux expriment quelque chose, c'est un effarement de Pierrot tombé de la lune.

— On fait retraite, mon lieutenant!

— Retraite, mon cul! dit Guyot. Vous vous carapatez, oui! Derrière la tranchée, les hommes qui fuient la ligne de feu sont de plus en plus nombreux et leur défilé prend figure de déban- dade.

— Reste là, dit Saganne au caporal.

Il saute à nouveau sur le chemin, écarte les bras, crie :

« Arrêtez, bon Dieu! Arrêtez!

Quand les soldats l'aperçoivent, ils cessent de courir, mais continuent à avancer. Les deux premiers le contournent et le dépassent. Il se retourne, leur envoie son brodequin dans le cul :

« J'ai dit "arrêtez!", hurle-t-il.

Il pointe le doigt :

« Mettez-vous là.

Les fuyards se massent en troupeau. Ils maugréent, tête basse.

« Où sont vos officiers?

A ce moment arrive un capitaine. Il marche vite, tenant devant lui, dans le creux de son coude gauche, son avant-bras droit. Au bout du poignet, il n'y a plus de main : la chair sanglante s'est rétractée sur les os. Sans ralentir, il jette à Saganne :

— Vous êtes du 125e? Si vous ne marchez pas, vous êtes des jean-foutre!

Depuis un moment, la canonnade a cessé, remplacée par les claquements, toujours plus nombreux et proches, des fusils. A peine le capitaine a-t-il cessé de parler que six obus passent au-dessus de leur tête en sifflant.

— Ils allongent le tir! dit Guyot. Dès qu'il sera réglé, on va tout prendre sur la gueule!

Saganne crie à la troupe des fuyards :

— Dans les tranchées!

La plupart obéissent mais, profitant du désordre, quatre hommes se mettent à courir. Ils n'ont pas le temps de faire trente mètres : un obus les rattrape. Saganne voit distinctement, dans la fumée et la terre projetée, les têtes et les membres qui volent.

Guyot s'est dressé, et crie :

— V'là des nouvelles!

Sur le chemin, l'agent de liaison de la compagnie, penché sur son guidon, zigzague au milieu des explosions et des cratères creusés par les marmites. Toute la section suit des yeux sa progression. Lorsqu'il arrive à l'endroit où, une minute auparavant, les quatre hommes viennent d'être volatilisés, un nouvel obus se fracasse. On ne voit plus rien. Puis le cycliste émerge de la fumée, à pied, poussant son engin. Il se plante devant Saganne, salue :

— Le capitaine m'envoie vous dire qu'il n'y a plus rien devant nous. Nous sommes face aux Allemands, et faut tenir.

Il se penche sur sa chaussure qu'un éclat d'acier a déchirée : « Pour une fois que j'avais de bath grolles! C'est pas de chance!

Vingt minutes plus tard, les premiers uniformes vert-de-gris apparaissent. Ils avancent sans se dissimuler, lâchant, comme des hommes ivres, des bordées de « Hurrah! » et de « Vorwärts! ». La terre frémit sous le martèlement de leurs bottes. Les mitrailleuses de Saganne se mettent à cracher, creusant un grand vide au milieu de cette masse hurlante. Les silhouettes obscures tombent par paquets et fuient vers la droite et vers la gauche, comme soufflées par un ouragan.

Saganne s'est placé à genoux au centre de son dispositif. Il indique les objectifs du bras. Houspillés par Guyot, les fuyards récupérés sur le chemin se sont disposés entre les mitrailleuses : les culasses de leurs fusils claquent, ponctuant le crépitement ininterrompu. Beaucoup d'entre eux, voyant l'attaque allemande brisée, sont pris d'une exaltation qui touche à la frénésie. Ils brandissent le poing, crient : « Ils tombent! Mettez-y-en! »

Couchés contre leurs engins, le corps secoué par les tressaillements de l'acier, les mitrailleurs ne manifestent pas. Ils savent, eux, que les choses sérieuses commenceront dès que les artilleurs boches les auront repérés. Et, bientôt, on entend le frôlement du premier obus. Il se perd derrière la ligne, sans dommage. Mais le deuxième et le troisième, qui explosent à trois secondes d'intervalle, atteignent leur cible. Sur la gauche, deux mitrailleuses se taisent. En relevant la tête, Saganne voit les quatre servants enfoncés à plat ventre dans la boue, comme écrasés par le pied d'un géant. A peu près au même moment, dans son dos, les batteries de 75 françaises se mettent à tonner. Un obus se pique dans le remblai. La déflagration le projette, et il se retrouve assis dans du noir opaque. A son côté, Guyot bégaie de rage :

— C'est maintenant qu'ils se réveillent, nos salauds d'artilleurs! Ah les vaches! On est faits comme des rats, mon lieutenant, avec nos 75 dans le cul et les 120 allemands dans la gueule! Comme des rats!

Il est debout, battant l'air des deux bras, hurlant sa fureur, quand sa mâchoire inférieure se décroche. Saganne voit basculer sur lui, non pas le visage de son sergent, mais un trou rouge, hérissé de dents, où fuse le sang de l'aorte. Le corps tombe en travers de ses genoux. Il le repousse, se met à ramper. Lorsque le fracas faiblit, il entend autour de lui les cris des blessés. Enfonçant ses doigts et ses coudes dans la boue, il se hisse au bord de la tranchée. A cinquante mètres, sur sa gauche, une trentaine de fantassins allemands se sont regroupés. Ils attendent le moment de l'assaut, piétinant sur place pour se réchauffer.

Saganne se retourne vers les siens :

— Feu! crie-t-il. Feu! Tout sur la gauche!

Une dizaine de coups de fusil partent. Puis une mitrailleuse se remet à tirer.

Saganne se laisse glisser le long du parapet. Dans la tranchée il court, enjambant les corps, vers le terre-plein où il a repéré une de ses pièces, trépied en l'air. Mais, avant qu'il n'ait le temps de l'atteindre, six explosions formidables soulèvent la terre. Une lame d'acier l'embroche à la hauteur de la poitrine. Il pense :
« Ça y est », fait encore deux pas et tombe en avant.

C'est la douleur qui le ramène au monde, la sensation révoltante qu'on lui enfonce derrière les côtes, puis qu'on retire doucement, pour le replonger aussitôt, un tisonnier chauffé à blanc. Il ouvre les yeux. Un visage est penché sur le sien. Il reconnaît le casque à pointe, et une voix prononce quelques mots d'allemand. Saganne pense : « Il m'achève à la baïonnette. » Il se jette du côté de la douleur, pour en finir plus vite.

Le soldat allemand voit la tête du blessé retomber. Il se relève, reprend le Français sous les bras et se remet à le traîner vers le brancard, comme il en a reçu l'ordre.

Lorsqu'il reprend connaissance, il est seul. La conscience qui lui revient, c'est celle de cette solitude. Aucun besoin d'ouvrir les yeux pour vérifier. D'ailleurs, ouvrir les yeux, il n'y songe pas. Ce qu'il lui reste de force, il le garde.

Il ne souffre plus. Il meurt de froid. Contre la douleur, il pourrait se raidir. Contre le froid, il faut ruser : isoler mentalement une partie de son corps, sa jambe par exemple, et, par glissements successifs, y concentrer la sensation glacée. Lorsqu'elle est circonscrite, il la retient apprivoisée, comme un animal. A la moindre inattention elle lui échappe et le réenvahit tout entier. Il recommence. Jamais il n'a été plus humble, et jamais plus obstiné. Blessé à mort, abandonné dans le désert, Takarit a recousu lui-même son ventre. Comme le Targui, il fera, contre tout espoir, son devoir d'homme.

Il ne se soucie pas de l'endroit où il gît. La nuit ou le jour, les heures ou les minutes, cela ne le concerne pas non plus. Sa tâche, sa seule tâche, c'est de trouver, chaque seconde, le juste équilibre entre les efforts de volonté et les concessions au mal qui l'emporte. Résister et céder, reprendre et relâcher; il se tient comme on tient un cheval difficile, un voilier dans la tempête.

S'il tombe dans le sommeil, il sait qu'il est perdu : il ne se permet pas de dormir. Il se ménage seulement des plages de somnolence, qu'il peuple de souvenirs sahariens. Pas ceux des moments d'intensité; ceux, au contraire, des moments vides : les lentes méharées, les attentes, les rêveries près des feux de bivouac. Cela est à lui. Ses exploits sont des gages qu'il a donnés pour que le monde l'accepte; ils ne lui ont rien appris, ou alors des choses qu'il préfère oublier. Qu'a-t-elle prouvé, la charge dans l'oued Esseyène, sinon qu'il est capable, comme n'importe quel homme, de commettre dans certaines circonstances, des actes inhumains? Cet héroïsme contre nature ne lui est d'aucun secours. Aujourd'hui, il voudrait avoir les vertus de ces plantes du désert qui enfoncent leurs racines dans le sable, toujours plus profond, vers l'eau qu'elles ne trouvent pas toujours.

Madeleine, le projet qu'ils avaient de s'installer au Maroc, lui servent à émerger de ces demi-sommeils. Pour accompagner ces images de félicité, il se récite les vers que sa mère disait autrefois, et qui mettaient son père en rage : « La vie humble aux travaux ennuyeux et faciles... »

Après chaque période de repos, il reprend le combat d'un peu plus bas. Pourquoi ses forces le fuient-elles, alors qu'il en a tant besoin, qu'il en ferait si bon usage? Il lui semble que, s'il pouvait seulement respirer à fond, cela suffirait à le hisser à un palier où il rassemblerait sa vigueur.

Respirer. Il doit respirer. Trouver les nerfs, les muscles, dont le jeu permettra à l'air de pénétrer dans ses poumons. C'est affaire de concentration, de patience. Apprendre à respirer comme il a appris à lire.

Quand, à un moment, des hommes se penchent sur lui, qu'il sent sur ses lèvres et sur ses paupières closes leurs deux souffles distincts, il voudrait les renvoyer : on ne doit pas le distraire, et personne ne peut l'aider.

Le major allemand aboie ses phrases. Celui qui traduit a une voix de prêtre. Chacune de ses intonations est comme une invite au renoncement. Saganne crispe le visage. Se défendre contre l'onctuosité de cette voix et comprendre les mots qu'elle porte, c'est le même effort.

— Vous êtes au lazaret de Hann-Münden; votre isolation dans une tente est une nécessité de la sécurité militaire. Mais vous êtes soigné à l'égalité des soldats allemands. Vos papiers officiels ont été transmis à la Croix-Rouge en conformité de la convention internationale. Votre état de perforation pulmonaire prohibe strictement l'agitation. Parler est interdit. Si vous avez compris, levez la main.

Saganne lève la main. Du moins, il le croit. Le métal d'une cuillère heurte ses dents. Une bouillie tiède coule entre ses lèvres.

311

Quand sa bouche est pleine, il avale : la douleur lacère sa poitrine. Ce sont ses propres côtes qui le poignardent. Pour arrêter ces déchirements, il suffirait de cesser de manger, de cesser de lutter. Qu'il ouvre seulement le poing, qu'il étende ses doigts...

Mais ce sont les yeux qu'il ouvre. A travers le brouillard qui voile sa vue, il distingue la tache blanchâtre d'un visage.

— Prêtre ? demande-t-il.

L'autre ne comprend pas, ou n'entend pas son murmure :

— Manger est nécessaire, dit-il en avançant la cuillère.

Saganne tend la langue pour recevoir la bouillie. Après, il la laisse fondre contre son palais. De cette façon, il se pénètre de sa chaleur et évite la déglutition. Jamais il n'a été plus malin.

Il reprend espoir. C'est un espoir à la mesure de son épuisement, qui n'efface pas la perspective de la mort ; qui la rend seulement, par instants, moins certaine.

Pendant quatre jours, son état reste stationnaire. Matin et soir, le prêtre qui parle français vient le nourrir et le laver. Il a tenté, une fois, de refaire le pansement qui entoure le torse ; Saganne s'est évanoui. L'Allemand a remis la bande et n'y a plus touché.

Le quatrième jour, l'infection se déclare. La fièvre arrache Saganne à son univers glacé. Il se sent soulevé, entraîné par un mouvement de marée. Dans ce flux, il a l'impression que ses membres et ses organes, particulièrement les mains et les yeux, se dilatent, se gonflent comme des baudruches. Puis le reflux le tire vers d'autres gouffres déformants. Il se dédouble alors : son corps se rétracte, rapetisse jusqu'à l'insignifiant, tandis que son regard s'élève à de prodigieuses hauteurs.

A ce nouveau mal, il s'abandonne ; il ne peut pas faire autrement. Pour lutter, il lui faudrait un élément fixe, un bastion. La fièvre ne lui laisse aucun répit.

La soif est le seul lien qu'il garde avec le monde. Elle n'est pas un recours ; elle le traverse comme un corps étranger qu'il voudrait expulser.

Il y a aussi les images obsédantes de ce combat que lui a raconté Dubreuilh, où le sable était si chaud que les adversaires se mitraillaient debout, d'une dune à l'autre. Les chefs criaient : « Couchez-vous ! », mais les hommes ne pouvaient pas obéir. Ils ne tom-

312

baient que morts ou blessés. Ces visions le poursuivent, chargées d'une réalité hallucinante, comme s'il était tous ces combattants à la fois; puis, et c'est encore pis, elles s'estompent, disparaissent par pans.

Lorsqu'il aperçoit, au-dessus de lui, la tête du prêtre que les mirages de la fièvre éloignent et rapprochent, il demande à boire. L'Allemand sourit : Saganne voit son visage se tordre, comme une photographie sous une flamme.

— Vous avez reçu des lettres par l'intermédiaire de la Croix-Rouge de Genève, dit l'homme. Vous comprenez? Des lettres.

Saganne remue à nouveau les lèvres pour réclamer de l'eau. Le mot « croix » est venu se ficher dans son délire. Devant lui, à portée de main, se dresse la croix recouverte en cuir rouge de la selle que Takarit lui a offerte après Esseyène. Il retrouve, amplifiée, cette sensation de basculer vers le sol qu'il éprouvait quand, sous lui, le chameau s'agenouillait pour la halte.

Qu'il réussisse à saisir cette croix, à s'y accrocher, il sera sauf un instant encore. Ses ongles raclent la couverture. Il a un œil à demi ouvert, l'autre clos.

Le prêtre a déchiré la première enveloppe. Il parcourt la lettre des yeux :

« C'est votre femme qui a écrit. Elle dit qu'elle attend un enfant.

Il se penche sur l'agonisant, pose la main sur son épaule :

« Votre femme écrit qu'elle attend un enfant. Avez-vous compris?

Saganne a ouvert grand les yeux. Le mouvement de marée a cessé. Le froid l'a repris et, à partir de sa poitrine, étend son emprise. Il est trop faible pour gémir ou même pour laisser couler ses larmes. Pourtant, il lui semble qu'il a encore quelque chose à faire, quelque chose de très simple et de très important.

« Avez-vous compris? répète le prêtre. Voulez-vous que je lise?

Saganne ne manifeste pas : ni un murmure, ni l'ébauche d'un geste. Il a si peu de temps pour découvrir ce qu'on attend de lui. Rien ne doit le distraire.

L'Allemand reprend :

« L'autre lettre est de M. Flammarin. Elle n'est pas longue, je vais vous la lire : " *Je suis allé à Alger. J'ai vu ta femme. Elle m'a invité à déjeuner. Pendant que je mangeais en face d'elle, j'ai*

313

pensé que tu as eu finalement tout ce que tu voulais : l'aventure et la gloire, la réussite et le bonheur... "

La voix du prêtre ne le dérange plus. Il entrevoit la direction dans laquelle il doit chercher. Dès qu'il aura découvert un mot qui signifie à la fois « je vous remercie » et « je vous demande pardon », tout s'éclaira.

Si on lui demande « merci à qui ? », « pardon de quoi ? », il n'aura pas le temps de s'expliquer. Tant pis ; ça ira comme ça. Un seul mot, c'est tout ce qu'il peut faire.

Il voit distinctement, au-dessus de lui, la toile de la tente, kaki, opaque. Le mot qu'il cherchait, il l'a trouvé. Il ouvre les lèvres pour s'en délivrer : le sang accumulé dans sa bouche se répand sur son menton.

Le prêtre n'a rien vu. Il continue la lecture de la lettre de Flammarin dans son français hésitant : « *Ta femme m'a appris vos projets de culture au Maroc. Si vous m'acceptez, je partirai avec vous...* »

Le major est entré dans la tente. Il s'approche de Saganne, soulève sa paupière avec le pouce. Il se tourne vers le prêtre :

— Ne vous fatiguez pas : il ne peut plus entendre... Vous ferez mettre le corps à la fosse, je n'ai plus de cercueils.

Le 10 avril 1922, jour anniversaire de la bataille d'Esseyène, le général Dubreuilh inaugure à Inféléh le fort Saganne. Huit mètres sur huit, quatre pièces sans fenêtres, c'est, à peine remis en état, le bâtiment que Charles a construit. On l'a seulement entouré d'une enceinte de murs crénelés. La porte ogivale ouvre sur le plateau du Tassili. Tout est en terre. Sur le fronton, on a scellé une pierre gravée : FORT SAGANNE.

Cette plaque, ces murs, sont la seule trace tangible du passage de Saganne : son corps n'a pas été rapatrié.

Au milieu des burnous et des uniformes, debout près de sa mère dont la main serre la sienne, un petit garçon de sept ans attend avec impatience que le discours du général se termine. Il ne quitte pas de l'œil le chameau noir à jambes blanches agenouillé à l'ombre d'un tamaris et la selle de cuir rouge qui est

314

posée à côté dans le sable. Avant la cérémonie, un grand homme voilé s'est approché de lui :

— Comment tu t'appelles, toi ?

— Charles Saganne.

— Moi, je m'appelle Takarit. Eh bien, Saganne, tu vois le chameau et la selle, là-bas : ils sont à toi.

IMPRIMERIE HÉRISSEY A ÉVREUX (5-84)
D.L. 2e TRIM. 1981. N° 5887-3 (34687)

Collection Points

SÉRIE ROMAN

SÉRIE BIOGRAPHIE

B1. George Sand ou le scandale de la liberté
par Joseph Barry
B2. Mirabeau, par Guy Chaussinand-Nogaret
B3. George Orwell, par Bernard Crick
B4. Colette, par Michel Sarde
B5. Raymond Chandler, par Frank Mac Shane